Alexandra Ivy vit avec sa famille à Ewing, dans le Missouri. Elle dit avoir découvert le plaisir de lire en se rendant à la bibliothèque, avec les aventures de Nancy Drew. Elle demeure une grande passionnée de lecture.

www.milady.fr

Alexandra Ivy

Styx

Les Gardiens de l'éternité – 3

Traduit de l'anglais (États-Unis) par Hélène Assens

Milady

Milady est un label des éditions Bragelonne

Titre original : *Darkness Everlasting*
Copyright © 2008 by Debbie Raleigh

Suivi d'un extrait de : *Darkness Revealed*
Copyright © 2009 by Debbie Raleigh

© Bragelonne 2011, pour la présente traduction

ISBN : 978-2-8112-0514-0

Bragelonne – Milady
60-62, rue d'Hauteville – 75010 Paris

E-mail : info@milady.fr
Site Internet : www.milady.fr

Chapitre premier

E n matière de boîtes de nuit, l'*Enfer de Viper* était de loin
la plus onéreuse, la plus élégante et la plus sélecte de
toute la ville de Chicago.

Bizarrement, c'était aussi la moins connue.

Elle ne figurait pas dans l'annuaire. Pas de pubs tape-
à-l'œil sur des panneaux d'affichage, ni de néons clignotants
pour signaler sa présence. En fait, le bâtiment entier était
dissimulé derrière un glamour subtil.

Quand on était *quelqu'un d'important*, on savait où se
trouvait cet endroit. Et les humains ne faisaient pas partie
des gens *importants*.

Entre les colonnes de marbre et les fontaines miroitantes,
divers démons se déplaçaient, tous s'adonnant à un éventail
de viles activités. Chacune coûtant une petite fortune.

Jeu, boisson, danses exotiques ou encore orgies… plus
ou moins discrètes.

Des distractions certainement délicieuses mais, en
cette froide nuit de décembre, le vampire connu sous le
nom de Styx n'était pas intéressé par les plaisirs disponibles
en contrebas du balcon privé. Ni même par les différents
démons qui s'interrompirent pour lui adresser un signe de
tête révérencieux.

Il reporta le regard sur son compagnon avec une certaine
résignation.

À première vue, ces deux-là n'auraient pu être plus dissemblables.

Enfin, ce n'était pas tout à fait exact.

D'accord, ils étaient tous deux grands et dotés du corps musclé propre à tous les vampires. Tous deux avaient les yeux sombres et les indispensables crocs. Mais leur ressemblance s'arrêtait là.

Le plus jeune, Viper, venait des terres slaves septentrionales et avait hérité de ses ancêtres ses clairs cheveux d'argent et sa carnation encore plus pâle. Styx, lui, était originaire de la chaude Amérique du Sud et avait conservé, même après sa transformation, la peau hâlée et les traits fiers et anguleux des Aztèques.

Ce soir-là, il avait mis de côté sa robe traditionnelle et choisi un pantalon en cuir noir, des cuissardes et une chemise de soie noire. Il s'était dit qu'il se ferait moins remarquer dans ces vêtements quand il arpenterait les rues de Chicago. Malheureusement, il était impossible qu'un homme d'un mètre quatre-vingt-quinze aux cheveux de jais tressés en une natte qui lui retombait jusqu'aux genoux passe inaperçu.

En particulier aux yeux des mortelles que l'ascendant des vampires subjuguait.

En marchant dans les ruelles obscures, il avait attiré près d'une demi-douzaine de femmes qui l'avaient suivi, pleines d'adoration. Finalement, il avait grimpé sur les toits pour échapper à leurs incessantes attentions.

Par tous les dieux, si seulement il avait pu rester terré dans ses grottes, regretta-t-il en soupirant.

Pendant des siècles, il s'était tenu à l'écart du monde afin de se consacrer à sa mission : protéger l'Anasso – le chef de tous les vampires –, et veiller à la bonne exécution des volontés de ce dernier.

L'Anasso n'étant désormais plus de ce monde, Styx avait été contraint d'endosser son rôle et il s'apercevait qu'il ne pouvait plus se cacher. Pas quand les problèmes l'assaillaient de toutes parts.

Il y avait de quoi exaspérer le plus patient des démons.

— C'est toujours un plaisir de te recevoir, Styx, mais je dois t'avertir que ta présence parmi nous inquiète déjà mon clan, dit Viper d'une voix traînante. Si tu continues à me foudroyer du regard, mes protégés vont sûrement craindre de se retrouver bientôt sans chef.

Prenant conscience qu'il avait eu l'esprit ailleurs, Styx se redressa brusquement dans le somptueux fauteuil en cuir. Instinctivement, il porta la main au médaillon en os attaché autour de son cou.

Un symbole de son peuple.

On lui attribuait le pouvoir de transmettre l'énergie vitale d'une génération à l'autre.

Bien entendu, Styx étant un vampire, il ne gardait aucun souvenir tangible de l'existence qu'il avait menée avant de renaître sous la forme d'un démon. Ce qui ne l'empêchait pas, néanmoins, de tenir à ne serait-ce que quelques-unes des traditions les plus sacrées de ceux qui avaient été les siens.

— Je te regarde normalement.

Viper esquissa un sourire teinté d'ironie.

— Tu oublies, Styx, que j'ai une compagne, ce qui signifie que je connais parfaitement chacun des différents regards exprimant la colère. Et toi, mon ami, tu me regardes assurément d'un œil mauvais.

Le sourire de Viper s'effaça tandis qu'il observait Styx d'un air malicieux.

— Pourquoi ne me dis-tu pas ce qui te préoccupe ?

Styx hésita avant de pousser un léger soupir. Il fallait qu'il le fasse. Même s'il préférerait être flagellé, écorché et qu'on lui arrache les crocs plutôt que de reconnaître qu'il avait besoin d'aide.

En tant que chef de clan de ce territoire, Viper connaissait mieux Chicago que n'importe quel autre démon. Ne pas accepter son assistance serait complètement idiot.

— Ce sont les garous, dit-il abruptement.

— Les garous ?

Viper feula doucement. À l'instar des supporters des Chicago Bulls et des Boston Celtics, les vamps et les chacals ne pouvaient pas se sentir.

— Qu'est-ce qu'ils mijotent encore comme mauvais coup ?

— Ça va au-delà d'un simple mauvais coup. Ils ont quitté leurs terrains de chasse attitrés et j'ai retrouvé la trace d'au moins une partie de la meute à Chicago. (Styx serra les poings sur ses genoux.) Ils ont déjà tué plusieurs humains, sans prendre la peine de dissimuler les cadavres aux autorités.

Viper ne tressaillit même pas. Bien entendu, il aurait fallu davantage qu'une bande de garous pour alarmer ce puissant vampire.

— Des rumeurs ont circulé sur des chiens errants qui traînaient dans les ruelles de Chicago. Je me suis effectivement demandé s'il ne s'agissait pas de garous.

— Ils ont un nouveau chef. Un jeune loup dénommé Salvatore Giuliani qui est originaire de Rome. Un sang-pur assurément trop ambitieux pour son propre bien.

— Tu as tenté de lui faire entendre raison ?

Styx plissa les yeux. Que cette position lui convienne ou non, il était désormais à la tête des vampires. Ce qui signifiait que le monde des démons se soumettait à ses ordres. Y compris les garous.

Jusqu'ici, cependant, ce tout nouveau maître de meute n'avait montré que du mépris pour son devoir envers Styx.

Il allait bientôt apprendre à regretter une telle erreur.

— Il refuse de me rencontrer. (Le ton de Styx était aussi froid que son expression.) Il affirme que les garous ne seront plus asservis aux autres démons et que tous les traités conclus par le passé sont désormais caducs.

Viper haussa les sourcils, se demandant manifestement pourquoi Styx n'avait pas déjà exécuté cette sale bête.

— Il est soit particulièrement courageux, soit particulièrement stupide.

— Particulièrement stupide. J'ai sollicité une réunion du Conseil mais il va s'écouler des jours, si ce n'est des semaines, avant que ses membres puissent s'assembler en un même lieu.

Styx faisait allusion à la commission qui réglait les conflits entre les différentes espèces de démons. Cette dernière était composée d'oracles très âgés qui quittaient rarement leurs retraites secrètes. Malheureusement, c'était le seul moyen légal de prononcer un jugement sur le roi ou le chef d'une autre espèce, sans représailles.

— Pendant ce temps, nous sommes tous menacés par les agissements déraisonnables des garous.

— Mon clan se tient prêt à t'aider. (Un sourire effleura les lèvres de Viper à cette pensée.) Si tu veux la mort de ce Salvatore, je suis sûr de pouvoir m'en charger.

Peu de choses auraient davantage fait plaisir à Styx que d'ordonner l'exécution de Salvatore Giuliani. À part plonger ses propres crocs dans la gorge de ce chien galeux.

Parfois, être un chef responsable était une galère.

— Une offre alléchante, mais je crains que les garous vouent une dévotion sans pareille à cet homme. S'il venait à disparaître subitement, son meurtre serait certainement imputé aux vampires. Je souhaite éviter toute guerre ouverte pour le moment.

Viper inclina légèrement la tête. Quels que soient ses propres désirs, il se soumettrait à l'autorité de Styx.

— Tu as un plan ?

— Pas exactement, mais j'espère en revanche avoir découvert un moyen de pression sur Salvatore.

Il sortit une petite photographie de sa poche et la tendit à son compagnon.

Pendant quelques instants, Viper examina la petite femme frêle sur le cliché. Avec ses courts cheveux blonds hirsutes et ses yeux verts bien trop grands pour son visage en forme de cœur, elle avait l'air d'une jolie gamine.

— Pas mon genre, même si c'est indéniablement un beau brin de fille. (Il releva la tête.) C'est sa maîtresse ?

— Non, mais Salvatore a dépensé une somme d'argent et d'énergie considérable pour retrouver la trace de cette femme. Je crois qu'il l'a enfin dénichée ici, à Chicago.

— Qu'est-ce qu'il lui veut ?

Styx haussa les épaules. Les vampires qu'il avait chargés de surveiller l'imprévisible garou avaient réussi à mettre la main sur cette photo, en plus de suivre Salvatore jusqu'à Chicago. Toutefois, ils n'étaient pas parvenus à l'approcher suffisamment pour découvrir la raison pour laquelle le loup était obsédé par cette femme.

— Je n'en ai pas la moindre idée, mais elle compte manifestement beaucoup pour lui. Au point qu'il pourrait accepter de négocier pour la récupérer… si j'arrive à l'enlever avant lui.

Une lueur de surprise éclaira le visage pâle de Viper.

— Tu as l'intention de la kidnapper ?

— J'envisage de la garder en tant qu'invitée jusqu'à ce que les garous reviennent à la raison, rectifia-t-il.

Tout son corps se raidit lorsque Viper pencha la tête en arrière pour rire avec une intense satisfaction.

— Qu'y a-t-il de si drôle ?

Viper montra la photographie qu'il tenait à la main.

— As-tu bien regardé cette femme ?

— Bien sûr. (Styx fronça les sourcils.) Mémoriser ses traits était capital au cas où la photo serait perdue ou détruite.

— Et malgré ça tu es prêt à la prendre sous ton toit ?

—Aurais-je des raisons de ne pas le faire ? s'enquit Styx.

—Des raisons évidentes.

Styx réprima l'impatience qui montait en lui. Si Viper détenait des informations sur cette personne, pourquoi ne les disait-il pas au lieu de se comporter d'une façon si mystérieuse ?

—Tu parles par énigmes, mon vieil ami. Penses-tu que cette femme pourrait représenter un danger quelconque ?

Viper leva les mains.

—Seulement dans la mesure où toute belle femme constitue un danger.

Styx plissa les yeux. Par tous les dieux, Viper s'imaginait-il qu'il était sensible aux attraits d'une simple femme ? Une mortelle, en plus ?

S'il en désirait une, il n'avait qu'à jeter un coup d'œil par-dessus le balcon. La boîte de nuit était pleine de femmes, ainsi que d'un bon nombre d'hommes, qui lui avaient ostensiblement manifesté de l'intérêt dès l'instant où il avait franchi la porte.

—Elle sera mon otage, rien de plus, affirma-t-il avec froideur.

—Bien sûr.

Percevant que l'enjouement de Viper subsistait, Styx désigna avec impatience la photographie du doigt. C'était, après tout, la raison pour laquelle il était venu là à l'origine.

—Sais-tu où se situe l'établissement devant lequel elle se trouve ?

—Ça me dit quelque chose.

S'interrompant un instant, Viper hocha la tête.

—Oui. C'est un bar gothique. Je dirais à quatre, non attends… cinq rues d'ici, vers le sud.

—Je te remercie, mon vieil ami.

Styx se releva prestement, reprit la photo et la rangea dans sa poche.

Viper se mit debout et posa une main sur le bras de Styx pour le retenir.

—Attends, Styx.

Celui-ci refoula l'impatience qui montait en lui. Il n'avait pas le temps de s'attarder. Plus vite il capturerait cette femme, plus vite il saurait si les garous tenaient effectivement à elle.

—Qu'y a-t-il?

—Que vas-tu faire?

—Je te l'ai dit. J'ai l'intention de l'enlever.

—Comme ça, c'est tout? demanda Viper.

Styx fronça les sourcils, perplexe.

—Oui.

—Tu ne peux pas y aller seul. Si les garous la surveillent, ils tenteront à coup sûr de t'en empêcher.

—Je ne crains pas une meute de chiens, répliqua Styx d'un ton méprisant.

Viper refusa de se laisser fléchir.

—Styx.

Ce dernier poussa un soupir.

—Mes Corbeaux ne seront pas loin, promit-il.

Il parlait des cinq vampires qui l'accompagnaient fidèlement depuis des siècles.

Ils faisaient autant partie de lui que son ombre.

Le vampire aux cheveux argentés n'était toujours pas satisfait.

—Et où vas-tu l'emmener?

—Dans mon repaire.

—Bon Dieu. (Viper éclata d'un rire mordant.) Tu ne peux pas installer cette pauvre femme dans ces grottes humides et répugnantes.

Styx fronça les sourcils. À vrai dire, il n'avait pas vraiment songé à l'atmosphère guère accueillante des cavernes où il vivait.

Pour lui, elles n'étaient qu'un endroit protégé du soleil.

—La plupart sont assez confortables.

—C'est déjà grave de la prendre en otage. Emmène-la au moins dans un lieu pourvu d'un bon lit et d'un minimum de confort.

—À quoi bon ? Ce n'est rien de plus qu'une humaine.

—C'est justement parce que c'est une *humaine* que c'est important. Seigneur, elles sont plus fragiles que des fées de rosée.

À pas rapides et silencieux, Viper s'avança vers le secrétaire qui occupait une grande partie de son bureau, derrière le balcon. Il sortit une feuille de papier d'un tiroir. Après y avoir griffonné quelques lignes, il plongea la main dans sa poche et en retira une petite clé. Revenant vers Styx, il lui donna le tout.

—Tiens.

—Qu'est-ce que c'est ? demanda Styx.

—La clé de ma propriété, au nord de la ville. Elle est suffisamment calme et isolée pour ton projet, tout en étant bien plus agréable que ton repaire. (Il lui montra la feuille.) C'est l'itinéraire. Je vais prévenir Santiago et le reste de mon personnel de ton arrivée.

Styx ouvrit la bouche pour protester. Son repaire n'était peut-être pas le plus élégant et luxueux des endroits, mais il était bien protégé et, surtout, il en connaissait parfaitement les environs.

Néanmoins, il supposait que fournir un peu de confort à cette femme n'était pas totalement superflu.

Comme Viper l'avait fait remarquer, les humains étaient extrêmement fragiles, et Styx savait qu'ils avaient une tendance déconcertante à se blesser et à attraper toutes sortes de maladies. Pour avoir la moindre valeur, elle devait rester en vie.

En plus, cela lui permettrait de garder Salvatore à l'œil.

— Il serait peut-être préférable de ne pas trop s'éloigner de la ville pour négocier avec les garous, reconnut-il.

— Et pour être en mesure de demander de l'aide en cas de besoin, insista Viper.

— Oui. (Styx mit la clé dans sa poche.) Je dois y aller maintenant.

— Sois prudent, mon vieil ami.

Styx hocha la tête d'un air grave.

— Tu peux compter là-dessus.

Gina, la serveuse aux cheveux roux et au visage couvert de taches de rousseur, était appuyée nonchalamment contre le bar lorsque trois hommes pénétrèrent dans la boîte de nuit gothique.

— Waouh ! Alerte aux mâles ! cria-t-elle par-dessus les basses assourdissantes du groupe de rock. Ce coup-ci, ce sont des spécimens de tout premier choix.

Relevant la tête du verre qu'elle remplissait, Darcy Smith jeta un regard aux clients qui venaient d'entrer. Elle arqua les sourcils, étonnée.

En règle générale, Gina n'était pas très regardante. Pour elle, tout ce qui était vaguement viril et se tenait sur deux jambes constituait du premier choix.

Mais cette fois-ci, eh bien… même évalués avec sévérité, ils obtenaient la note maximale.

Darcy siffla tout bas en examinant les deux hommes les plus proches. Ils incarnaient indéniablement la génération stéroïde, reconnut-elle en contemplant les muscles saillants qui semblaient ciselés dans le marbre, sous leurs tee-shirts moulants et leurs jeans ajustés. Bizarrement, ils avaient tous deux le crâne rasé. Peut-être pour souligner l'expression dangereusement renfrognée qui contractait leurs beaux visages ou pour renforcer l'impression de violence refoulée qui se dégageait d'eux.

C'était efficace.

Par comparaison, l'homme qui se tenait derrière eux avait l'air beaucoup plus menu. Bien sûr, son élégant costume de soie ne dissimulait pas complètement ses magnifiques muscles. Pas plus que les longues boucles noires qui effleuraient ses épaules n'adoucissaient ses traits graves et son nez aquilin.

Sans l'ombre d'un doute, Darcy sut qu'il était le plus redoutable des trois.

Une puissance féroce émanait de lui alors qu'il conduisait ses hommes de main vers la foule compacte.

— Celui en costard ressemble à un truand, fit-elle remarquer d'un ton désapprobateur.

— Un truand en costume Armani. (Gina lui décocha un sourire éclatant.) J'ai toujours eu un faible pour ce créateur.

Darcy roula des yeux. Les vêtements de haute couture ne l'avaient jamais intéressée, pas plus que le genre de types qui jugeaient nécessaire d'en porter.

Ce qui n'était pas plus mal, vu que les hommes en costume Armani ne couraient pas les rues dans son monde.

Disons qu'elle en voyait un tous les trente-six du mois.

— Qu'est-ce qu'il fait ici ? grommela-t-elle.

Toutes sortes de gens se pressaient dans ce bar souterrain. Des gothiques, des métalleux, des adeptes de la fumette et des gars vraiment bizarres.

La plupart venaient pour les groupes de hard rock et se jetaient sur la piste de danse exiguë avec une désinvolture totale. Quelques-uns préféraient les arrière-salles qui offraient un large choix d'activités illégales.

Pas vraiment le genre d'endroit à attirer une clientèle plus distinguée.

Gina fit bouffer ses cheveux avant de prendre son plateau.

— Il a probablement eu envie de voir des autochtones. Les gens riches ont toujours aimé côtoyer la racaille.

(La jeune femme grimaça, paraissant plus âgée qu'elle ne l'était.) Tant qu'ils ne se salissent pas trop au passage.

Un léger sourire aux lèvres, Darcy observa la serveuse fendre d'un pas léger et efficace la foule animée. Elle ne pouvait pas vraiment reprocher à Gina son cynisme. Comme elle, sa collègue était seule au monde et n'avait ni l'éducation ni les ressources pour espérer une brillante carrière.

Darcy, en revanche, refusait de laisser l'amertume atteindre son cœur. Elle était obligée d'accepter tous les emplois qui se présentaient à elle, et après ?

Barmaid, livreuse de pizzas, professeur de yoga et, de temps en temps, elle posait nue pour l'école des beaux-arts de la ville. Rien n'était indigne d'elle. La fierté c'était très surfait quand on devait gagner son pain.

Sans compter qu'elle économisait pour quelque chose de mieux.

Un jour, elle posséderait sa propre boutique de produits diététiques et rien ne se mettrait en travers de son chemin.

Certainement pas une attitude défaitiste.

Occupée à remplir ou laver des verres, Darcy ne remarqua pas les derniers arrivés qui s'installaient au bar. Pas avant que leurs regards furieux et l'étalage de leurs muscles aient réussi à faire fuir les autres clients et qu'elle se retrouve pratiquement seule avec eux.

Une gêne étrange l'envahissant soudain, elle força ses jambes à la porter vers les hommes qui attendaient. C'était ridicule, se réprimanda-t-elle. Plus d'une centaine de personnes se trouvaient dans la salle. Ces types ne pouvaient aucunement constituer une menace.

S'arrêtant instinctivement face à celui en costume, elle réprima un sursaut de surprise en croisant les yeux d'un brun doré qui brûlaient en dégageant une chaleur presque tangible.

Oh, oh.

Un loup en habits de soie.

Elle ignorait d'où lui venait cette pensée absurde et elle la refoula aussitôt. Cet homme était un client. Elle était là pour le servir.

Rien de plus, rien de moins.

Un sourire plaqué sur le visage, elle plaça un petit dessous-de-verre en carton devant lui.

— Que puis-je faire pour vous ?

Il retroussa lentement les lèvres, dévoilant des dents d'une blancheur saisissante.

— Énormément je l'espère, *cara*, répondit-il avec un léger accent.

Elle eut la chair de poule lorsque le regard doré de l'homme s'attarda paresseusement sur son tee-shirt noir et sa minijupe trop courte.

Elle détectait dans ces yeux une voracité qui ne lui semblait pas être entièrement sexuelle.

Comme si elle était une côtelette de porc appétissante.

Purée, c'était le cas de le dire.

— Qu'est-ce que je vous sers ?

Elle s'efforça de prendre un ton brusque et professionnel. Elle s'était aperçue que cette voix faisait retomber une érection en un éclair.

L'étranger se contenta de sourire.

— Un bloody mary.

— Épicé ?

— Oh, très.

Elle résista à l'envie de rouler des yeux.

— Et vos amis ?

— Ils sont de service.

Elle décocha un regard aux hommes qui se dressaient derrière leur chef, les bras croisés, menaçants. Dupond et Dupont, sans une once d'intelligence à eux deux.

— Comme vous voudrez.

Elle se rendit au fond du bar pour préparer la boisson. Elle y ajouta une branche de céleri et une olive avant de revenir la poser sur le dessous-de-verre.

—Un bloody mary.

Elle repartait déjà quand il tendit la main pour la retenir.

—Attendez.

Elle regarda d'un air désapprobateur les doigts fins à la peau mate qui lui enserraient le bras.

—Que voulez-vous?

—Tenez-moi compagnie. Je déteste boire seul.

De toute évidence, Dupond et Dupont ne comptaient pas.

—Je suis de service.

Il jeta ostensiblement un coup d'œil au bar désert.

—Personne ne semble avoir désespérément besoin de vous. Personne, à part moi.

Darcy poussa un soupir. Elle n'aimait pas se montrer impolie. Ce n'était pas bon pour son karma. Mais cet homme ne comprenait manifestement pas la subtilité.

—Si vous recherchez de la compagnie, je suis sûre qu'il y a plein de femmes ici qui seraient heureuses de partager un verre avec vous.

—Ces femmes ne m'intéressent pas. (Il lui brûlait les yeux de son regard doré.) C'est vous que je veux.

—Je travaille.

—Vous ne pouvez pas travailler toute la nuit.

—Non, mais, quand j'aurai terminé, je rentrerai chez moi. (D'un coup sec, elle dégagea son bras de son étreinte.) Seule.

Une expression, peut-être de contrariété, traversa le visage férocement séduisant de l'homme.

—Je désire juste vous parler. Vous pouvez certainement m'accorder quelques instants de votre temps?

—Me parler de quoi?

Il jeta un coup d'œil exaspéré vers la foule, qui était de plus en plus déchaînée. Il ne semblait pas apprécier l'enthousiasme d'adolescents couverts de cuir et de piercings qui se fonçaient dessus à toute vitesse.

— J'aimerais aller dans un lieu un peu plus intime.

— Hors de question.

L'expression de l'homme se durcit. Encore plus troublant, ses yeux dorés parurent soudain flamboyer d'une lumière intérieure. Comme si on y avait allumé une bougie.

— Il faut que je vous parle, Darcy. Je préférerais que nos rapports demeurent cordiaux – après tout, vous êtes une jeune femme belle et séduisante –, mais, si vous compliquez les choses, alors je suis prêt à faire le nécessaire pour arriver à mes fins.

La peur étreignit soudain le cœur de Darcy.

— Comment connaissez-vous mon nom ?

Il se pencha en avant.

— J'en sais beaucoup sur vous.

Bon, de bizarre ça devenait carrément flippant. Les gentlemen séduisants en costume à 1 000 dollars entourés de leur propre escorte ne filaient pas des barmaids fauchées. À moins d'avoir l'intention de les tuer et de les mutiler.

Deux choses auxquelles elle espérait échapper.

Elle fit un brusque pas en arrière.

— Je crois que vous feriez mieux de finir votre verre, rassembler vos hommes de main et partir.

— Darcy…

Il tendit le bras comme s'il allait la forcer physiquement à se rapprocher de lui.

Heureusement, son attention sembla se relâcher et il tourna la tête vers la porte.

— Nous avons de la compagnie, grogna-t-il à Dupond et Dupont. Occupez-vous d'eux.

À ce signal, les deux brutes foncèrent vers l'entrée avec une rapidité surprenante. L'homme se leva de son tabouret pour les regarder s'éloigner, comme s'il s'attendait presque à voir une armée se ruer dans la boîte.

Il n'en fallut pas davantage à Darcy.

Elle n'était peut-être pas surdouée, mais elle reconnaissait tout de même une occasion lorsqu'elle en voyait une.

Quoi que ce type veuille d'elle, ça ne pouvait pas être bon. Plus elle mettrait de distance entre eux, mieux ce serait.

S'esquivant vers l'extrémité opposée du bar, elle ne prêta pas attention au cri soudain que poussa l'homme dans son dos. Elle ne prit même pas la peine de jeter un coup d'œil vers la foule pour chercher de l'aide. Dans cet endroit, une femme qui hurlerait aurait l'air de faire partie du spectacle.

Elle se dirigea plutôt vers le fond de la boîte de nuit. Juste au bout du couloir, il y avait une salle de stockage avec une serrure solide. Elle pourrait s'y cacher jusqu'à ce qu'un des videurs s'inquiète de ne plus la voir au bar. Ils n'avaient qu'à s'occuper du psychopathe.

Après tout, ça faisait partie de leur travail.

Concentrée sur les bruits de pas de ses poursuivants, Darcy ne remarqua pas les ombres épaisses devant elle.

Pas avant que l'une d'elles se déplace pour se mettre directement en travers de son chemin.

Elle entrevit un beau visage hâlé et des yeux noirs et froids, puis cet homme étrange prononça un unique mot et elle s'effondra, engloutie par les ténèbres.

CHAPITRE 2

S tyx se tenait près du lit, immobile et silencieux. Il était resté dans cette même position pendant plus de dix-sept heures, à veiller sur la femme affalée au centre du matelas.

Une partie de lui savait que sa surveillance n'était pas nécessaire. Non seulement la propriété de Viper était isolée, mais elle était équipée d'un système de sécurité à côté duquel celui de la réserve d'or de Fort Knox faisait pâle figure. Sa prisonnière ne pouvait pas ne serait-ce qu'éternuer sans qu'il en soit averti.

Pourtant, pour des raisons étranges, il s'attardait.

Ce ne pouvait être à cause de ce corps féminin svelte, presque frêle, pelotonné sur le dessus-de-lit doré. Ou de ce visage en forme de cœur auquel le sommeil donnait un air innocent. Ou de ces cheveux, hérissés d'une façon ridicule, qui découvraient l'arrondi exquis de son oreille et la courbe de son cou délicieusement long.

Il n'était pas désespéré au point de devoir reluquer une femme pendant qu'elle gisait inconsciente.

C'était tout simplement parce qu'il souhaitait être là lorsqu'elle se réveillerait, se dit-il avec sévérité. Elle allait certainement hurler, pleurer et faire tout un scandale.

Elle était humaine, après tout.

C'était ce que faisaient les humains.

Une explication bien plus acceptable, reconnut-il en couvrant avec précaution le corps mince de la jeune femme.

Il venait juste de reculer lorsqu'il sentit qu'elle se débattait pour se soustraire à l'asservissement auquel il l'avait soumise.

Elle bougea sous la couverture puis se raidit en s'apercevant qu'il lui avait enlevé son tee-shirt et sa minijupe pour qu'elle soit plus à l'aise. Évidemment, il lui avait laissé sa culotte et son soutien-gorge noirs en dentelle. Les humains avaient bizarrement tendance à faire tout un plat de ce genre de choses.

Styx, qui attendait patiemment qu'elle reprenne ses esprits, finit par se renfrogner en voyant qu'elle continuait à reposer sur l'oreiller, les yeux fermés. Elle était éveillée mais faisait semblant d'être endormie, comprit-il.

Quelle futilité.

Il s'approcha et se pencha pour chuchoter tout contre son oreille.

—Je sais que vous êtes réveillée. Cette comédie nous fait perdre notre temps à tous les deux.

Elle enfonça son visage encore plus profondément dans l'oreiller et ramena la couverture jusqu'à son menton. Ses paupières demeurèrent étroitement closes.

—Où suis-je? Qui êtes-vous?

—Je ne peux pas vous parler dans ces conditions, la réprimanda-t-il tandis que le parfum de la jeune femme emplissait ses sens.

Elle sentait les fleurs. Et le sang chaud.

Une association étonnamment érotique.

Il étouffa un grognement quand ses muscles se contractèrent à cette odeur.

—Si je garde les yeux fermés, alors je peux m'imaginer qu'il ne s'agit que d'un cauchemar qui va s'en aller, marmonna-t-elle.

—Je suis peut-être un cauchemar, mais je crains de n'aller nulle part.

Il attendit un instant. Comme elle refusait toujours de coopérer, Styx colla ses lèvres contre les siennes.

Les grands yeux verts s'ouvrirent brusquement, la surprise miroitant dans leur magnifique profondeur.

— Hé, souffla-t-elle. Arrêtez ça.

Styx recula aussitôt. Pas parce qu'elle protestait. Il était l'Anasso. Seule comptait sa volonté. Mais simplement parce qu'il souhaitait prendre son temps.

Il voulait sentir la chaleur et le parfum de la jeune femme l'envelopper. Il voulait goûter à ses lèvres et plonger profondément ses canines dans sa chair.

Non seulement tout cela l'empêchait de se concentrer, mais c'était totalement inopportun.

— Je vous ai apporté à manger.

Il lui indiqua le plateau posé sur la table de nuit.

De son regard vert, elle examina la grande assiette composée de jambon frais, d'œufs brouillés et de toasts avec un dédain manifeste.

— Vous avez l'intention de me nourrir avant de me violer et de me mutiler ? Très attentionné.

— Vous possédez une imagination particulièrement fertile, répliqua-t-il d'une voix traînante. Mangez et nous discuterons ensuite.

— Non.

Styx se renfrogna. Le mot « non » n'était jamais employé en sa présence. Par personne.

Assurément pas par un minuscule bout de femme qu'il pouvait écraser d'une seule main.

— En vous entêtant, vous ne faites de tort qu'à vous-même. Vous devez avoir faim.

Elle haussa légèrement les épaules.

— Je suis affamée, mais je ne mangerai pas ça.

— Il n'y a rien dedans qui pourrait vous faire du mal.

— Il y a de la viande.

Il la regarda avec une certaine perplexité. Il n'avait jamais passé beaucoup de temps avec les mortels. Ils lui fournissaient du sang, et parfois du sexe. Rien qui aurait pu le familiariser avec leur façon assez particulière de penser.

— J'ai cru comprendre que la plupart des humains consommaient de la viande.

Elle cligna des yeux, comme si ces mots l'avaient fait sursauter.

— Pas cette humaine-ci. Je suis végétarienne.

— Très bien.

Grâce à des siècles d'entraînement, il fut capable de se maîtriser. Il avait prévu que cette femme ne lui attirerait que des ennuis, et il semblait qu'il n'allait pas être déçu. Il prit le plateau, traversa la pièce, ouvrit la porte et tendit ce dernier à un Corbeau qui attendait là.

— Apporte s'il te plaît quelque chose de… végétarien à Mlle Smith, ordonna-t-il.

Il referma la porte. En se retournant, il trouva la femme assise sur le lit, étroitement enveloppée dans la couverture. Quel dommage. Il s'était rendu compte au cours des heures précédentes qu'il aimait contempler son corps.

— Où suis-je ? demanda-t-elle d'une voix rauque.

— Dans une petite propriété au nord de la ville.

Il revint se poster près du lit.

Elle serra ses lèvres magnifiques.

— Eh bien, ça ne m'apprend précisément rien. Pourquoi suis-je ici ?

Styx croisa les bras sur sa poitrine. Cette femme semblait oublier qu'elle était sa prisonnière. C'était lui qui conduirait tout interrogatoire.

— Que vous rappelez-vous de la nuit dernière ? demanda-t-il.

Son ton abrupt la fit ciller et elle haussa vaguement ses frêles épaules.

— Je travaillais au bar quand un type et ses deux hommes de main ont commencé à me harceler. (Elle plissa les yeux.) Je me rendais vers la salle de stockage lorsque vous… m'avez fait… quelque chose.

— Il n'y a pas d'effets secondaires.

— Facile à dire.

Il ne prêta pas attention à son reproche.

— Que vous voulaient ces hommes ?

Elle ne répondit pas tout de suite, avant de comprendre qu'elle n'avait pas d'autre choix.

— Discuter.

— De quoi ?

— Je ne sais pas. Que voulez-*vous* ?

Il feula doucement face à ses réponses évasives. En règle générale, sa réputation le précédait. La plupart des créatures intelligentes faisaient le nécessaire pour lui plaire. Elles ne souhaitaient aucunement découvrir par elles-mêmes si la rumeur selon laquelle il était d'une froide implacabilité était vraie ou fausse.

Elles étaient sages.

— Les avez-vous reconnus ? Vous avaient-ils déjà abordée ?

— Je ne les avais jamais vus de ma vie.

— Et vous n'avez pas la moindre idée des raisons pour lesquelles ils s'intéresseraient à vous ?

— Non.

Il observa le visage pâle de la jeune femme durant un long moment. Il ne pensait pas qu'elle mentait. Après tout, Salvatore avait passé des semaines à retrouver sa trace à Chicago, effort qui aurait été inutile s'ils s'étaient connus.

Mais le loup-garou ne pouvait pas tant tenir à mettre la main sur elle sans motif. Quelque chose les reliait. Si seulement Styx pouvait découvrir de quoi il s'agissait.

— Il doit bien y avoir une explication. (Il la fusilla du regard en guise d'avertissement.) Vous possédez sûrement quelque valeur pour que Salvatore prenne autant de risques.

Contre toute attente, elle ne trembla ni ne pleurnicha sous son œil sévère. En fait, elle releva son petit menton et lui adressa à son tour un regard noir.

— Écoutez, je me suis efforcée de ne pas me transformer en une de ces femmes hystériques qui agitent les mains et s'évanouissent à la demande, mais, si vous ne commencez pas à me dire qui vous êtes et pourquoi je suis ici, je vais me mettre à hurler jusqu'à ce que j'obtienne des réponses, l'avertit-elle.

Styx cligna des paupières. Il devrait peut-être reconsidérer la manière dont il s'y prenait avec cette femme. Effectivement, elle était particulièrement pénible. Et, à coup sûr, terrifiée. Mais il percevait chez elle une détermination d'acier à laquelle il ne s'était pas attendu.

— Souhaitez-vous la vérité ? s'enquit-il.

— Oh, pitié. (Elle roula des yeux.) Si vous me servez le cliché comme quoi je ne suis pas capable d'entendre la vérité, je vais vraiment hurler.

Il ne savait pas du tout de quoi elle pouvait bien parler, mais, si c'était réellement la vérité qu'elle voulait, il allait la lui donner.

— Bon. L'homme qui vous a adressé la parole la nuit dernière s'appelle Salvatore Giuliani.

Elle arqua les sourcils.

— Suis-je censée reconnaître ce nom ?

— C'est un maître de meute.

— Un maître de meute ? Vous voulez dire que c'est une sorte de chef de gang ?

— Je veux dire qu'il est le roi des loups-garous. Les deux hommes de main, comme vous les avez désignés, font partie de sa meute.

Le visage interdit, elle serra si fort la couverture que les articulations de ses doigts blanchirent.

— D'accord. Je suis contente qu'on ait éclairci ce point-là, finit-elle par articuler d'un ton prudent. Maintenant, si vous voulez bien me rendre mes habits…

— Vous avez dit que vous désiriez la vérité.

— En effet.

Styx poussa un soupir chargé d'impatience.

— Les humains se révèlent toujours si compliqués. Ils ne croient rien, même quand ils en ont la preuve tout autour d'eux.

Elle recula vers la tête de lit, un sourire crispé plaqué sur les lèvres.

— Eh bien, nous ne sommes pas très intelligents. En ce qui concerne mes vêtements…

Il monta doucement sur le matelas. Pas assez près pour qu'elle se sente menacée, mais suffisamment pour qu'elle comprenne qu'elle n'avait aucune chance de s'enfuir.

— Ces hommes étaient des loups-garous et je suis un vampire, déclara-t-il d'un ton sévère.

— Et je suppose que la créature de Frankenstein attend derrière la porte ?

Styx poussa un feulement grave. Ces mythes hollywoodiens ridicules ! Les humains étaient déjà assez bêtes sans qu'on leur pourrisse l'esprit avec des balivernes pareilles.

— Je vois que je ne vous convaincrai pas sans preuve.

Sentant qu'une petite démonstration était nécessaire, Styx retroussa les lèvres et laissa ses canines s'allonger.

— Voilà.

Il n'y eut pas de hurlement. Pas d'évanouissement. Pas même un geste de surprise. Au contraire, cette femme exaspérante continuait à l'observer comme s'il avait perdu la boule.

—J'ai déjà vu des crocs. Je travaille dans un bar gothique. La moitié de nos clients en portent, de toutes sortes.

—Je pourrais vous vider de votre sang pour vous prouver ce que j'affirme, mais je ne pense pas que vous apprécieriez, mon ange.

Il se pencha vers le corps raide de la jeune femme pour saisir le couteau qui était tombé du plateau. Il était assez long et affûté pour l'usage auquel il le destinait.

—Peut-être que ceci suffira.

Elle recula, la peur flamboyant dans ses yeux.

—Mais que faites-vous? demanda-t-elle alors qu'il ouvrait d'un coup sec sa chemise de soie.

Il découvrit son torse et un tatouage parfaitement visible de dragon qui scintillait à la lumière des bougies.

Sans hésiter, il se servit du couteau pour couper la chair tendre en haut de sa poitrine. Cette fois-ci, il obtint un faible hurlement de la femme, tandis qu'elle se couvrait la bouche des mains, horrifiée.

—Purée. Vous êtes complètement cinglé, souffla-t-elle.

—Contentez-vous de regarder, ordonna-t-il.

Il baissa les yeux pour observer sa peau hâlée se refermer promptement, ne laissant qu'une ligne de gouttelettes de sang.

Sa tête était toujours penchée lorsqu'il sentit qu'elle bougeait, et avant qu'il ait pu deviner son intention, elle avait posé ses doigts avec douceur sur son torse.

Il en prit conscience avec une acuité inopportune, et il se raidit. Elle le touchait à peine, et pourtant la chaleur de la peau de la jeune femme était comme un fer rouge de désir qui le transperça de part en part.

Il avait envie de prendre cette main et de la faire glisser sur tout son corps. De combler le peu d'espace qui les séparait en la serrant si fort dans ses bras qu'il lui serait impossible de s'échapper.

Il ignorait d'où lui venait cette dangereuse attirance, mais il commençait à craindre qu'elle ne soit pas aisément bannie.

Damnés soient les dieux.

—Incroyable, murmura-t-elle finalement.

Demeurant immobile au prix d'un effort acharné, il lutta pour empêcher ses pensées de vagabonder.

—Je suis un vampire. Un vrai. Pas un de ces faux monstres de pacotille qui fréquentent les bars gothiques et se rendent à des conventions annuelles.

Elle paraissait à peine l'entendre tandis que ses doigts continuaient à tourmenter son torse.

—Vous avez cicatrisé.

—Oui.

Elle releva la tête, dévoilant des yeux verts préoccupés.

—Et c'est parce que vous êtes un vampire que vous pouvez faire ça?

—De nombreux démons sont capables de guérir de toutes les blessures sauf des plus graves.

—Et il faut être un démon pour y parvenir?

Il fronça les sourcils.

—Vous me croyez?

Elle s'humecta les lèvres, ce qui obligea Styx à réprimer un grognement.

—Je crois que vous êtes quelque chose de… surnaturel. Est-ce bien le terme politiquement correct?

Politiquement correct? Styx secoua la tête. Cette femme était la créature la plus étrange sur laquelle il était jamais tombé.

—Je préfère vampire ou démon, à choisir. (Il l'observa avec suspicion.) Vous… le prenez mieux que je le pensais.

Ses cils s'abaissèrent pour cacher ses yeux verts expressifs.

—Eh bien, je n'ai jamais été tout à fait normale moi non plus.

—Normale? Que voulez-vous dire? demanda-t-il.

—Je… rien.

—Dites-le-moi.

Comme elle s'entêtait dans le silence, il lui prit le menton dans sa main. Il avait l'intention de se montrer sévère. Elle était ici pour répondre à ses questions. Malheureusement, sa peau était aussi douce que de la soie chaude et il ne put entièrement refréner son envie de se pencher suffisamment pour respirer son parfum de fleurs.

—Dites-le-moi, mon ange.

—D'accord. (Elle soupira avant de relever le regard.) Ce sera plus simple de vous le montrer. Passez-moi le couteau.

Il haussa les sourcils. S'imaginait-elle que sa beauté délicate le perturbait au point de la laisser lui trancher la gorge ?

C'est vrai qu'il était troublé. Bien plus qu'il ne l'avait été depuis des décennies. Mais pas au point de souhaiter mourir.

—Vous ne parviendrez pas à me tuer avec ça, l'avertit-il.

—Je n'en doute pas. (Elle inclina la tête sur le côté.) J'imagine qu'il me faudrait les trucs habituels.

—Les trucs habituels ?

—Vous savez, la lumière du soleil ou un pieu en bois planté dans le cœur ?

—Ou la décapitation.

Elle grimaça.

—Charmant.

—Pourquoi voulez-vous ce couteau ?

—Je ne prévois rien d'aussi spectaculaire que ce que vous avez fait.

Elle tendit la main jusqu'à ce que, à contrecœur, il pose le couteau sur sa paume.

Prêt à parer une vaine attaque, Styx fut une fois encore pris au dépourvu : elle saisit le couteau et, avant qu'il ait eu le temps de réagir, entama légèrement la pulpe de son pouce.

—Êtes-vous…

Ses paroles furieuses moururent sur ses lèvres tandis qu'il observait l'exquis sang humain disparaître, dévoilant une blessure déjà cicatrisée. L'entaille n'était pas profonde ; néanmoins aucun humain ne pouvait guérir si rapidement. Il leva les yeux pour scruter son visage avec curiosité.

—Vous n'êtes pas entièrement humaine.

Elle ne sembla pas particulièrement ravie. Comme si elle aurait presque préféré n'être qu'une mortelle parmi tant d'autres.

—J'ignore ce que je suis. Si ce n'est, du moins, que je suis indéniablement un monstre. (Elle haussa les épaules.) Vous n'imaginez pas le nombre de familles d'accueil qui m'ont foutue à la porte après avoir vu mon petit tour.

Styx lui prit la main pour la porter à son nez. Il inspira profondément, mais, de nouveau, il ne perçut que le parfum de fleurs et de sang parfaitement humain.

—Possédez-vous d'autres caractéristiques inhabituelles ?

Elle libéra sa main d'un coup sec et se cramponna à la couverture qui avait commencé à glisser d'une façon terriblement séduisante. Mais pas avant que Styx ait senti son pouls s'emballer.

Il parvint à dissimuler un sourire satisfait.

Bien. Un vampire ne devrait pas être seul à vibrer d'un désir si violent.

—Joliment formulé, marmonna-t-elle.

Il embrassa du regard son petit visage en forme de cœur.

—Parce que je suis un vampire, ce que les humains considéreraient comme étrange ne me choque pas.

—Un vampire.

Elle frissonna imperceptiblement, puis plissa brusquement les yeux.

—Hé, attendez, à quel point précisément pensez-vous que je suis étrange ?

Il haussa les épaules.

— Vous n'avez pas encore répondu à ma question. Je ne peux rien vous dire tant que je n'en sais pas plus.

Elle se mordit la lèvre inférieure avant de reconnaître à contrecœur la sagesse de ses propos.

— Je suis plus forte et plus rapide que la plupart des gens.

— Et ?

— Et… je ne vieillis pas.

Ce dernier point le surprit.

— Quel âge avez-vous ?

— J'ai trente ans, mais je n'ai pas du tout changé depuis mon dix-huitième anniversaire. C'est peut-être juste dû à un bon patrimoine génétique ; pourtant je n'en suis pas convaincue.

Styx devait la croire sur parole. À ses yeux, elle paraissait jeune et innocente, mais il n'était jamais évident pour un vampire d'estimer l'âge des humains. Certainement parce que le temps ne signifiait rien pour les siens.

— Vous devez avoir au moins un peu de sang de démon, concéda-t-il, la mine grave.

Qu'il ne puisse détecter la moindre trace de métissage était étrange. Bien que les hybrides possèdent rarement toutes les aptitudes de leurs ancêtres démoniaques, un vampire percevait néanmoins qu'ils n'étaient pas précisément mortels. En être incapable le troublait.

— Et vos parents ?

Le visage pâle de la jeune femme devint impassible. Comme recouvert d'un masque.

— Je ne les ai jamais connus. J'ai été placée bébé.

— Vous n'avez pas de famille ?

— Non.

Styx fronça les sourcils. Ce système de placement en famille d'accueil pratiqué par les humains ne lui était pas très

32

familier, mais il supposait que c'était lié au sang démoniaque de sa prisonnière.

Il pensait aussi détenir là la raison pour laquelle Salvatore tenait tant à mettre la main sur elle.

Ce qu'il lui fallait, c'était un moyen de découvrir quelle sorte de démon exactement l'avait engendrée, et ce que cela pouvait signifier pour les garous.

L'hôtel abandonné au sud du centre-ville de Chicago ne convenait guère à un roi.

Le toit fuyait, les fenêtres étaient fendues, et l'odeur fétide des excréments humains qui subsistait suffisait à soulever le cœur du plus endurci des loups-garous.

Les rats mutants n'avaient disparu que quelques jours après leur arrivée et les rares humains désespérés au point de chercher refuge dans ces ruines étaient facilement effarouchés par les « chiens errants » qui traînaient dans les étroits couloirs. Voilà pour les aspects positifs.

Leur intimité était assurée, si ce n'était leur confort.

S'étant attribué la plus vaste chambre, Salvatore Giuliani avait déplacé le lourd bureau à côté de la fenêtre qui donnait sur la misérable rue en contrebas. L'air glacial qui parvenait à s'infiltrer à travers les vitres fêlées ne le dérangeait pas particulièrement ; il était un loup qui surveillait ses arrières de près. Il ne laisserait personne l'approcher à l'improviste.

De l'autre côté de la pièce, un grand plan de Chicago était punaisé au mur et, plus à sa portée, une étagère en bois contenait un large choix de fusils de chasse, de pistolets et de couteaux affûtés. Sur le bureau, était étalée une dizaine de photos de Darcy Smith.

Il était en mission. Une mission qu'il mènerait à bien, peu importait le nombre de loups, d'humains ou de vampires qui devraient mourir.

Alors qu'il caressait distraitement un cliché de Darcy marchant dans une rue, un léger sourire sur ses lèvres pleines, Salvatore releva brusquement la tête en percevant l'odeur d'un bâtard qui approchait.

Dans le monde des loups-garous, les bâtards étaient des garous inférieurs. Autrefois humains, ils étaient devenus métamorphes à la suite de la morsure d'un loup-garou. Les sang-pur, au contraire, avaient été engendrés par deux garous. Leurs aptitudes étaient largement supérieures à celles de simples bâtards. Plus rapides, plus forts et plus intelligents, ils contrôlaient en outre leur transformation, à part les nuits de pleine lune.

Malheureusement, les sang-pur se faisaient désormais bien trop rares, et même les bâtards étaient moins faciles à créer.

Le venin qui changeait un humain en garou était fatal pour la plupart des mortels, et seule une poignée d'entre eux y survivait. Au cours du siècle précédent, ce petit nombre avait été progressivement réduit à néant. Plus de vingt ans s'étaient écoulés depuis la naissance du dernier bâtard.

Il fallait agir avant que les garous s'éteignent complètement.

C'était pour cette raison que Salvatore avait quitté Rome pour se rendre en Amérique. Il était de son devoir d'empêcher l'extinction de sa race. Et une partie de son plan reposait sur Darcy Smith.

Il devait mettre la main sur elle. Et vite.

La porte s'ouvrit et la bâtarde qu'il avait sentie pénétra dans la pièce d'une démarche nonchalante.

C'était une femme superbe. Grande, le corps souple et musclé, ses cheveux noirs retombaient comme un rideau soyeux jusqu'à sa taille tandis que ses traits légèrement orientaux lui apportaient une beauté exotique. Elle n'était alors vêtue que d'une fine robe de soie cramoisie qui lui descendait à mi-cuisse, dévoilant des jambes longues et minces.

Depuis qu'il était arrivé en Amérique, elle avait partagé son lit.

Pourquoi pas ?

Elle était belle, passionnée et une bête sous les draps. Il s'était éveillé plus d'une fois couvert de profondes égratignures et de marques de morsure.

Pourtant, il commençait à se lasser de sa compagnie. En dépit de tous ses charmes, elle ne faisait aucun cas du lourd fardeau de responsabilité qu'il portait et se montrait de plus en plus possessive, ce qu'il trouvait irritant.

Il n'appartiendrait à aucune bâtarde. Il était un sang-pur. Il en espérait au moins autant de sa compagne.

Repoussant ses cheveux d'un geste brusque, Jade traversa la pièce avec une grâce pleine d'aisance avant de s'immobiliser face à son bureau.

Elle ne s'inclina pas devant lui. Un fait que Salvatore assimila en silence. Cette bâtarde prenait vraiment des libertés avec lui. Il était peut-être temps de lui rappeler qui il était exactement.

— Hess est revenu, mon seigneur, susurra-t-elle d'une voix qui éveillerait en tout homme des pensées sexuelles.

Bien sûr, se trouver en sa présence suffisait à donner des envies sexuelles à n'importe quel homme. C'était un pouvoir dont elle savait tirer avantage.

Il s'enfonça dans son siège.

— Fais-le entrer.

Elle caressa du regard son visage sombre aux traits fins et ses cheveux noirs, retenus en une queue-de-cheval, avant de descendre sur son corps ferme, vêtu d'un costume de soie.

Un sourire avide, vorace étira ses lèvres.

— Vous semblez tendu. Peut-être devrions-nous faire patienter Hess dehors pendant que je vous aide à vous relaxer.

D'un geste expérimenté, elle défit sa robe d'un coup sec et la laissa glisser en bas de son corps nu.

—Vous savez, afin de soulager certaines de ces tensions.

Le corps de Salvatore réagit. Par l'enfer, une femme nue était une femme nue. Mais son expression ne changea pas tandis qu'il haussait légèrement les épaules.

—Alléchant, mais je crains de ne guère avoir le temps pour ce genre de distractions. Même si elles sont séduisantes.

—Pas le temps, pas le temps, pas le temps, grommela-t-elle, son désir se transformant rapidement en rage.

Ce n'était pas une femme à accepter facilement d'être éconduite. En fait, le dernier type à avoir repoussé ses avances reposait désormais au fond du Mississippi.

—J'en ai marre de ces mots. Quel genre d'homme ne trouve pas de temps pour moi ?

Salvatore plissa les yeux.

—Celui qui a des problèmes plus importants à régler. Je suis ton chef, ce qui signifie que je dois faire passer le bien de la meute avant mes propres plaisirs.

Jade afficha une expression irritée.

—C'est réellement pour cela que vous ne voulez pas de moi ?

—Quelle autre raison pourrais-je avoir ?

Elle tendit le bras pour toucher d'un ongle verni de rouge une des photos étalées sur son bureau.

—Elle.

Salvatore se leva, l'air autour de lui vibrant de menaces.

—Rhabille-toi et sors, Jade.

—C'est cette… humaine, n'est-ce pas ?

—Je ne réponds pas aux bâtards, grogna-t-il. Je suis ton roi, et tu vas t'en souvenir.

Furieuse au-delà de toute raison, elle ne prêta pas attention à l'avertissement qui transparaissait dans la voix de Salvatore.

36

— Qu'est-ce qu'elle a ? Depuis que vous êtes sur sa piste, vous avez changé. Elle vous obsède. C'est écœurant.

Salvatore mit les mains sur ses hanches. Il pouvait lui arracher la gorge avant même qu'elle ait esquissé le moindre geste ; néanmoins il ne céda pas à cette tentation. Contrairement aux bâtards, il contrôlait parfaitement ses instincts les plus primaires. Il aimait autant éviter de devoir bazarder un cadavre au beau milieu de Chicago.

— Je ne le répéterai pas. Rhabille-toi et sors.

Un grondement sourd se mêla à sa voix. Ce qui suffit à avertir Jade qu'elle était allée aussi loin qu'elle l'osait. Avec une moue, elle se baissa pour ramasser sa robe dont elle s'enveloppa rapidement.

Elle se dirigea vers la porte comme un ouragan, avant de s'immobiliser le temps nécessaire pour lui jeter un regard venimeux.

— Je suis peut-être une bâtarde mais au moins je ne me languis pas d'amour pour des humains, l'accusa-t-elle en franchissant le seuil avec humeur.

Les sourcils légèrement froncés, Salvatore observa sa sortie. Cette femme commençait à lui causer des ennuis. Le jour suivant, il l'enverrait rejoindre sa meute dans le Missouri. Son second possédait un talent unique pour punir les bâtards indomptés.

Cette décision prise, il attendit que Hess, un bâtard massif, pénètre dans la pièce et lui adresse une profonde révérence.

Même si Hess était l'un de ses gardes du corps personnels et qu'il était assez baraqué pour arrêter des balles rien qu'avec son torse et bondir par-dessus des bâtiments, il ne se départait pas de la déférence qu'il devait à son chef.

Alors qu'il s'avançait vers le bureau de Salvatore, ses muscles saillants ondulaient, menaçant de faire craquer son tee-shirt et son jean noirs. Trouver des vêtements susceptibles de couvrir une petite montagne n'était pas aisé.

—Mon seigneur, dit-il dans un grondement sourd.

—Vous avez suivi leur piste? s'enquit Salvatore.

—Oui. (L'homme grimaça, son crâne chauve luisant à la lumière des bougies.) Nous l'avons perdue juste au nord de la ville.

—Au nord. (Salvatore joua distraitement avec la chevalière en or à son doigt.) Ainsi, le vampire ne retourne pas dans son antre. Intéressant.

—À moins qu'il ait eu l'intention de faire demi-tour après nous avoir semés, fit remarquer Hess.

—Possible, mais peu probable. Styx ne nous craint pas encore. S'il avait voulu revenir à son repaire, il y serait allé directement, en nous défiant de venir prendre la femme.

Hess gronda en montrant ses dents allongées. Les garous nourrissaient une haine furieuse envers les vampires.

—Pourquoi se trouvait-il au bar?

—C'est une question, n'est-ce pas? répliqua Salvatore.

—Vous pensez qu'on a un mouchard?

Les yeux bleus de Hess commencèrent à flamboyer d'une lueur dangereuse. Étant un bâtard, il était incapable de contrôler sa métamorphose lorsqu'il se mettait en colère.

—Pas pour longtemps, reprit-il. J'ai toujours aimé le goût du tartare de traître.

—Maîtrisez-vous, éructa Salvatore d'un ton brusque. Nous n'avons aucune preuve de la présence d'un espion parmi nous, et je ne veux pas que les membres de la meute se tombent dessus pour de fausses rumeurs et des soupçons. Pas quand nous sommes si près. S'il y a un espion, *je* m'en occuperai. C'est compris?

Pendant un instant, Hess lutta contre son instinct, puis il frissonna et la lueur commença à s'estomper.

—C'est vous le patron.

Salvatore contourna le bureau et s'approcha du plan accroché au mur. Il adressa un signe impatient à Hess.

— Venez me montrer l'endroit précis où vous avez perdu leur trace.

Après avoir rejoint son chef, le bâtard indiqua un petit point au nord de Chicago.

— C'était juste ici.

— Ainsi, il s'apprêtait effectivement à quitter la ville. Ses Corbeaux étaient avec lui ?

— Oui.

— Il doit avoir un autre repaire, en conclut Salvatore. Il fait trop froid pour laisser un humain dehors pendant trop longtemps. Prenez vos meilleurs éclaireurs et trouvez leur piste. Ils ne peuvent rester éternellement cachés.

Hess hésita. Presque comme si une pensée de son cru était parvenue à s'insinuer dans son crâne épais.

— Mon seigneur ?

— Oui ?

— Vous ne nous avez pas encore dit ce que cette humaine avait de si important.

Salvatore haussa les sourcils.

— Et je n'en ai pas l'intention. Pas avant que j'en aie décidé autrement. Est-ce un problème ?

Le visage aux traits grossiers blêmit.

— Non, bien sûr que non. C'est juste qu'une partie de la meute ne se sent pas à l'aise dans cette ville. Ils se demandent quand nous retournerons sur nos terrains de chasse.

— Nos terrains de chasse ?

Poussant un grognement, Salvatore se dirigea à pas mesurés vers le centre de la pièce. Il ne s'était pas encore rendu en Amérique qu'il avait déjà entendu parler du traité conclu entre les garous et les vampires. Toutefois, il n'avait pas réussi à croire qu'ils avaient supporté d'être réduits à l'état de bêtes enchaînées. Pas avant de l'avoir vu de ses propres yeux.

—Est-ce ainsi que vous appelez cette parcelle de terre minable où les vampires nous maintiennent séquestrés ?

Hess haussa les épaules. C'était un bâtard. Il n'avait pas la force d'attaquer de front un vampire et il avait été obligé de se satisfaire de ce que ces derniers avaient bien voulu lui donner.

—C'est assez isolé pour que nous puissions nous métamorphoser et chasser à notre guise. C'est plus que nous ne le pouvons ici.

—C'est une prison qui sert à nous exterminer à petit feu, dit Salvatore d'une voix rauque. (Ses pas le conduisaient vers son petit arsenal, disposé sur l'étagère appuyée contre le mur.) Chaque année qui passe voit notre nombre se réduire encore. Notre espèce ne tardera pas à disparaître de la surface du globe et les vampires célébreront notre trépas.

—Et en quoi venir à Chicago va nous aider ? se plaignit Hess. Les humains continuent de mourir quand on les mord. Nous n'en avons pas trouvé un seul qui ait survécu.

Salvatore se raidit.

—Je vous ai dit de surveiller les bâtards. Je ne veux pas attirer l'attention sur nous.

Il entendit Hess trépigner, nerveux.

—Vous les gardez enfermés dans ce bâtiment nuit après nuit. Parfois l'instinct prend simplement le dessus.

Salvatore se retourna brusquement : il tenait une arbalète. Il en dirigea la flèche droit sur la tête de son visiteur.

—L'instinct ? Si cet instinct incontrôlable compromet mes plans ou nuit au reste de la meute, le bâtard responsable mourra de ma main. Et vous le rejoindrez dans sa tombe. Est-ce clair ?

En un clin d'œil, le bâtard était à genoux, le front collé au parquet.

—Oui, Votre Majesté.

—Bien.

Salvatore jeta l'arbalète sur le bureau. Il n'avait pas besoin de cette arme pour le tuer. Elle lui avait servi plutôt de… d'aide visuelle pour mieux faire passer son message.

—Maintenant, rassemblez les hommes et mettez-vous à la recherche de la fille. Plus vite on la trouvera, plus vite on partira d'ici.

—Bien sûr.

Hess resta à genoux et recula à quatre pattes vers la porte qu'il referma derrière lui. Lorsqu'il entendit le bruit de ses pas s'éloigner précipitamment, Salvatore sortit le téléphone portable de sa poche.

Il appuya sur le raccourci d'appel et patienta jusqu'à ce qu'une voix féminine familière réponde.

—C'est moi, murmura-t-il, d'un ton doux et impassible. Non, elle a réussi à s'enfuir mais les éclaireurs sont sur sa trace. Elle ne m'échappera pas longtemps. Je te promets qu'elle sera bientôt à la maison, là où se trouve sa place.

Chapitre 3

D arcy flippait vraiment.

Elle avait flippé en se réveillant dans une chambre inconnue avec un homme grand et beau à couper le souffle qui lui tournait autour. Elle avait encore plus flippé quand il avait commencé à la bombarder de questions comme s'ils participaient à un *speed dating*. Et elle avait été terrorisée quand il s'était mis à se taillader et à lui raconter qu'il était un vampire.

Cela dit, la terreur qu'elle avait ressentie n'empêchait pas une petite, mais indéniable, lueur de soulagement de réchauffer son cœur.

Pendant combien d'années avait-elle broyé du noir et ruminé le fait qu'il y avait en elle quelque chose de *différent* ? Combien de fois avait-elle fui les autres de peur qu'ils découvrent les secrets qu'elle cachait et la traitent comme une espèce de monstre ?

Grandir dans des familles d'accueil lui avait appris que les gens ne se fiaient à rien qui s'écartait de la norme. Ceux qui s'occupaient d'elle avaient peut-être bon cœur, mais ils ne pouvaient pas accepter ses singularités. Ils craignaient ce qu'ils ne comprenaient pas, et aucun d'eux n'avait voulu la garder sous son toit.

Elle avait été placée dans vingt maisons en seize ans. Finalement, elle avait décidé qu'elle préférait la rue. Survivre avait beau être difficile, c'était mieux que de voir des personnes à qui elle s'était attachée la regarder avec horreur.

À présent elle avait enfin trouvé quelqu'un de tout aussi étrange qu'elle.

C'est vrai qu'il s'imaginait être un vampire et que, bien sûr, il l'avait enlevée sans ménagement ; pourtant, savoir qu'elle n'était pas aussi seule qu'elle l'avait cru avait quelque chose de bizarrement réconfortant.

Un réconfort froid.

Cette pensée s'insinua dans son esprit et elle dut réprimer un rire presque hystérique.

Un réconfort froid et sépulcral.

Darcy releva la tête pour regarder son ravisseur. Il était descendu du lit et se tenait tellement immobile qu'il aurait pu être un mannequin.

Évidemment, son immobilité n'était pas l'unique chose anormale chez lui.

Son visage fin était bien trop parfait. Son front large, ses noirs yeux caves entourés de cils épais, la courbe sensuelle de ses lèvres, ses pommettes ciselées et la noble avancée de son nez. Il lui rappelait un masque aztèque raffiné. Vraiment, aucun humain n'avait jamais été aussi beau.

Et quel homme sans être un haltérophile enragé ou accro aux stéroïdes pouvait avoir un tel corps ?

Sans compter ses cheveux de jais aux reflets bleutés finement entrelacés d'ornements bronze et turquoise qui retombaient bien en dessous de sa taille.

Il incarnait un fantasme exotique. Exactement ce qu'une femme s'attendrait à trouver chez un vampire.

Ou un fou furieux.

Au choix.

Darcy resserra ses doigts sur la couverture et déglutit malgré sa gorge serrée. Elle n'avait pas la moindre idée de ce qu'il avait en tête tandis qu'il la dévisageait avec cette intensité troublante.

Et, franchement, c'était… ouais, flippant.

— Vous ne m'avez pas dit ce que je fais ici, lui reprocha-t-elle. Ni même votre nom.

Il cligna des yeux. Comme s'il s'éveillait d'un profond sommeil.

— Styx.

— Styx ? Vous vous appelez Styx ?

— Oui.

Darcy grimaça. Ce nom n'évoquait rien de doux et chaleureux. Mais bien sûr, il n'était pas vraiment le genre d'homme à inspirer quoi que ce soit de rassurant.

En revanche, chaud… oh ! là, là !

Il était féroce, terrifiant et scandaleusement séduisant.

Ensorcelant avec sa chemise déboutonnée grande ouverte qui découvrait la perfection de son large torse lisse et l'étrange dragon tatoué qui scintillait d'un éclat métallique singulier.

Purée, c'était probablement mieux qu'il ne se trouve plus sur le lit avec elle.

C'était dur d'avoir des petits amis quand on s'inquiétait en permanence de ne pas les blesser par mégarde. Ou tout au moins de ne pas laisser transparaître qu'on n'était pas tout à fait normale.

En général, ça ne la dérangeait pas. Sa vie était suffisamment remplie sans qu'elle ait besoin de quelqu'un d'autre pour lui donner un sens. Cependant, il arrivait qu'elle soit proche d'un homme, et le parfum et le contact de ce dernier lui rappelaient douloureusement ce qu'elle ratait.

— Pourquoi m'avez-vous enlevée ? demanda-t-elle.

Styx haussa les épaules.

— Je dois savoir ce que les garous vous veulent.

— Pourquoi ?

Un ange passa et Darcy se dit qu'il allait peut-être refuser de répondre à sa question. Ce qui était vraiment problématique, puisqu'elle ne s'imaginait pas un instant pouvoir l'y obliger. Il avait beau affirmer qu'elle avait du sang de démon, celui-ci n'était pas suffisamment démoniaque pour qu'elle puisse s'opposer à un vampire.

Ça du moins elle le savait.

Finalement, il poussa un soupir et croisa son regard scrutateur.

— Ils me créent des ennuis.

Hmmm. Ça semblait… suicidaire.

— Vous dirigez les garous ?

L'expression de Styx était froide, distante. Ne laissant rien transparaître.

— Ils doivent me rendre des comptes.

— Ce sont vos employés ?

— Employés ? (Ce mot parut étrange dans sa bouche.) Non. Ils me doivent allégeance.

— Allégeance. Vous voulez dire, comme des serfs ? (Darcy rit un instant.) C'est pas un peu moyenâgeux ?

Une lueur d'impatience effleura le beau visage de Styx.

— Les garous sont soumis aux lois des vampires, et comme je suis leur dirigeant, ils doivent m'obéir.

Elle cligna des yeux. Même s'il était fou, il s'était au moins assuré d'être le cinglé en chef. Un dingue ambitieux.

— Vous êtes quoi alors ? Le roi des vampires ?

— Je suis le maître, l'Anasso, répliqua-t-il avec une formidable fierté.

Darcy sentit ses lèvres trembler. Elle ne pouvait pas s'en empêcher. Quelque chose dans cette arrogance à l'état pur lui avait toujours semblé drôle.

Bien sûr, presque tout dans la vie lui paraissait amusant.

Elle s'était aperçue depuis longtemps que, si elle ne riait pas du monde et de ses folies, elle sombrerait dans l'amertume.

— Waouh. (Elle écarquilla les yeux.) Un grand manitou.

Le visage de Styx demeura impassible, mais ses yeux noirs parurent lancer des éclairs de… quelque chose.

— Un grand manitou ? Est-ce une expression humaine désignant un chef ?

Darcy fronça les sourcils.

— Vous ne sortez pas beaucoup, n'est-ce pas ?

Styx haussa les épaules.

— Plus que je ne le souhaiterais.

— En fait, ça n'a pas vraiment d'importance.

Elle secoua légèrement la tête. Heureusement qu'elle n'était pas du genre hystérique, même si encore une fois ce n'était sans doute pas très intelligent de rester assise là à bavarder avec le roi des vampires. Ou des fous furieux. Quel que soit le cas.

— Je vous ai dit que je ne sais rien sur ce Salvatore. J'ignore tout des loups-garous, c'est sûr. Je ne crois même pas en eux. Maintenant, si vous le permettez, il faut vraiment que je rentre chez moi.

— Je crains de ne pouvoir vous l'autoriser.

Ce refus catégorique lui coupa le souffle.

— Que voulez-vous dire ?

— Salvatore s'est donné beaucoup de mal pour vous trouver.

— Je vous l'ai dit, je ne peux pas vous aider. Je n'ai pas la moindre idée de la raison pour laquelle il me suivrait.

— Peut-être pas, mais votre présence se révélera quand même avantageuse.

— Où voulez-vous en venir ?

Il ne détourna pas les yeux.

—Je pense que Salvatore vous désire assez pour négocier votre libération.

Darcy fut assez bête pour ne pas comprendre tout de suite ce qu'il comptait faire. Peut-être parce qu'elle ne l'avait pas vu venir. Ou, plus probablement, parce qu'elle ne voulait tout simplement pas croire qu'il se montrerait à ce point impitoyable.

Elle préférait voir les bons côtés des gens. Même s'ils se trouvaient être des monstres suceurs de sang.

Allez savoir.

—Vous…

Elle s'humecta les lèvres, consciente qu'il observait sa bouche avec intérêt. Malheureusement, elle ignorait s'il pensait au sexe ou à son dîner.

—Vous avez l'intention de me retenir contre ma volonté avant de me livrer aux garous sous certaines conditions ?

—Oui.

Il ne mâchait pas ses mots.

—Même si vous ne savez pas ce qu'ils me veulent ? l'accusa-t-elle en fronçant les sourcils. Ils ont peut-être prévu de me sacrifier au cours d'un horrible rituel. À moins qu'ils aient décidé que je ferais un repas savoureux.

Styx se retourna pour s'avancer vers la fenêtre, puis ouvrit les volets ; la nuit était déjà tombée. Évidemment : on était en décembre, et dans l'Illinois. Le soleil se levait à peine qu'il commençait déjà à se recoucher.

Malgré tout, combien de temps avait-elle dormi ?

—Salvatore n'aurait pas besoin de se donner tant de mal pour un simple sacrifice, ou même un repas, déclara-t-il au bout d'un moment d'une voix profonde. Je crois qu'il vous veut vivante.

—Vous *croyez* ?

Darcy s'étrangla d'indignation. Karma ou pas, elle n'allait pas se laisser docilement remettre à un loup-garou – s'il en était vraiment un – sans discuter.

— Je ne peux vous dire à quel point c'est rassurant, poursuivit-elle. Ma petite vie n'est peut-être pas importante à vos yeux, mais je vous assure qu'elle l'est beaucoup pour moi.

Elle saisit un oreiller qu'elle jeta sur le dos de Styx. Avec une rapidité impossible, il se retourna et l'attrapa avant qu'il l'ait atteint. Darcy en eut la bouche sèche. Oh non, il n'était pas humain.

— S'il vous plaît, chuchota-t-elle, je veux rentrer chez moi.

Il fronça les sourcils jusqu'à ce qu'ils se rejoignent au-dessus de son nez, presque comme si sa faible supplication le dérangeait.

— Darcy, ce serait dangereux. Si vous quittez cette propriété, les garous vous captureront avant même que vous ayez pu regagner votre domicile. Seule ma protection vous…

Cet avertissement sinistre fut interrompu lorsque le son d'une voix perçante et pleine d'autorité leur parvint à travers la porte. Elle était empreinte d'un fort accent et d'une bonne dose de mépris français.

— Écartez-vous de mon chemin, espèces de balourds. Ne voyez-vous pas que je suis là pour venir en aide à la prisonnière ?

Styx jeta un coup d'œil vers la porte, une expression incrédule sur le visage.

Oh, oh, ce qui arrivait bouleversait le maître de tous les vampires ?

— Par tous les dieux, que fait-il ici ? souffla Styx.

— Qui est-ce ? demanda-t-elle.

— Levet. (Il posa de nouveau son regard sur elle.) Préparez-vous, mon ange.

Elle ramena la couverture au niveau de son nez. Comme si cela pouvait la protéger.

— Il est dangereux ?

— Seulement pour votre santé mentale.

Santé mentale ?

— C'est un humain ?

— Non, une gargouille.

Son cœur se serra douloureusement. Des vampires, des loups-garous et maintenant des gargouilles ?

— Une… quoi ?

— Ne craignez rien. Il n'est pas du tout la bête effroyable que vous pourriez redouter. On peut à peine dire que c'est un démon.

Elle ignorait ce que c'était censé signifier. En tout cas, jusqu'à ce que la porte s'ouvre et qu'une minuscule créature grise entre dans la chambre en se dandinant, un grand plateau dans les mains.

Elle avait indéniablement des traits monstrueux, avec des petites cornes et une longue queue qui remuait derrière elle. Mais elle ne mesurait pas plus d'un mètre de haut et les ailes dans son dos étaient fines comme de la gaze et magnifiquement ornées de motifs aux couleurs éclatantes.

Pendant qu'elle traversait la pièce, elle renifla bruyamment à l'attention du vampire renfrogné.

— Enfin. Ce n'est pas pour critiquer ton personnel, Styx, mais je crois qu'ils sont loin d'avoir inventé la poudre à canon, si tu vois ce que je veux dire. Ils ont tenté de m'arrêter. *Moi*[*].

Styx contourna le lit pour jeter un regard furieux au minuscule démon.

— J'ai demandé à ne pas être dérangé. Ils ne faisaient que suivre mes ordres.

— Dérangé ? Comme si j'étais un dérangement.

---

[*] Tous les mots en italique suivis d'un astérisque sont en français dans le texte original. (*NdT*)

50

Levet tourna la tête vers la silencieuse Darcy. La stupéfaction submergea la jeune femme. Derrière ces yeux gris, elle percevait une grande âme. Elle ne se trompait jamais.

— Ah, elle est aussi belle que le prétend Viper. Et si jeune.

La gargouille fit claquer sa langue en s'approchant du lit et déposa le plateau près d'elle.

— Tu devrais avoir honte, Styx. Voilà pour vous, *ma mignonne**. Une salade fraîche et des fruits.

L'estomac de Darcy gargouilla de reconnaissance. Elle mourait de faim et la nourriture avait l'air parfaite.

— Merci.

Elle lui sourit en prenant un quartier de pomme.

Le sourire du minuscule démon découvrit plusieurs rangées de dents pointues ; pourtant la profonde révérence qu'il lui adressa était pleine de grâce.

— Permettez-moi de me présenter, puisque notre hôte est un vrai oursin mal léché. Je m'appelle Levet. Et vous êtes Darcy Smith ?

— Oui.

— J'ai été envoyé par ma très chère amie Shay pour m'assurer que vous ne manquiez de rien. De toute évidence, elle connaît suffisamment notre féroce compagnon pour se douter que vous avez besoin de réconfort. (Levet leva une main noueuse.) Non pas que je sois une espèce de cadeau de bienvenue, voyez-vous. J'ai de nombreuses obligations très importantes que j'ai dû mettre de côté pour vous venir en aide.

Darcy cligna des yeux, ne sachant pas du tout que penser de ce démon. Il ne semblait pas dangereux, mais elle n'avait pas cru non plus que Styx serait du genre à la jeter dans la gueule du loup.

Littéralement.

— C'est très gentil, dit-elle avec prudence.

51

La gargouille s'efforçait vainement d'avoir l'air modeste lorsque le vampire vint se tenir juste à côté d'elle. Il s'était déplacé si rapidement que Darcy n'avait pas pu le suivre des yeux.

Waouh.

—Levet, l'avertit Styx en grognant.

—*Non, non**. Ne me remercie pas. Ou bien, pas autrement qu'en liquide. (Levet poussa un profond soupir.) Tu ne t'imagines pas à quel point c'est difficile pour une gargouille de gagner décemment sa vie dans cette ville.

Le visage hâlé du vampire afficha une expression distante.

—Je n'ai aucunement l'intention de te remercier. En fait, c'est la dernière chose qui me viendrait à l'esprit.

De façon choquante, la gargouille lui tira la langue en soufflant.

—Cesse d'être une vieille peau de vache. Tu terrifies la pauvre fille.

—Elle n'est pas terrifiée.

Darcy releva le menton. Elle voulait bien être pendue si elle laissait le vampire parler à sa place.

—Si, je le suis.

—Ha. Tu vois?

Levet sourit d'un air suffisant à Styx avant de tourner son attention vers Darcy.

—Maintenant, mangez votre repas en paix. Je ne permettrai pas que le méchant vampire vous fasse du mal.

—Levet.

Styx tendit le bras pour empoigner la gargouille par l'épaule.

Si c'était pour la secouer ou pour la jeter par la fenêtre, Darcy était bien en peine de le dire.

—Aïe. (Levet recula brusquement.) Les ailes. Ne touche pas les ailes.

Styx ferma les yeux un instant. Peut-être pour compter jusqu'à cent.

— Je crois que je devrais aborder cette question avec Viper, annonça-t-il d'une voix rauque.

Il tourna les talons et se dirigea vers la porte.

— Bonne idée, *mon ami*[*], approuva Levet. Oh, et quand tu parleras avec cette adorable gouvernante, dis-lui je te prie de ne pas se soucier de mon repas. Je préfère le chasser moi-même.

Le vampire s'arrêta sur le seuil, couvant de ses yeux sombres le visage blême de Darcy.

— N'en est-il pas ainsi pour nous tous?

Styx avait réussi à retrouver la trace de Viper dans une autre encore de ses boîtes sélectes. Celle-ci, située près de Rockport, s'adressait à ceux qui goûtaient davantage le divertissement violent offert par le combat libre que le jeu et le sexe.

Sans prêter attention aux deux démons qui se tabassaient jusqu'au sang et à la foule qui les acclamait avec une fureur répugnante, il se fraya un passage jusqu'aux bureaux.

Comme il s'y attendait, il découvrit Viper assis derrière un lourd bureau en acajou, compulsant un tas de paperasses.

Le vampire aux cheveux argentés se leva lorsque Styx entra dans la pièce et referma la porte.

— Styx, je ne pensais pas te voir ce soir. Ton invitée t'aurait-elle déjà quitté?

Styx plissa les yeux, le visage froid.

— À quelle invitée fais-tu allusion? À la femme que j'ai dû enlever dans l'espoir d'éviter une guerre sanglante avec les garous, ou à la petite gargouille casse-pieds qui a de grandes chances de me pousser au meurtre?

Viper arqua les sourcils, absolument incapable de dissimuler son amusement.

—Ah, alors Levet est arrivé ?

—Il est là. Maintenant je veux qu'il parte.

Le plus jeune vampire se pencha contre le bureau et croisa les bras sur sa poitrine.

—Non pas que je sois indifférent à ta douleur, mon vieil ami, mais je crains de n'être pour rien dans l'irruption de Levet. C'est Shay qui a affirmé qu'un compagnon ne serait pas inutile à ton invitée. Elle est vraiment persuadée que tu vas rendre cette pauvre fille malheureuse.

Styx se raidit. Par tous les dieux, il avait traité Darcy avec la plus grande prévenance. Ne s'était-il pas assuré qu'elle disposait de tout ce dont elle avait besoin ? N'avait-il pas répondu à ses questions ?

Et malgré toutes les tentations, n'avait-il pas résisté à l'envie féroce de la rejoindre dans le lit et de s'abîmer dans sa chaleur ?

Un désir qui parvenait encore à le tourmenter en dépit des kilomètres qui les séparaient.

—Je ne lui ai fait aucun mal, dit-il d'un ton menaçant.

Viper haussa les épaules.

—Eh bien, à la décharge de Shay, tu m'as tout de même torturé assez sauvagement la dernière fois que je suis venu te voir, et tu avais la ferme intention de la tuer en sacrifice. Elle pourrait avoir quelques petits préjugés contre toi.

Styx refusa de s'excuser. Il n'avait fait que ce qu'il pensait être son devoir afin d'empêcher la ruine des vampires. Et au final, il avait été obligé de trahir son propre sens de la loyauté pour aider Viper.

—Je t'ai aussi protégé d'une attaque mortelle, rappela-t-il d'une voix froide.

Viper soupira.

—Pourquoi les gens s'obstinent-ils à prétendre m'avoir sauvé la vie ?

—Certainement parce que c'est vrai.

—Très bien. (Il leva la main.) Peut-être – et je souligne ce mot – as-tu reçu un vilain coup qui m'était destiné, mais ça ne fait pas de toi mère Teresa.

Styx cligna des yeux, perplexe.

—Qui?

—Bons dieux, tu es vraiment coupé de tout. J'essaie de te faire prendre conscience de ton manque d'expérience des humains. En particulier des femmes humaines.

Styx s'aperçut qu'il serrait les dents. Même en ayant les meilleures intentions, personne n'était autorisé à se mêler de la façon dont il s'occupait de Darcy Smith.

Il ignorait pourquoi. Il savait seulement que c'était une règle absolue.

—Cette fille n'a rien à craindre de moi. (Il plissa les yeux.) Et dans le cas contraire, la gargouille ne pourrait guère m'empêcher de lui faire du mal.

—Je crois que Shay espérait que Levet lui apporterait plutôt une… présence réconfortante. Être kidnappée par un vampire ne doit pas être évident pour cette femme. (Viper lui décocha un regard lourd de sous-entendus.) D'autant plus quand ce vampire a passé les cinq derniers siècles presque complètement isolé. Tes facultés relationnelles sont rouillées, mon vieil ami.

—Et elle pense que Levet constitue un réconfort? demanda Styx. Cette gargouille va plutôt rendre cette pauvre femme folle et je vais devoir prendre des mesures pour préserver sa santé mentale.

Viper se redressa en s'écartant du bureau, le visage dur.

—Il se trouve que Shay est très attachée à cette petite créature, et je verrais d'un très mauvais œil que quoi que ce soit de grave lui arrive.

Le danger était perceptible dans l'air.

—Me menaces-tu?

Viper ne prêta pas attention à l'accent meurtrier de la voix de Styx.

— Je te donne quelques conseils d'ami.

D'une démarche souple, Viper se dirigea vers le réfrigérateur encastré et en sortit deux poches de sang. Après les avoir réchauffées au micro-ondes, il en versa le contenu dans des verres à pied en cristal et en tendit un à Styx.

— Bon, pendant que tu es là, pourquoi ne pas me parler de cette femme ? As-tu découvert ce qui la rend si importante aux yeux des garous ?

Styx but le sang avant de reposer le verre. Il ne s'était pas nourri depuis des heures. Il lui faudrait se montrer plus vigilant s'il devait avoir un humain sous son toit. Il se maîtrisait parfaitement, mais Darcy offrait plus d'une tentation.

— Je n'ai rien trouvé à part qu'elle n'est pas une femme, avoua-t-il.

Viper poussa un cri de surprise étouffé et reposa précipitamment son propre verre.

— Pas une femme. Ne me dis pas qu'*elle* est en fait un *homme*.

Il fallut du temps à Styx pour suivre la pensée de Viper. Non pas que ce qu'il sous-entendait le choque. Il avait vécu largement plus d'un millénaire. Peu de choses l'étonnaient.

— Non, bien sûr que non. Elle est… sans l'ombre d'un doute du sexe féminin, mais pas entièrement humaine.

— Qu'est-ce qu'elle est ?

Styx secoua la tête avec impatience. C'était gênant de reconnaître qu'il était incapable de résoudre le mystère du sang de Darcy.

Il était un vampire, nom d'un chien.

Le sang était sa spécialité.

— Je ne sais pas. Elle a une odeur humaine, et se comporte certainement comme telle ; pourtant elle possède des caractéristiques démoniaques.

La curiosité était lisible sur le visage de Viper.

— De quel genre ?

— Elle cicatrise bien trop vite pour une mortelle et a cessé de vieillir à la puberté. Elle dit aussi être plus rapide et plus forte que la plupart des humains.

— Ça évoque effectivement du sang de démon. (Viper fronça les sourcils.) Elle ne peut ignorer ce qu'elle est.

— Elle affirme n'avoir aucun souvenir de ses parents ou de sa famille.

— Tu la crois ?

— Oui, répondit Styx avec fermeté. Elle était sincèrement perturbée par la singularité de ses pouvoirs.

Viper se mit à faire les cent pas sur le précieux tapis persan tout en réfléchissant à ce rebondissement inattendu. Comme Styx, il était vêtu de noir, même si sa chemise était de la soie la plus fine et son pantalon d'un velours somptueux. Le vampire aux cheveux argentés avait toujours aimé se distinguer par son style. Styx avait choisi un pull noir épais, un pantalon en cuir et des bottes.

Pas particulièrement élégant, juste des habits qui le couvraient et ne le gênaient pas s'il devait se battre.

Sa seule vanité, c'étaient les rubans de bronze qu'il avait nattés dans sa longue tresse.

Viper se retourna et leva les mains.

— Les hybrides ne sont pas si rares. Shay en est une. Cela dit, la plupart n'ignorent pas tout de leur ascendance. Tu crois que c'est à cause de son métissage que les garous la recherchent ?

C'était également la première idée qui avait traversé l'esprit de Styx.

— C'est impossible à dire. Tant qu'on n'en sait pas plus.

— Et que penses-tu de la femme ?

— Quoi ?

Viper sourit avec lenteur.

—Est-elle aussi belle que le laissait espérer sa photo?

Ce fut au tour de Styx d'aller et venir dans la pièce. Le simple fait de mentionner Darcy suffisait à le plonger dans un état d'agitation. Pire encore, l'image de son adorable visage en forme de cœur se révélait bien trop facile à évoquer. Comme si elle persistait dans son esprit, n'attendant qu'une occasion pour le tourmenter.

—Qu'est-ce que ça fait? marmonna-t-il. C'est ma prisonnière.

Viper rit avec un plaisir manifeste.

—Je prends ça pour un oui.

Styx se retourna, l'expression dure.

—Oui, elle est… d'une beauté incroyable. Aussi belle qu'un ange.

L'hilarité de Viper ne semblait pas près de cesser. Quel sale petit effronté!

—Tu n'as pas l'air aussi ravi que tu le devrais, mon ami, loin de là.

—Elle est… imprévisible, reconnut Styx à contrecœur.

—Si elle a du sang humain, quoi de plus normal, dit Viper avec regret.

—Du coup, c'est difficile de savoir comment se comporter avec elle.

Viper s'avança pour donner une tape sur l'épaule de Styx.

—Si tu as oublié comment te conduire avec une belle femme, Styx, alors je crains que ton cas soit désespéré.

Styx réprima l'envie d'envoyer son cadet à l'autre bout de la pièce. C'était ridicule. Il ne perdait jamais le contrôle de ses émotions. Jamais.

Il ne pouvait que supposer que ses lourdes responsabilités lui pesaient plus qu'il ne l'avait cru.

Du moins, cette excuse l'arrangeait.

—Je ne la retiens pas prisonnière par plaisir.

— Ce qui ne signifie pas que tu ne peux pas apprécier sa présence. Tu n'as aucune raison de continuer à mener une vie de moine. Pourquoi ne pas profiter de la situation ?

Le corps entier de Styx se raidit à la seule pensée de succomber à son désir. Par tous les dieux, il voulait en profiter.

De la chair de femme chaude. Du sang frais, innocent. Oh oui.

— Elle se trouve sous mon toit uniquement pour me permettre de négocier avec Salvatore, rappela-t-il avec brusquerie, plus à lui-même qu'à Viper. Elle sera bientôt partie.

Viper l'observa attentivement, les yeux plissés.

— Et si les garous avaient l'intention de lui faire du mal ? Tu la leur livrerais malgré tout ?

Quelle question !

Une question idiote et gênante.

— Tu voudrais que je prenne le risque de provoquer une guerre avec les garous à cause d'une simple femme ? demanda-t-il d'un ton glacial.

Viper rit discrètement.

— Styx, j'étais prêt à compromettre tous les vampires pour sauver Shay.

C'était parfaitement vrai. Styx avait failli les tuer tous les deux.

— Mais c'était ta compagne. Tu l'aimais.

— Je continue à penser que certains sacrifices n'en valent pas la peine.

Styx ne prêta pas attention à l'étrange sensation de serrement dans sa poitrine. Il ne voulait pas savoir quelle pouvait en être la signification.

— Cette femme n'est rien pour nous.

Il constata, agacé, que Viper ne paraissait pas convaincu.

— C'est à toi d'en décider, Styx. Tu es notre chef.

Styx grimaça.

— Une position largement surfaite, je peux te l'affirmer.

Viper lui serra l'épaule.

—Ne prends pas de décision précipitée, mon ami. Les garous nous posent des problèmes, mais nous pouvons les maîtriser le temps que tu découvres ce qu'ils comptent faire d'elle. Il est inutile de négocier avec Salvatore tant que tu ne sais pas exactement ce que vaut ton jeu.

Styx hocha la tête avec lenteur. Viper n'avait pas tort. S'il connaissait les raisons pour lesquelles Salvatore voulait Darcy, il serait peut-être en mesure alors d'éviter toute négociation.

S'il désirait vraiment cette femme, ce garou devrait se plier aux exigences de Styx, quelles qu'elles soient.

—Sage conseil.

—J'ai de bons côtés, c'est vrai.

—Oui, aussi insignifiants et rares soient-ils.

Viper recula brusquement, les yeux écarquillés.

—C'était une blague? demanda-t-il, interloqué.

—J'ai moi aussi des qualités, murmura Styx en se dirigeant vers la porte.

Il avait déjà passé trop de temps hors de la propriété. Il s'arrêta dans l'embrasure pour décocher à son ami un regard de mise en garde.

—Je tolérerai la gargouille tant qu'elle n'embêtera pas Darcy. Si ma prisonnière devait ne serait-ce que se renfrogner à cause d'elle, elle se retrouverait à la rue, au mieux.

Une fois sa menace proférée, Styx sortit du bureau. Pas avant cependant d'avoir aperçu le sourire, absolument inexplicable, qui se dessina progressivement sur les lèvres de Viper.

CHAPITRE 4

S tyx retourna à la Jaguar bordeaux garée non loin du club. Marcher dans les rues obscures ne lui faisait pas peur, quelle que soit l'heure. Rares étaient les choses assez stupides pour attaquer un maître vampire. À part si elles étaient suicidaires.

Alors qu'il s'engageait dans la ruelle, il s'immobilisa. D'un geste souple, il sortit ses deux poignards de ses bottes et scruta les ténèbres.

Malgré la puanteur des ordures et des excréments humains, il perçut l'odeur caractéristique des garous.

Trois bâtards et un sang-pur.

Tout près.

Il écarta les jambes en apercevant le garou le plus proche. Sous sa forme humaine, il était petit, avec un physique sec et nerveux et une crinière de longs cheveux bruns. Il ressemblait plus à une brute de cour d'école ou à un voleur de bas étage qu'à une créature de la nuit. Néanmoins, Styx ne manqua pas de distinguer la faim vorace imprimée sur son visage émacié ni la lueur dans ses yeux marron, qui indiquait qu'il était sur le point de se métamorphoser.

Même les bâtards se révélaient dangereux lorsque leur sang s'échauffait et que l'appel de leur bête se faisait sentir.

Sans jamais quitter des yeux ce dernier qui se tenait prêt, à côté d'une Jeep noire, Styx se servit de ses sens pour localiser les autres. Il n'allait pas se laisser distraire par un démon galeux et permettre à ses compagnons de l'encercler.

Un loup se cachait derrière une poubelle tandis que le sang-pur et le dernier bâtard étaient perchés sur le toit d'une laverie automatique vide, de l'autre côté de la ruelle.

Des chiens intelligents.

Plus que ne l'était le plus proche, qui poussa un grondement guttural. Il s'apprêtait à attaquer. Ses muscles étaient déjà contractés d'anticipation, et il haletait. Au contraire, Styx demeura complètement immobile, l'esprit clair et les mains tenant les poignards sans trop les serrer.

Sa nonchalance apparente suffit à provoquer le bâtard enragé qui, avec un grognement à faire dresser les cheveux sur la tête, s'élança en avant.

Styx attendit que l'homme soit presque sur lui pour l'empoigner par la gorge. Il y eut un gémissement étranglé suivi par un gargouillement, un râle d'agonie, lorsque Styx le souleva du sol en lui broyant la gorge.

Puis il l'attira d'un coup sec, alors que le loup se débattait encore, et plongea le poignard entre ses côtes, le lui enfonçant profondément dans le cœur. Un garou guérissait de presque toutes les blessures ; seuls lui étaient fatals de l'argent introduit dans le cœur ou la décapitation.

Avec un cri bref, le bâtard cessa de lutter ; Styx jeta son cadavre et, d'un mouvement souple, se retourna à temps pour voir l'autre loup surgir précipitamment de derrière la poubelle. Il lança son poignard à une vitesse si fulgurante que la bête qui fonçait sur lui fit plusieurs pas avant de s'arrêter enfin en chancelant et de regarder l'arme plantée dans sa poitrine.

Il ne s'agissait pas d'un coup mortel, bien que la lame en argent se soit profondément enfoncée dans son corps. Poussant un hurlement strident, le bâtard tomba à genoux et tira désespérément sur le manche.

L'odeur de chair brûlée, suave, écœurante, envahit l'air froid, mais Styx avait déjà reporté son attention sur les deux garous qui hésitaient toujours sur le toit, au-dessus de lui.

— À qui le tour ? demanda-t-il.

Des applaudissements brisèrent le silence tandis que le sang-pur se levait et rivait son regard sur Styx. Malgré la saleté de la ruelle, il était vêtu d'un costume de soie parfaitement ajusté à son corps musclé, et ses cheveux noirs étaient impeccablement coiffés. Styx ne serait pas étonné que cet homme s'offre les soins d'un pédicure et porte un boxer de satin.

La royauté dans toute sa splendeur.

— Beau travail. Mais, bien sûr, vous êtes le célèbre Styx, le maître des vampires et le dictateur de tous les démons, déclara le loup d'une voix empreinte d'un léger accent. Dites-moi, est-ce vrai que vous devez votre nom au fleuve de sang que vous laissez sur votre passage ?

Posément, Styx replaça dans sa botte le poignard qui lui restait, avant de tendre les bras d'un air engageant.

— Descendez et venez le découvrir par vous-même, Salvatore.

— Oh, je ne doute pas que nous aurons l'occasion de déterminer lequel de nous deux est le plus fort, mais pas cette nuit.

— Alors, pourquoi me déranger ? s'enquit Styx froidement.

— Vous avez quelque chose que je veux.

Un léger sourire effleura les lèvres de Styx. Ah, ainsi ses efforts portaient déjà leurs fruits.

— Vraiment ?

— À titre temporaire.

— Si vous le désirez, nous pouvons nous rendre à mon repaire pour que vous tentiez de la ravir, dit Styx d'une voix traînante.

Le loup poussa un grondement sourd.

— Oh, elle me reviendra. Ça, je vous l'assure.

— Pas à moins d'accepter de négocier avec moi.

— Je ne permettrai pas à un vampire en putréfaction de me faire chanter.

Styx haussa les épaules.

— Dans ce cas, la charmante Mlle Smith demeure mon otage.

— Nous ne sommes plus vos chiens, Styx. (Salvatore afficha une moue pleine de dédain.) Nous ne nous soumettrons pas à vos lois ni ne serons enchaînés comme des animaux.

Styx plissa les yeux. Il percevait la colère qui couvait dans le sang-pur, pourtant celui-ci conservait la maîtrise de ses instincts. Une aptitude rare parmi les garous, qui en faisait un adversaire dangereux.

— Ce n'est guère l'endroit pour discuter des droits et des privilèges des loups-garous, dit Styx, dont les canines s'allongèrent de façon menaçante. Je vais d'ailleurs vous donner un petit conseil, Salvatore. Je n'apprécie pas les ultimatums. La prochaine fois que vous m'en lancerez un, je vous pourchasserai personnellement pour vous exécuter.

Le loup ne broncha pas.

— Comptez sur des représailles.

Styx feula doucement en laissant son pouvoir tourbillonner dans la ruelle. De toute évidence, ce nouveau roi des loups avait besoin qu'on lui rappelle les dangers auxquels il s'exposait en s'opposant à un vampire.

— J'ai demandé une réunion du Conseil. Si ses membres arrivent avant que j'aie décidé de vous tuer, j'attendrai alors leur approbation. (Il leva la main pour diriger son pouvoir sur le loup-garou qui se dressait au-dessus de lui.) Dans le cas contraire, j'exprimerai simplement mes regrets sincères d'avoir dû agir avant leur venue.

Salvatore tomba à genoux, puis se releva avec détermination. Ses yeux flamboyaient dans l'obscurité, mais ses mains ne tremblèrent pas lorsqu'il défroissa sa veste de soie.

— Suis-je censé être effrayé ?

— Ça, bien entendu, c'est à *vous* d'en décider.

Un hurlement sourd, terrifiant, retentit lorsque le bâtard qui se tenait près de Salvatore se métamorphosa brusquement. L'homme grand à la tête chauve et aux muscles saillants se changea en une bête imposante recouverte d'une épaisse fourrure hirsute et possédant des griffes acérées. Elle s'avança jusqu'au bord du toit et leva son museau vers le ciel.

Son poignard apparut entre les doigts de Styx au moment même où Salvatore se déplaçait et, d'un geste nonchalant, frappait le bâtard d'un revers de main. Un glapissement effarouché s'éleva alors que le garou était propulsé à l'autre bout du toit et dégringolait presque sur la chaussée de l'autre côté.

Styx arqua les sourcils lorsque Salvatore tourna le dos à son compagnon et reporta de nouveau son attention sur lui. Manifestement, c'était un chef qui croyait au proverbe « qui aime bien, châtie bien ».

— Rendez-moi la femme et j'envisagerai… la possibilité d'une négociation, concéda Salvatore d'un ton mielleux, comme si rien d'inhabituel ne s'était passé.

Styx conserva le poignard à la main, prêt à frapper. Il se trouvait face à un sang-pur que seul un imbécile sous-estimerait.

Sans compter qu'en lui demandant avec arrogance de lui livrer Darcy ce loup détestable lui avait donné envie de plonger ses crocs dans sa chair.

— Mlle Smith ne sera pas libérée tant que vous n'aurez pas accepté de retourner sur vos terrains de chasse traditionnels et de cesser d'attaquer les humains. Nous ne pourrons examiner vos réclamations qu'à ce moment-là.

Sans surprise, le garou partit d'un petit rire dénué d'humour en entendant cette requête intransigeante. Styx n'en attendait pas moins.

—Si vous ne me donnez pas la femme, je viendrai la chercher.

Un loup-garou avec des envies suicidaires.

Sa variété préférée.

Il sourit.

—Je vous en prie, essayez donc.

—Espèce de fils de pute arrogant.

—Pourquoi est-elle si importante pour vous?

Malgré la distance qui les séparait, Styx s'aperçut soudain que Salvatore se méfiait. C'était une question à laquelle il ne souhaitait pas répondre.

—Pourquoi un homme désire-t-il une femme?

—Vous voudriez me faire croire que vous avez traqué cette femme – que vous n'aviez même jamais rencontrée jusqu'à hier soir – pendant des semaines uniquement parce que vous aviez envie d'elle?

Salvatore haussa les épaules.

—En matière de cœur, la plupart des hommes sont des imbéciles.

Styx plissa les yeux.

—Non.

—Non?

—Vous êtes un sang-pur. Vous ne dépenseriez jamais autant d'énergie pour une humaine. Vous n'êtes autorisé à vous unir qu'avec d'autres sang-pur.

—Je n'ai pas dit que j'avais l'intention d'en faire ma compagne, juste de coucher avec elle.

Coucher avec elle?

Deux millénaires de pratique de la maîtrise de soi furent nécessaires pour empêcher Styx de tuer le loup-garou sur-le-champ. Darcy était son otage. Pour le moment, elle lui appartenait. Il arracherait la gorge à quiconque tenterait de la lui enlever.

—Elle ne partagera jamais votre lit, loup, le prévint-il d'une voix glaciale. Maintenant, retournez sur vos terrains de chasse avant que je vous fasse tous mettre en cage et châtrer.

Darcy n'avait pu réprimer un soupir de soulagement lorsque la petite gargouille avait annoncé son intention d'aller chercher son repas dans les bois voisins.

Non pas qu'elle n'avait pas apprécié les efforts de la créature pour apaiser ses craintes et lui remonter le moral. Malgré l'étrangeté inhérente à sa nature, ses traits d'esprit sardoniques et ses accès de gentillesse inattendus avaient quelque chose de vraiment charmant.

Mais elle avait besoin qu'elle parte pour pouvoir récupérer ses vêtements et s'enfuir de cette maison de fous.

Elle était peut-être un peu bizarre, et elle ne pouvait même pas affirmer que du sang de démon ne coulait pas dans ses veines. Cette explication était aussi bonne qu'une autre. Néanmoins, ce n'était pas parce qu'elle avait une ascendance mixte qu'elle était prête à entrer dans une communauté faite d'irrésistibles vampires, de minuscules gargouilles et de loups-garous menaçants.

Surtout quand il y avait de fortes chances qu'elle soit livrée à ces derniers, telle une vierge offerte en sacrifice.

Bon, peut-être pas vierge, mais presque.

Malheureusement, ses plans de fuite furent entravés par le fait que ses habits demeurèrent introuvables. À vrai dire, un tee-shirt blanc qui lui arrivait pratiquement aux genoux fut le seul vêtement qu'elle réussit à dénicher dans la pièce.

Sans compter, bien sûr, l'homme immense, qu'elle supposait être un vampire – à en juger par sa peau incroyablement pâle et ses canines –, qui se tenait juste devant sa porte, ainsi que les deux autres, postés sous sa fenêtre.

Durant un moment, elle arpenta la grande chambre, presque prise de panique.

Il fallait qu'elle sorte de là.

Mais comment?

Ses allées et venues durèrent près d'une heure avant qu'elle pousse un soupir et secoue la tête avec tristesse.

Elle n'était pas vraiment d'un tempérament enclin à broyer du noir.

Et c'était dur d'être réellement terrifiée alors qu'elle était entourée d'un luxe si élégant.

Tous les vampires étaient-ils riches comme Crésus? La chambre et sa salle de bains attenante pouvaient abriter une famille de quatre personnes, et il resterait de la place pour garer un monospace. Rien à voir avec son appartement exigu. Purée, elle était sûre que les draps de satin qui étaient parfaitement assortis au tapis et aux rideaux ivoire coûtaient plus cher que son loyer mensuel.

Dieu seul savait combien valaient les vases de porcelaine et les délicates eaux-fortes.

Comme elle s'avançait vers la fenêtre marquise qui donnait sur un petit jardin et un lac dans le lointain, elle s'immobilisa brusquement. Les sourcils froncés, elle examina les jolis saintpaulias qui s'alignaient le long des vitres.

C'est une honte, se dit-elle en déplaçant avec précaution les plantes sur la banquette, pour les éloigner des carreaux couverts de givre. Lorsqu'elle eut terminé, elle alla chercher un verre d'eau dans la salle de bains et entreprit de s'occuper des fleurs qui se flétrissaient.

Tellement peu de gens comprenaient les soins nécessaires au bien-être des plantes, pensa-t-elle en enlevant délicatement les feuilles jaunies et en remuant la terre riche.

Les arroser de temps en temps ne suffisait pas. Ce n'était pas parce qu'elles ne pouvaient pas parler qu'elles n'avaient pas de sentiments, elles aussi.

Absorbée par la tâche qu'elle s'était imposée, elle ne remarqua heureusement pas la porte qui s'ouvrait dans son dos et Styx qui entrait dans la pièce.

— Voilà pour toi, Tornade, murmura-t-elle en versant de l'eau tout autour des racines. Non, non, je ne t'ai pas oubliée, Danseur. Ne t'impatiente pas, Fringant, ton tour va arriver.

— Qu'est-ce que vous fabriquez ? demanda une voix masculine et profonde.

Elle n'eut pas besoin de se retourner. Un seul, parmi les nombreux hommes qu'elle avait rencontrés, était capable de la faire frissonner de désir uniquement par le son de sa voix.

— J'essaie de sauver ces pauvres plantes que vous avez négligées. (Elle claqua la langue en signe de désapprobation.) Regardez donc comme elles sont flétries. Vous devriez avoir honte. Quand on accueille une créature vivante chez soi, s'en occuper correctement est une obligation.

Un long silence suivit, comme s'il se demandait si elle n'était pas complètement cinglée.

Ce qui était particulièrement ironique, étant donné les circonstances.

— Vous parlez aux plantes ? s'enquit-il enfin.

— Bien sûr.

Darcy se retourna ; elle eut le souffle coupé en le voyant. Cela semblait simplement injuste qu'un homme soit d'une beauté si absolue. Elle s'empressa de reporter son attention sur les fleurs. C'était ça ou rester bouche bée face à ce monstre terriblement séduisant, comme si elle n'avait rien dans le crâne.

— Elles se sentent seules, tout comme nous. Pas vrai, Rudolph ?

— Rudolph ?

Elle haussa les épaules.

— Eh bien, j'ignorais comment vous les aviez appelées, alors j'ai dû leur trouver des noms. En cette période de l'année, il m'a semblé judicieux de leur donner ceux des rennes du Père Noël. Vous savez, « Le Petit Renne au nez rouge » ?

Darcy sursauta lorsqu'il se retrouva soudain agenouillé à côté d'elle. Elle n'avait pas entendu un bruit. Était-il silencieux à ce point ou pouvait-il se déplacer d'un endroit à l'autre comme par magie ?

N'ayant apparemment pas conscience de lui avoir fait une peur bleue, le vampire la dévisagea avec curiosité.

— Je suppose qu'il s'agit d'une tradition humaine ? Les humains semblent en avoir un nombre illimité.

— Les vampires ne fêtent pas Noël ?

— Quand on est éternel, marquer le passage des années par des rituels bizarres paraît assez répétitif.

La gêne qu'éprouvait Darcy s'évanouit très vite. C'était étrange comme, quand il se trouvait près d'elle, elle ne parvenait pas à se rappeler qu'il était une dangereuse créature la retenant prisonnière.

C'était peut-être parce qu'elle ne cessait d'être submergée par l'envie irrésistible de déchirer son pull moulant et de couvrir sa peau douce et hâlée de baisers.

Ouais, c'était peut-être ça.

— Noël ne sert pas à marquer le passage des années, protesta-t-elle en caressant les feuilles de Rudolph.

— Non ?

— Cette fête symbolise l'esprit de cette période. La paix sur terre et la charité envers son prochain.

Ses cils s'abaissèrent pour masquer la solitude qu'elle dissimulait en elle. Elle ne voulait de la pitié de personne.

— Elle évoque l'amour, la bonté et… la famille, poursuivit-elle.

Des doigts fins et bronzés s'enroulèrent sur la main de Darcy. La peau de Styx était froide, pourtant son contact réussit à envoyer une onde de chaleur ardente directement dans le creux du ventre de la jeune femme.

— Si cette fête est si merveilleuse, pourquoi vous rend-elle triste ? murmura-t-il.

Elle se raidit face à son embarrassante perspicacité.

— Qu'est-ce qui vous fait penser ça ?

Il se pencha davantage vers elle, ses yeux noirs étrangement envoûtants.

— Je ressens votre tristesse. Elle vous enveloppe comme une vieille amie.

Darcy déglutit avec difficulté. Elle se perdait dans ce regard magnétique. Dans la douce caresse de son pouce sur la face interne de son poignet.

Waouh. Cela faisait tellement, tellement longtemps qu'on ne l'avait pas touchée d'une façon si intime.

— Comment ça, vous ressentez ma tristesse ? demanda-t-elle d'une voix rauque.

— Je suis un maître vampire.

— Et qu'est-ce que ça fait ? Ça vous permet de lire dans les pensées ?

— Non, mais je ressens vos émotions profondes quand je vous touche.

Darcy bougea, mal à l'aise. L'idée qu'il puisse percevoir ses sentiments ne lui plaisait pas. D'autant moins que ces derniers incluaient un désir très tangible de se blottir contre son torse ferme et d'embrasser ses traits masculins parfaits.

— Oh.

Styx tendit le bras pour lui prendre le menton de sa main libre.

— Dites-moi pourquoi vous êtes triste, Darcy.

— J'imagine que tous ceux qui sont seuls au monde se sentent un peu tristes à cette période de l'année, avoua-t-elle à contrecœur. Comme je vous l'ai expliqué, c'est une fête familiale. Un moment à partager avec quelqu'un.

Pendant un bref instant, Styx observa leurs doigts entrelacés en silence.

—Vous n'êtes plus seule désormais.

Ses paroles déroutantes la prirent au dépourvu.

—Être retenue prisonnière n'a rien à voir avec le fait de rentrer chez soi pour les fêtes.

—Peut-être pas. (Il releva brusquement les yeux pour croiser son regard.) Mais nous sommes ensemble, et je soulagerais votre solitude si vous m'y autorisiez.

Pour une raison étrange, Darcy eut la bouche sèche et la gorge serrée.

—Que voulez-vous dire?

—Je ressens votre tristesse, Darcy, mais aussi votre désir.

—Je ne crois pas…

—Vos sentiments éveillent un besoin en moi, et je ne suis pas sûr d'être assez fort pour le réprimer, déclara-t-il sans tenir compte de sa faible protestation. Un besoin contre lequel je n'ai pas envie de lutter.

D'un geste lent et délibéré, il porta les doigts de Darcy à sa bouche.

Avec une perplexité curieuse, Darcy le regarda mordiller son pouce sur toute sa longueur.

Elle émit un son étranglé lorsque son corps entier frissonna. Oh, putain. C'était bon. Très bon.

—Styx, chuchota-t-elle.

—Où est la gargouille? demanda-t-il, une lueur dangereuse miroitant dans ses yeux noirs.

—Elle… elle a dit qu'elle allait chasser.

—Bien.

Sans prévenir, il tira brusquement sur le bras de Darcy. Le souffle coupé, elle tomba sur les genoux de Styx, qui l'enlaça étroitement.

—Que faites-vous?

Il rit doucement en se penchant pour coller ses lèvres contre la courbe du cou de la jeune femme.

— Ça fait longtemps, mais je ne peux pas croire que j'aie oublié à ce point, chuchota-t-il contre sa peau.

De sa main libre, Darcy agrippa le pull en cachemire soyeux de Styx alors qu'il traçait avec sa langue une ligne humide jusqu'à la base de sa gorge. Une chaleur commençait à envahir le bas de son ventre. Elle se souvint vaguement qu'il s'agissait de la sensation merveilleuse du désir à l'état brut.

Ça faisait longtemps pour elle aussi.

Mais elle n'en savait pas assez sur la sexualité des vampires ou sur celui-ci en particulier pour se détendre complètement.

— Allez-vous me mordre ? chuchota-t-elle.

Elle sentit le frisson qui parcourut le corps de Styx. Comme si la mordre était une perspective enivrante.

— Le désirez-vous ?

— Ça fait mal ?

— Bien au contraire. (Il effleura avec érotisme sa peau de la pointe de ses canines.) La morsure d'un vampire n'apporte que du plaisir. Nous devons faire extrêmement attention à ce que notre partenaire n'y devienne pas accro.

Elle eut le souffle coupé lorsqu'il descendit plus bas, tirant sur son tee-shirt ample pour suivre des lèvres la ligne de sa clavicule.

— Partenaire ou proie ? s'enquit-elle.

Styx la fit changer de position sur ses genoux afin de caresser d'une main aux longs doigts la peau nue de sa cuisse.

— Parfois l'une, parfois l'autre, parfois les deux.

Darcy dut déglutir deux fois avant de pouvoir parler. La chaleur dans son ventre se répandait dans le reste de son corps à une vitesse alarmante.

Ce n'était pas désagréable, mais elle avait de plus en plus de mal à réfléchir.

— Et je suis quoi ?

Il se redressa pour l'observer avec des yeux noirs comme de la suie.

— Que voulez-vous être?

Elle s'humecta les lèvres alors que la main de Styx remontait vers la peau sensible de l'intérieur de sa cuisse.

— Je crois que je suis un otage. Un otage que vous avez l'intention de livrer à une meute de loups-garous.

— Rien n'a encore été décidé.

Elle grimaça.

— Eh bien, voilà qui est rassurant.

— Préféreriez-vous que je vous mente?

Darcy ignorait comment elle aurait répondu à cette question directe, et au final, cela n'avait pas d'importance.

Baissant la tête, Styx s'empara de ses lèvres dans un baiser avide. En même temps, il trouva avec dextérité le bord de sa minuscule culotte et glissa ses doigts dessous.

Elle se cambra lorsqu'il se mit à caresser son sexe moite.

— Oh, souffla-t-elle, choquée.

— Vous aimez? chuchota-t-il.

Les paupières palpitantes, elle ferma les yeux comme il appuyait en elle avec le pouce, atteignant sans difficulté ce centre de plaisir magique.

— Oui.

Il grogna tout bas.

— Je sens les battements de votre cœur. Je les goûte sur vos lèvres.

Darcy lutta pour réfléchir. Pour ne pas être submergée par cette vague de félicité ténébreuse.

Tout se passait bien trop vite, mais elle semblait incapable de trouver la volonté d'arrêter ce délicieux assaut.

Elle glissa les mains sous le pull soyeux pour enfin découvrir si la peau de Styx était aussi douce et parfaite qu'elle l'avait imaginé.

Elle l'était.

Pareille à la soie la plus fine, et en outre froide comme le marbre au toucher. Elle soupira faiblement en palpant les muscles fermes qui se contractaient sous ses doigts.

Il feula tout bas et, avec une vive impatience, il réussit à faire passer brusquement le tee-shirt de Darcy par-dessus sa tête et à lui ôter son soutien-gorge de dentelle.

— Mon ange.

La bouche de Styx effleura la courbe d'un de ses petits seins avant d'en prendre la pointe durcie entre ses lèvres.

Darcy fut parcourue de frissons pendant qu'il tirait doucement sur son téton tout en lui caressant l'entrejambe à un rythme si rapide qu'elle en avait presque le souffle coupé.

Elle fit courir ses mains le long de la cage thoracique de Styx jusqu'à son large dos. Elle pourrait toucher son corps pendant des heures, comprit-elle. Elle ne craignait pas de le blesser sans le vouloir, ou de dévoiler des aspects d'elle-même qu'elle avait toujours dissimulés.

Pour la première fois de toute sa vie, elle était libérée de la retenue qui l'avait toujours entravée.

Savourant cette délicieuse sensation de liberté, elle cambra les reins comme son plaisir montait, approchant un point de non-retour.

— J'ai besoin de toi. Besoin de te goûter.

Styx releva la tête, ses yeux noirs emplis d'un désir si ardent que le cœur de Darcy se serra de la plus étrange des façons.

— Tu m'y autorises?

Son expression de pure convoitise la fit frissonner. Il y avait quelque chose de terriblement enivrant à être désirée avec une telle force.

Même si c'était pour son sang.

Elle enfonça ses ongles dans le dos de Styx tandis que le merveilleux apogée de son plaisir hésitait juste hors de sa portée.

À ce moment-là, elle aurait acquiescé à tout ce qu'il lui aurait demandé.

Tout.

—Oui, chuchota-t-elle.

Avec un grognement qui l'aurait terrifiée si elle n'avait été prise dans les affres de la passion, il baissa lentement la tête vers la ligne gracieuse de son cou.

Malgré son émoi, Darcy se raidit. Qu'une paire de crocs se plante dans la peau sans douleur paraissait impossible.

La langue de Styx toucha légèrement la veine qui palpitait dans sa gorge.

—Je promets de ne pas te faire mal, dit-il d'une voix rauque.

—Styx…

Ses paroles s'interrompirent dans un soubresaut quand elle sentit une pression froide ; puis une onde d'intense volupté se propagea dans son corps.

Elle percevait chaque profonde succion. Comme s'il aspirait le sang tout au bout de ses orteils. Tandis qu'à un rythme parfait il continuait de caresser le centre de son plaisir délicat avec le pouce.

C'était beaucoup trop.

Darcy haleta en se tordant à son contact, lui labourant le dos des ongles. Elle avait déjà été touchée par un homme. Elle n'était pas complètement novice.

Pourtant rien – *rien* – n'était comparable à l'explosion presque violente qui contracta ses muscles inférieurs et fit monter un hurlement interdit à ses lèvres.

Avec une douceur à laquelle elle ne se serait jamais attendue de la part de quelqu'un de si grand, Styx la porta jusqu'au lit et recouvrit son corps qui tremblait encore. Il s'étendit alors à côté d'elle, appuyé sur un coude, et la scruta du regard.

—Mon ange ?

Il fallut plusieurs secondes à Darcy pour se rappeler comment on parlait.

— Purée, réussit-elle enfin à articuler.

L'expression de Styx se fit préoccupée comme il lui touchait la joue.

— Tu vas… bien ?

— Je crois.

Elle entreprit de se hisser peu à peu en haut du tas d'oreillers quand une main sur son épaule l'arrêta avec fermeté.

— Tu ne devrais pas bouger pour l'instant.

Il se tourna pour tendre le bras derrière lui. Il la prit au dépourvu en lui mettant entre les doigts un verre froid.

— Tiens.

— Qu'est-ce que c'est ? demanda-t-elle d'un air manifestement soupçonneux.

Styx serra les lèvres.

— Rien de plus dangereux que du jus de fruit.

Elle en but une gorgée prudente, soulagée par la saveur sucrée de l'orange. Mais aussi surprise.

— C'est du jus fraîchement pressé. C'est toi qui l'as fait ?

— Pourquoi es-tu si étonnée ? Je ne suis pas entièrement inutile.

Elle vida son verre avant de le poser et de reporter son attention sur l'homme qui se dressait au-dessus d'elle.

— C'est juste que je n'arrive pas à imaginer pourquoi un vampire aurait besoin de talents culinaires. Ce n'est pas comme si tu passais beaucoup de temps aux fourneaux.

— Non, ce ne sont pas les aliments qui nous procurent notre nourriture.

Un feu qu'elle commençait à reconnaître couvait dans les yeux noirs de Styx lorsqu'il fit délibérément courir ses doigts le long de la courbe de son cou. Il haussa les sourcils en s'apercevant que les joues de Darcy s'empourpraient soudain.

— Tu rougis.

Eh bien, euh.

Elle venait juste de vivre l'orgasme de sa vie dans les bras d'un parfait inconnu. Sans mentionner qu'elle l'avait laissé boire son sang comme si elle était une épicerie ouverte toute la nuit.

Elle n'était pas une sainte-nitouche mais pas une pute non plus. Pourtant, elle avait été pire qu'une salope.

Une… grosse salope !

— Évidemment que je rougis, marmonna-t-elle en remontant la couverture jusqu'à son menton.

D'accord, quand la jument était sortie, il n'était plus temps de fermer l'écurie, mais elle se sentait mieux ainsi.

Styx parut légèrement contrarié.

— Ce qui s'est passé entre nous te gêne ?

Elle poussa un soupir.

— Écoute, je ne sais pas quelle sorte de femmes tu as l'habitude de ramasser pour ton quatre-heures, mais je ne… m'adonne pas à ce genre de trucs avec quelqu'un que je viens de rencontrer. D'autant moins quand il se révèle un vampire qui m'a kidnappée.

Le beau visage hâlé prit un air distant. Elle commençait à soupçonner que cette expression traduisait un mécanisme de défense inconscient.

L'un de ses nombreux psychiatres parlerait à coup sûr de « refoulement ».

— Déjà, je ne ramasse pas de femmes. C'est beaucoup plus pratique de me procurer ce dont j'ai besoin à la banque du sang.

La voix de Styx était tendue, presque comme si elle avait réussi à le blesser. Ce qui était ridicule. Était-ce même possible de froisser les sentiments d'un vampire ?

— Néanmoins, il n'y a aucune honte à partager ce genre d'intimité. Nous avons été attirés l'un par l'autre dès les premiers instants.

—Ça ne change rien au fait que nous sommes de parfaits inconnus, ou que tu me retiens contre ma volonté.

Styx émit un bruit impatient en lui prenant le menton dans la main pour la forcer à croiser son regard brillant.

—J'ai rencontré Salvatore ce soir, mon ange. C'est un sang-pur dangereux, prêt à tout pour t'avoir en son pouvoir. Si je te laisse partir, je suis certain qu'il t'enlèvera.

Il lui touchait le visage, rien de plus. Mais ce contact envoya une brûlante vague d'émoi déferler en elle.

Nom de Dieu. Elle dut s'empêcher physiquement de tendre la main pour défaire la tresse qui emprisonnait ses magnifiques cheveux.

Arrête ça, Darcy Smith, se dit-elle avec sévérité.

Il était possible que sa vie même soit menacée et elle ne pouvait penser qu'à ce vampire d'une exceptionnelle virilité.

—Je ne suis pas totalement sans défense, marmonna-t-elle.

—Peut-être pas, mais tu ne fais pas le poids contre un loup-garou de sa force.

—Être sa prisonnière serait-il très différent d'être la tienne ?

Cette fois-ci, il poussa incontestablement un feulement irrité. Si elle ne l'avait pas blessé, elle avait du moins réussi à l'offenser.

—Je ne t'ai fait aucun mal, dit-il d'un ton ferme. Au contraire, j'ai fait tout mon possible pour que tu sois confortablement installée.

Malgré une absurde pointe de culpabilité, Darcy n'avait pas l'intention de s'en vouloir. C'était elle la victime, non ?

—Oui, et pendant que je suis confortablement installée ici, je perds mes jobs, mon loyer n'est pas payé et mes plantes sont en train de mourir, l'accusa-t-elle en dégageant son menton. Ma vie ne vaut peut-être pas grand-chose, mais c'est la mienne et tu me la détruis.

Il ne s'encombra pas de remords, lui non plus.

—Tu n'as pas à t'inquiéter pour l'argent. J'ai…

Darcy plaqua sa main sur la bouche de Styx avant d'avoir pu arrêter ce geste instinctif.

—Ne t'avise pas de dire ça. Je ne suis pas un cas social.

Le visage de Styx se renfrogna encore.

—Ce n'est que de l'argent. Je n'en ai pas besoin, contrairement à toi.

—Non. Je le gagne à ma façon.

—C'est ridicule de s'entêter comme ça.

Elle releva le menton. Il la retenait peut-être captive, mais elle ne lui appartenait pas.

—C'est mon droit.

CHAPITRE 5

S tyx se réveilla le soir suivant incontestablement grognon
et complètement seul dans sa chambre enfouie loin en
dessous de la maison.

Même si toutes les pièces possédaient des fenêtres aux
vitres teintées et des volets suffisamment épais pour protéger
un vampire du soleil, Styx se sentait plus à l'aise dans les
tunnels obscurs qui couraient sous la vaste propriété.

Et, bien entendu, c'était l'unique moyen de s'assurer
qu'il ne céderait pas à la tentation, en retournant dans le lit
de son exaspérante invitée.

Comment un simple vampire était-il censé comprendre
une créature si étrange ? rumina-t-il en prenant un bain dans
la grande baignoire de Viper, avant de passer presque une
demi-heure à tresser ses cheveux humides.

Ils avaient partagé la plus intime des étreintes. Elle avait
hurlé de plaisir quand il avait absorbé son essence même. Ils
n'avaient formé plus qu'un corps. Liés comme seuls l'étaient
un vampire et sa maîtresse.

Cela avait été merveilleux.

Incroyablement merveilleux.

Il avait beau être un vampire, il avait perçu à quel point
leur union avait été unique. En tant qu'humaine, elle aurait
dû être totalement envoûtée.

Au lieu de quoi elle avait marmonné vouloir le quitter et avait refusé d'accepter ne serait-ce qu'une partie de sa considérable fortune.

Il broyait encore du noir lorsqu'il monta l'escalier pour rejoindre la vaste cuisine. Malheureusement, son humeur ne s'améliora en rien à la vue de la minuscule gargouille qui y finissait son repas.

Un dîner que Styx soupçonnait avoir été capturé dans les bois environnants, avant d'être mangé cru.

Non pas qu'il s'en souciait particulièrement. S'il en avait l'occasion, il irait à l'étage chasser son propre dîner exquis. Mais il avait le sentiment que Darcy n'apprécierait pas d'entrer dans la pièce pour découvrir Levet qui dévorait un animal mort.

La gargouille sauta en bas de sa chaise et lui jeta un sourire éclatant.

— Un mort en sursis.

Styx fronça les sourcils.

— Je te demande pardon ?

— Laisse tomber, soupira Levet. Rares sont ceux qui comprennent véritablement mon humour.

Suprêmement indifférent aux plaisanteries bizarres de la gargouille, Styx porta son attention sur des sujets bien plus importants.

— Darcy est-elle déjà levée ?

Levet haussa les épaules.

— Je ne l'ai pas vue, mais c'est peut-être parce que tu fais garder sa chambre comme si elle était une bête enragée et non une adorable jeune femme.

Styx se raidit sous l'effet de la colère. Pourquoi tout le monde s'attendait-il au pire de sa part ?

— Les gardes assurent sa protection, répliqua-t-il d'un ton glacial. Ou préférerais-tu qu'elle se fasse enlever par une meute de loups-garous ?

Le minuscule démon eut l'audace de sourire.

— Je dis juste…

— Quoi ?

— Que tu as beaucoup à apprendre sur la façon de se faire des amis.

Styx réprima sa colère. Il n'allait pas s'expliquer avec une simple gargouille. Il traversa la cuisine pour ramasser le petit sac à main qu'il avait pris dans le bar, la nuit où il avait kidnappé Darcy.

— J'ai une tâche pour toi.

— Pour moi ?

Levet écarquilla les yeux en regardant Styx fouiller le contenu étrange du sac en cuir.

— Hé, c'est à Darcy ? Tu ne peux pas juste…

— Chut ! intima Styx.

Il sortit l'objet qu'il cherchait et le tendit au démon.

En observant le petit carré plastifié, Levet siffla tout bas.

— Waouh. Elle est vraiment belle, même sur la photo de son permis de conduire. Je me demande ce qu'elle pense des relations interespèces ? Tu sais, je suis un beau parti…

— Je veux que tu mémorises cette adresse, l'interrompit Styx.

C'était ça ou étrangler ce foutu casse-pieds. S'il jetait ne serait-ce qu'un regard langoureux à Darcy, il allait découvrir ce que ça signifiait exactement d'irriter un maître vampire.

— Pourquoi ?

— Darcy s'inquiète pour ses plantes. Je veux que tu ailles les chercher dans son appartement.

Pendant un instant de silence, Levet le dévisagea comme si une seconde tête lui avait poussé.

— Ses plantes ?

— Oui.

— Et tu veux que je les rapporte ici ?

Styx feula d'impatience. Ce n'était vraiment pas une tâche si compliquée.

— Évidemment, oui.

— D'accooord.

— Y a-t-il un problème ?

— Non. (Un sourire agaçant se dessina sur les traits monstrueux de la créature.) Je trouve adorable que tu te préoccupes de ses plantes.

— Ce n'est pas le cas. (Styx tendit le doigt vers la porte.) Contente-toi d'y aller.

Levet battit des cils de façon ridicule.

— Rien d'autre, tant que je suis là-bas ? Une peluche ? Ou sa couverture favorite ?

— Tu peux apporter ses vêtements, décida brusquement Styx. Les humains semblent préférer les objets familiers.

— C'est une charmante attention.

Styx plissa lentement les yeux.

— As-tu encore des remarques à formuler ?

Sans percevoir le moins du monde les intonations dangereuses de la voix douce de Styx, la gargouille laissa son sourire s'élargir en contemplant le pantalon en cuir noir de son hôte, ses hautes bottes, sa chemise de soie fine et les délicates amulettes turquoise enfilées dans sa tresse.

Le sourire devint véritablement énorme lorsque Styx se balança d'un pied sur l'autre, mal à l'aise.

— Eh bien, je m'apprêtais à te complimenter sur ton apparence. Une telle élégance pour un vampire heureux jusqu'alors de traîner dans les grottes. Un tel *savoir-faire**… (Il s'interrompit quand Styx s'avança l'air menaçant.) Je… heu… pas pour le moment. Je vais juste y aller.

— Tu es plus intelligent que tu le sembles, démon, gronda Styx.

Après avoir attendu que le petit casse-pieds ait déguerpi, Styx tourna les talons et se dirigea vers la porte à l'autre bout de la cuisine.

Par tous les dieux, il ne permettrait pas qu'une minuscule gargouille se moque de lui.

Il était adulte, et s'il décidait de se préoccuper de son apparence, cela ne regardait personne à part lui.

Ça n'avait rien à voir avec sa magnifique otage.

Il grimaça un peu.

D'accord. Peut-être que Darcy n'y était effectivement pas pour rien. Qu'elle y était même pour beaucoup. Mais ce n'était pas plus les affaires d'une gargouille fouineuse.

En traversant la maison plongée dans l'obscurité, il s'arrêta devant l'une des pièces inutilisées pour y prendre une épaisse robe de chambre de brocart laissée par Viper. Il retourna ensuite dans le couloir et ouvrit la porte des appartements de Darcy.

Il n'avait pas fait un pas à l'intérieur qu'il s'immobilisa brusquement.

Un malaise vif et lancinant lui étreignit la poitrine tandis qu'il parcourait du regard le lit vide aux draps froissés et la pièce tout aussi déserte.

S'était-elle esquivée pendant qu'il dormait? Salvatore avait-il réussi à se faufiler à travers le système de sécurité pour l'enlever?

Sur le point de sommer tous les vampires de l'État de tout mettre en œuvre pour la retrouver, Styx hésita en percevant le parfum caractéristique de fleurs.

—Mon ange? demanda-t-il doucement.

La porte de la salle de bains attenante s'ouvrit et Darcy en sortit couverte d'une unique serviette blanche pelucheuse.

Styx serra les poings alors que ses canines s'allongeaient d'instinct.

C'était vraiment un tout petit bout de femme, même pour une humaine. Il ne pouvait pourtant nier la violente fascination qu'exerçaient sur lui ses membres pâles et frêles ainsi que ses légères rondeurs dissimulées de façon agaçante sous la serviette. Et son visage…

Son corps se raidit pendant qu'il contemplait ses grands yeux innocents et ses lèvres pleines. N'importe quel homme rêverait de voir cette bouche explorer toutes sortes d'endroits intimes.

— Purée.

Ne partageant apparemment pas le désir qui avait aussitôt envahi Styx, elle resserra la serviette autour d'elle et lui jeta un regard noir.

— C'est si compliqué de frapper avant d'entrer? Même un prisonnier devrait avoir droit à un minimum d'intimité.

Sans faire cas de sa mauvaise humeur, il s'avança pour lui tendre son présent.

— Je t'ai apporté une robe de chambre. Je me suis dit que tu aimerais peut-être avoir quelque chose à enfiler pour pouvoir quitter ces appartements.

Elle prit d'une main hésitante le magnifique vêtement, qu'elle examina avec une expression singulière.

— Je suis désolée, souffla-t-elle finalement.

— Quoi?

— D'habitude, je ne suis pas si vache. (Elle releva les yeux pour lui adresser un sourire narquois.) Et même si tu le mérites tout à fait, me mettre en colère n'est pas bon pour mon karma.

Il secoua la tête, perplexe. Il parlait couramment une centaine de langues, et pourtant il commençait à soupçonner que Darcy s'exprimait dans un langage entièrement de son cru.

— Ton karma?

Elle haussa les épaules.

— Tu sais, ma force vitale.

— Ah. (Styx esquissa un sourire chargé d'ironie.) Je crains de ne pas me souvenir d'avoir eu une quelconque force vitale.

À l'évocation du fait que Styx n'était plus humain, l'expression de Darcy traduisit davantage la curiosité que l'horreur.

— Tu as été humain un jour, n'est-ce pas ? demanda-t-elle.

— C'était il y a très longtemps.

— Mais tu ne t'en souviens pas ?

— Non.

Styx s'efforça de se concentrer. Par l'enfer, quel homme n'en ferait pas autant alors qu'il se trouvait si près d'une belle femme à moitié nue et que le parfum de sa peau chaude et attirante l'enveloppait ?

— Quand un homme est… transformé en vampire, tout souvenir de sa vie passée disparaît.

— Il ne se rappelle vraiment rien ?

— Non.

— C'est bizarre.

— Pas plus que de découvrir à son réveil qu'on est un vampire.

— C'est arrivé comment ?

Distraitement, elle passa une main dans ses cheveux courts et ébouriffés. Styx avait toujours aimé les femmes aux cheveux longs, mais cette coiffure semblait convenir à son petit visage de lutin. Sans compter qu'elle offrait une vision délicieuse de son cou fin.

— Je veux dire, comment devient-on un vampire ?

Styx hésita. En règle générale, son espèce parlait rarement de son héritage. Ce n'était pas précisément un secret, mais la plupart des démons étaient de nature réservée.

87

En cet instant, cependant, il se préoccupait surtout de rassurer Darcy sur le fait que ni son contact ni sa morsure ne la changeraient en vampire.

— Il faut qu'un vampire vide un humain de tout son sang, avoua-t-il. Le plus souvent, ils meurent, bien entendu, même si, en de rares occasions, il arrive qu'un humain ait suffisamment partagé l'essence du vampire pour ressusciter. Il n'y a aucun moyen de savoir si un humain survivra ou périra.

— Tu es donc mort?

— Parfaitement.

Les sourcils froncés, elle tenta d'accepter cette vérité difficile.

— Et maintenant?

— Maintenant? (Il haussa les épaules.) Je vis.

— Pour l'éternité?

Il sourit.

— On n'en a jamais aucune garantie.

Elle hocha imperceptiblement la tête, tout en tournant et retournant ses paroles en silence.

— Et les loups-garous? Comment se font-ils?

Styx fronça les sourcils. L'intérêt qu'elle manifestait pour les démons qui cherchaient désespérément à mettre la main sur elle était compréhensible, mais il n'aimait pas l'idée que Salvatore à l'incontestable beauté occupe ses pensées.

— Il y a les vrais loups-garous, ou sang-pur, comme ils préfèrent être nommés, lui apprit-il à contrecœur. Issus de l'union d'un couple de garous, ils sont très rares. Puis il y a les bâtards. Ce sont des humains qui ont été contaminés par un garou et ont réussi à survivre à cette agression. Ils sont beaucoup moins puissants que les sang-pur et dominent mal leurs instincts.

Darcy s'assit brusquement au bord du matelas.

— Ainsi, il y a des vampires et des loups-garous qui rôdent un peu partout?

Styx ne céda pas à l'envie de la rejoindre sur le lit. Aussi difficile à admettre que cela soit, il n'était pas sûr du tout de pouvoir compter sur sa maîtrise de soi autrefois sans faille.

C'était carrément embarrassant.

— Des vampires, des loups-garous et un grand nombre d'autres démons, marmonna-t-il sans réfléchir.

— Combien d'autres démons ?

— Des centaines.

Elle retint soudain sa respiration, et le dévisagea avec incrédulité.

— Comment se fait-il que personne ne soit au courant ?

Prenant conscience qu'il ne se montrait pas vraiment réconfortant, Styx grimaça. Peut-être que cette satanée gargouille avait raison. Il avait beaucoup à apprendre sur la façon d'accueillir une jeune femme sous son toit.

— Les vampires sont capables de modifier les souvenirs des humains qu'ils rencontrent et la plupart des démons peuvent dissimuler totalement leur présence. (Il l'observa avec intensité.) D'autre part, la majorité des mortels préfèrent se persuader que le monde surnaturel n'est rien d'autre que le fruit de leur imagination.

Elle sourit, mais son sourire contenait une tristesse si profonde qu'une étrange sensation serra le cœur de Styx.

— Je suppose que c'est assez vrai, chuchota-t-elle. Personne ne m'a crue. Mon psychiatre aussi a refusé d'admettre que j'étais réellement différente. Même quand je lui ai montré avec quelle rapidité je cicatrisais. Il m'a soutenu que ce n'était qu'un tour de passe-passe que j'aurais concocté pour attirer l'attention sur moi. Il a affirmé qu'il s'agissait simplement d'un besoin de reconnaissance.

Styx poussa un soupir. Eh bien, il n'y avait rien de tel que de mettre les pieds dans le plat pour envenimer les choses. Il était peut-être temps de se retirer et se ressaisir.

— Quand tu te seras changée, ça te dit de me rejoindre à la cuisine pour le repas ?

Elle se leva lentement, s'efforçant visiblement de chasser son humeur maussade. Elle réussit cependant à esquisser un sourire.

— Tant que je ne suis pas au menu.

— J'ai du sang, lui assura-t-il en s'approchant.

Incapable de résister à la tentation, il tendit la main pour lui caresser la joue.

— Même si je ne m'excuserai pas d'avoir bu à ton cou. Pas plus que je ne nierai espérer te serrer encore dans mes bras et te goûter. (Il mit un doigt sur ses lèvres quand elle essaya de l'interrompre.) Mais je ne te forcerai pas. Jamais.

Il se pencha pour déposer un baiser sur sa bouche avant de se retourner et de se diriger vers la porte.

— Je t'attends en bas.

Darcy patienta jusqu'à ce que Styx ait refermé silencieusement derrière lui, puis se rendit dans la salle de bains pour enfiler la robe de chambre.

Le bon sens lui conseillait de rester dans ses appartements. Lorsqu'elle était seule, elle se rappelait aisément que Styx était un vampire impitoyable ayant la ferme intention de l'utiliser pour servir ses propres intérêts.

Lorsqu'il était près d'elle…

Eh bien, elle ne pensait plus qu'à l'immense plaisir qu'elle avait éprouvé quand il l'avait caressée, embrassée… mordue.

Et à l'absolue solitude, tapie au fond de ses yeux noirs.

Une solitude qui pouvait rivaliser avec la sienne. Qui trouvait en elle une résonance dangereuse.

Zut alors.

Cela dit, le bon sens ne faisait pas le poids contre son instinct naturel qui la poussait à quitter le confinement de ces appartements. Une de ses mères adoptives l'avait surnommée lutin des bois parce qu'elle avait l'habitude de se glisser hors de la maison pour se retrouver au grand air, même au milieu de la nuit.

Le luxe de sa chambre n'y changeait rien, elle avait besoin d'espace.

En entrant dans la salle de bains noir et ivoire, elle posa le vêtement à côté du lavabo et elle s'apprêtait à défaire le nœud qui retenait sa serviette quand une main se colla sur sa bouche et qu'elle sentit un corps ferme et chaud se presser contre son dos.

— Chuuut, lui chuchota une voix masculine à l'oreille.

Elle reconnut immédiatement celle de Salvatore.

— Je ne vous ferai pas de mal.

Elle se dégagea brusquement et se retourna pour jeter un regard furieux au loup-garou. Il était tout aussi beau que dans son souvenir, même s'il avait troqué son costume de soie contre un pantalon serré noir et un mince pull de la même couleur.

Et il était également tout aussi redoutable.

Malgré la lumière tamisée, une lueur menaçante miroitait dans ses yeux dorés tandis que ses cheveux de jais attachés sur la nuque donnaient à son visage fin un air encore plus prédateur.

Une brève envie convulsive de hurler envahit Darcy avant qu'elle la refoule.

S'il voulait l'agresser, crier n'y changerait absolument rien. Le vampire qui gardait sa porte ne trouverait qu'un cadavre sanglant si Salvatore décidait de la tuer.

Peut-être moins.

Prenant une profonde inspiration, elle s'obligea à redresser les épaules et à croiser son regard troublant sans broncher.

Si elle devait mourir, ce serait avec un minimum de dignité.

Hé, elle avait vu suffisamment de vieux westerns pour savoir que ça, c'était important.

—Pour l'amour de Dieu, qu'est-ce que vous avez vous autres à surgir sans crier gare? demanda-t-elle.

Un sourire effleura les lèvres de Salvatore, comme s'il était content qu'elle fasse preuve de courage.

—Je souhaitais vous parler en privé.

Elle plissa les yeux.

—Comment êtes-vous arrivé jusqu'ici?

Il se déplaça avec grâce pour venir s'appuyer contre la porte, son sourire dévoilant lentement des dents d'une blancheur surprenante.

—Le système de sécurité est bon, mais pas assez. Il n'y a pas d'endroit où je ne puisse accéder si je le désire.

—Pas vraiment un talent dont on doive s'enorgueillir.

—Il ne s'agit que d'un parmi tant d'autres, je vous l'assure, dit-il d'une voix traînante en parcourant délibérément du regard le corps presque nu de Darcy.

Ouais, tant mieux pour lui.

—Que voulez-vous?

Il plissa les yeux. À coup sûr, il était stupéfait qu'elle ne soit pas sous son charme. C'est vrai qu'il n'en manquait pas. C'était le genre d'homme séduisant et dangereux que la majorité des femmes trouvaient irrésistible.

Malheureusement pour lui, la place dans le cœur de Darcy était déjà occupée par un autre homme tout aussi séduisant et dangereux.

Pas plus d'un par siècle; c'était sa règle d'or.

Salvatore l'observa durant un long moment, comme s'il reconsidérait la façon dont il devait s'y prendre avec elle. Un phénomène assez fréquent ces derniers temps.

—Je sais que le vampire vous a enlevée contre votre gré, dit-il. J'ai l'intention de vous délivrer.

Elle le regarda avec méfiance. Elle ne croyait pas un instant qu'ils avaient la même conception d'un sauvetage.

—Maintenant?

— Ça pose un problème ?

— À dire vrai, oui.

— Pourquoi ?

— Parce que je ne vous fais pas confiance.

Les traits de Salvatore se durcirent. Une aura d'énergie impétueuse l'enveloppa en bourdonnant, réchauffant l'air.

— Mais au vampire, si ?

Elle esquissa un sourire ironique.

— Je pense qu'à choisir entre deux maux, je préfère celui que je connais. Jusqu'ici, il ne m'a fait aucun mal.

— Jusqu'ici ? Vous êtes prête à risquer votre vie pour une lubie de vampire ?

Darcy haussa les épaules. Cela semblait incroyablement bête, dit comme ça. Et pourtant, serait-ce plus intelligent de laisser un loup-garou qui était à l'origine de tous ses ennuis la secourir ?

— Pourquoi voudriez-vous me délivrer ? demanda-t-elle abruptement.

Un silence chargé de tension s'installa, comme si Salvatore hésitait à la jeter tout simplement sur son épaule, pour en finir.

Darcy contracta les muscles, prête à hurler s'il le fallait, mais il secoua la tête.

— Me croirez-vous, si je vous dis que je suis juste quelqu'un de bien ?

— Pas une seconde.

Il éclata d'un rire bas et voilé.

— Je ne nierai pas avoir besoin de vous.

— Qu'est-ce que je pourrais apporter à un loup-garou ?

Il se raidit et la chaleur qui émanait de lui se répandit dans la pièce, déferlant sur la peau nue de Darcy.

— Vous êtes au courant ?

Darcy déglutit, ayant soudain une boule dans la gorge. Elle n'aurait peut-être pas dû mentionner cette histoire de loup-garou. Il ne tenait sans doute pas à voir divulguer ce genre d'information.

Quoi qu'il en soit, il était trop tard à présent pour faire semblant de ne pas savoir.

—Oui.

Salvatore se pencha en avant et flaira l'air autour d'elle.

—Vous ne paraissez pas particulièrement effrayée.

Elle recula d'un pas. Elle avait rencontré un tas d'excentriques au cours des années. Merde, la plupart des gens pensaient qu'*elle* l'était. Mais qu'on la renifle la mettait assez mal à l'aise.

—Si vous vouliez m'agresser, vous auriez déjà pu le faire.

—Vous avez raison. (L'atmosphère se détendit et le sourire séduisant de Salvatore réapparut.) Je n'ai aucune envie de vous faire du mal. En fait, je tuerais quiconque tenterait de s'en prendre à vous, ou n'importe quoi.

—Oui, eh bien… c'est rassurant… dans un genre flippant, mais vous ne m'avez toujours pas dit pourquoi vous m'avez suivie.

—Je vous le révélerai quand vous serez loin du vampire. S'il venait à apprendre votre valeur, il vous éliminerait très certainement.

Génial. Simplement génial.

C'était tout ce dont elle avait besoin. Qu'un dangereux vampire ait une raison de mettre fin à ses jours.

—J'ignore ce que vous entendez par «valeur». Je ne suis qu'une barmaid qui n'a pas fait d'études et a moins de 50 dollars sur son compte en banque.

La chaleur qui se dégageait des yeux noirs de Salvatore était plus qu'un peu troublante.

—Oh non, *cara*, vous êtes très certainement inestimable.

—Pourquoi ? Pourquoi moi ? Est-ce que ça a un rapport avec mon sang ?

—Tout est lié à votre sang.

Darcy retint son souffle, oubliant brusquement le malaise qui l'avait envahie.

—Vous savez quelque chose sur mes parents?

Subitement, il s'était avancé et avait pris le visage de la jeune femme entre ses mains.

—Je vous révélerai tout lorsque vous serez sous ma protection, *cara*, promit-il.

Il la tenait avec une douceur surprenante, mais Darcy lui donna une tape pour qu'il la lâche.

—Arrêtez ça.

Il se contenta de sourire en reculant vers la porte.

—Si vous voulez connaître la vérité sur votre passé, vous devez vous tourner vers moi, Darcy. Je vous recontacterai dans quelques jours pour vous communiquer un plan qui vous aidera à vous échapper. En attendant… (Il lui fit une petite révérence en franchissant le seuil.) Oh, *cara*.

—Quoi?

—Vous allez devoir retourner sous la douche. Les vampires ont un don troublant pour sentir les loups-garous.

Il disparut et Darcy poussa un profond soupir.

—Purée.

Salvatore se glissa dans l'obscurité, bouillant de frustration.

Rien ne se déroulait comme il le fallait.

Il avait consacré trente ans à rechercher Darcy. *Trente putain d'années.* Puis, lorsqu'il avait enfin réussi à retrouver sa trace, elle avait été enlevée sous son nez par de sales vampires.

De quoi faire gronder et mordre n'importe quel loup-garou.

Et à présent, alors qu'il avait tout risqué pour la délivrer, il n'avait d'autre choix que de quitter la propriété seul.

Qu'est-ce qui n'allait pas chez cette femme?

Être retenue captive par un vampire était censé la terrifier. Elle aurait dû se cacher dans un coin en attendant d'être secourue.

Par lui.

Mais elle n'avait pas été terrorisée. Étant un sang-pur, il percevait ses moindres humeurs, et alors qu'elle s'était montrée perplexe et, de façon compréhensible, méfiante, elle n'avait pas manifesté de besoin frénétique de s'échapper.

En fait, il ne lui avait fallu que quelques instants pour prendre conscience qu'elle s'opposerait si l'on s'avisait de la forcer à quitter la maison.

Avec suffisamment de détermination pour qu'une horde de vampires furieux lui tombe dessus.

Salvatore était un puissant garou. Peut-être le sang-pur le plus puissant depuis des siècles. Mais même lui ne faisait pas le poids contre une dizaine de vampires. Pas quand l'un d'eux était le quasi-invulnérable Anasso.

Et, surtout, il ne pouvait se permettre de perdre Darcy.

Elle était la clé de tous leurs projets.

À présent, il se retrouvait les mains vides et sans garantie de parvenir à capturer son trophée.

Quelqu'un allait payer pour ça.

À commencer par Styx, ce satané maître de l'univers.

CHAPITRE 6

Styx faisait les cent pas dans la cuisine, en prenant soin d'empêcher son regard de se tourner vers la petite table au centre de la pièce.

Il n'y avait rien à redire à cette table.

En fait, elle était parfaite.

Il avait réchauffé les lasagnes végétariennes et le pain à l'ail en suivant scrupuleusement les instructions de la gouvernante. Le vin rouge était chambré. Il avait même disposé les bougies de façon à répandre une lueur douce et chaleureuse dans la cuisine.

Et c'était ce qui le perturbait.

Cette table était exactement comme il avait voulu qu'elle soit.

Romantique.

Il secoua la tête et jeta un coup d'œil vers l'embrasure vide de la porte pour la centième fois.

Il ne s'expliquait pas sa conduite étrange.

Ce ne pouvait pas être uniquement du désir.

S'il voulait juste du sexe et du sang, il pouvait aisément asservir son esprit et prendre ce qu'il souhaitait. Elle lui donnerait tout ce qu'il désirerait, et cela de bon cœur.

C'était ce que les vampires faisaient depuis le commencement des temps.

Mais ça… se tracasser et se mettre en quatre pour son petit confort.

Ce n'était certainement pas dans les habitudes d'un vampire.

Heureusement pour sa tranquillité d'esprit, Darcy choisit ce moment-là pour franchir la porte.

Tout doute sur les raisons pour lesquelles il se comportait d'une si étrange façon s'envola lorsqu'il laissa son regard glisser sur son corps menu vêtu d'une lourde robe de chambre de brocart.

Elle paraissait jeune, frêle et si vulnérable que le cœur du plus impitoyable des démons se serrerait en la voyant.

Résistant à l'envie de se précipiter pour la prendre dans ses bras, Styx haussa les sourcils.

— Je commençais à craindre que tu n'aies l'intention de rester dans tes appartements toute la nuit.

Elle sourit, mais sembla préoccupée tout en s'approchant timidement de la table.

— Cette pensée m'a effectivement traversé l'esprit, mais j'avais trop faim. Ça sent délicieusement bon.

— Puisque ma modeste présence ne semble pas suffire à t'attirer hors de ta chambre, j'ai eu recours à la tentation de la nourriture, répliqua-t-il d'un ton pince-sans-rire.

— Sage décision. (Une fois près de la table, elle s'assit et huma profondément l'air.) Qu'est-ce que c'est ?

— Le mot de la gouvernante indique qu'il s'agit de lasagnes végétariennes. J'espère que c'est à ton goût ?

— Si c'est moitié aussi bon que l'odeur en est exquise, tout à fait, oui.

Elle saisit sa fourchette et goûta une bouchée ; ses paupières s'abaissèrent sous l'effet d'un plaisir manifeste.

— Délicieux.

Styx sentit son corps réagir aussitôt. Il ne se souvenait que trop bien de ces yeux se fermant à cause d'une autre sorte de satisfaction. Il jura dans sa barbe et alla s'asseoir en face d'elle à la table. C'était ça ou la laisser découvrir le pouvoir troublant qu'elle exerçait sur lui.

Prenant conscience de la présence de Styx, Darcy ouvrit les yeux, de nouveau sur ses gardes.

— Et toi ? demanda-t-elle.

Il plissa les paupières, légèrement contrarié. Il lui avait déjà affirmé qu'il ne la forcerait pas à partager son sang. Il n'avait pas l'habitude qu'on mette son honneur en question.

— J'ai déjà mangé.

— Oh. (Elle baissa la tête pour se concentrer sur le contenu de son assiette.) Tu n'as pas à rester, tu sais. Je te promets de ne pas essayer de m'échapper, du moins au cours des vingt prochaines minutes.

— Serait-ce une tentative pour te débarrasser de moi ?

— Tu dois avoir mieux à faire que me regarder manger.

Styx fronça les sourcils.

— Qu'est-ce qui ne va pas ?

Elle ne releva pas la tête et poursuivit son repas.

— Un vampire me retient contre mon gré. Une meute de loups-garous rôde dehors dans l'espoir de m'enlever. Et pour couronner le tout, je ne me présente pas à mon travail, et ne suis donc pas payée. Tu ne penses pas qu'il y a de quoi rendre n'importe quelle pauvre femme un peu nerveuse ?

Styx était obligé de reconnaître qu'elle n'avait pas tort. Même s'il avait fait des efforts extraordinaires pour adoucir sa captivité, il ne pouvait nier qu'elle était sa prisonnière.

Comment pouvait-il lui en vouloir de ne pas vraiment être ravie de cet état de fait ?

— Peut-être, marmonna-t-il en se laissant aller en arrière sur sa chaise pour l'observer finir ses lasagnes et engloutir deux tranches de pain. Il en reste, si tu veux.

Elle lui décocha un sourire narquois et lança sa serviette de côté.

—Mon Dieu, non. Je n'en peux plus. Ce qu'il me faut maintenant, c'est une longue promenade.

Styx se leva de table pour jeter un regard perplexe par la fenêtre.

—Le temps n'est pas un problème pour moi, mais il fait bien trop froid pour un humain.

Elle vint se placer près de lui, sans s'apercevoir que le corps de Styx réagissait à son odeur et à sa chaleur.

—Oh, regarde, il neige.

Il baissa les yeux et s'aperçut que la joie avait illuminé le visage de Darcy.

—Mon ange, tu ne peux pas sortir sans chaussures ni manteau.

—J'imagine que non. (Un sourire mélancolique lui effleura les lèvres.) J'adore la neige. Elle fait paraître le monde plus neuf et pur.

Par tous les dieux, il était le maître de tous les vampires. Dans le monde entier, les démons tremblaient en entendant son nom. Aucun ne se dresserait sur son chemin. Et pourtant, cette femme n'avait qu'à exprimer la plus petite pointe de désir pour qu'il remue ciel et terre pour lui faire plaisir.

C'était carrément pitoyable.

Ravalant un soupir, il se pencha pour la soulever dans ses bras et la porter délicatement contre sa poitrine.

Darcy poussa un faible cri de surprise avant d'empoigner les pans béants de sa robe de chambre.

—Qu'est-ce que tu fais ?

—Je crois avoir une solution qui pourrait te plaire, lui assura-t-il en quittant la cuisine pour emprunter le couloir menant à l'aile opposée de la maison.

—Styx, fais-moi descendre.

—Pas encore.

Il ouvrit une porte, posa Darcy et tendit le bras pour allumer la lumière.

—Nous y voilà.

Darcy écarquilla des yeux émerveillés en contemplant la paroi de verre qui offrait une vue panoramique sur les flocons qui tombaient.

—Un solarium, souffla-t-elle en se tournant pour lui adresser un sourire enchanteur. C'est magnifique.

—Il n'est pas tout à fait terminé. Viper compte en faire la surprise à sa compagne, une fois qu'il sera fini.

—Waouh. (Elle rit doucement.) C'est très généreux de sa part.

Styx laissa un sourire se dessiner sur ses propres lèvres.

—Il a fait allusion à une interruption malvenue dans un autre solarium, qu'il a voulu compenser. Je n'ai pas cherché à en savoir davantage.

—Une sage décision, certainement.

Elle traversa la pièce, les étagères vides et les fontaines qui n'étaient que partiellement achevées ne la dérangeant apparemment pas. Elle toucha délicatement de la main une vitre couverte de givre.

—Levet m'a parlé de Viper et de sa femme. C'est un vampire, elle aussi ?

Styx la rejoignit sans un bruit.

—En fait, elle est comme toi. Un mélange d'humain et de démon.

Le corps de Darcy se raidit à ces mots.

—Nous ne savons pas si j'ai effectivement du sang démoniaque. Pas pour l'instant.

Il observa le reflet de la jeune femme sur le verre.

—Tu n'es pas simplement humaine.

—Peut-être.

Prenant conscience des réticences de Darcy à envisager cette possibilité, il changea aisément de sujet.

—Si tu veux, je peux demander à Shay de venir te voir pour que tu puisses discuter avec elle.

Elle se tourna, une expression curieuse sur le visage.

— D'après Levet, elle ne te porte pas vraiment dans son cœur.

Il grimaça.

— Nous avons un… passé difficile. Et elle n'approuve pas vraiment que tu sois mon invitée.

— Ton invitée ?

— Ma prisonnière, si tu préfères.

— Je l'aime déjà.

Styx regretta soudain d'avoir suggéré que Shay vienne leur rendre visite. Darcy avait déjà la foutue intention de le garder à distance. Une fois que Shay lui aurait raconté ce qu'il lui avait fait subir, cette femme le considérerait comme rien de moins qu'un monstre.

— Peut-être devrions-nous attendre pour l'inviter que…

Styx s'interrompit en pleine phrase alors qu'il se penchait vers la courbe de son cou.

L'odeur était légère, mais indubitable.

Celle d'un loup-garou.

L'incrédulité fut rapidement suivie par une colère froide et lancinante.

Au cours de l'heure précédente, Darcy s'était trouvée en compagnie de Salvatore. Ce salaud avait eu le cran de s'introduire chez lui et d'acculer Darcy pendant qu'elle était seule.

Pire, cette femme avait délibérément dissimulé cette rencontre.

Pas étonnant qu'elle ait semblé distraite.

Salvatore l'avait-il menacée si elle révélait qu'il avait eu l'audace de s'introduire dans sa propriété ? Ou ce garou avait-il réussi à la convaincre qu'elle n'avait rien à craindre de lui ?

Étaient-ils à cet instant même en train de comploter son évasion ?

—Styx?

S'apercevant que Darcy le regardait fixement d'un air de plus en plus soupçonneux, Styx se détendit et parvint même à esquisser un sourire. Il ne connaissait cette femme que depuis peu, mais il était déjà persuadé qu'il ne pourrait jamais l'obliger à avouer ses secrets.

Pas à moins d'avoir recours à des trucs de vampire.

Ce que, bizarrement, il ne tenait pas à faire, à part si tout le reste échouait, évidemment.

—Quelque chose ne va pas? s'enquit-elle.

—Qu'est-ce qui pourrait bien ne pas aller?

Elle se rembrunit à son ton tendu; cependant toute éventuelle réponse fut suspendue lorsque la porte du solarium s'ouvrit brutalement et qu'un Levet grincheux entra d'un pas lourd et bruyant.

—*Sacrebleu**, même si tu l'avais voulu, tu n'aurais pas pu choisir une nuit plus abominable pour m'envoyer parcourir les rues de la ville comme si j'étais un cheval de bât. (Il battit des ailes, faisant voler des flocons dans la pièce.) Peut-être que demain soir tu souhaiteras que je te fasse un bonhomme de neige et que je tourne autour en dansant nu?

Darcy s'étrangla sur un rire et, au prix d'un effort, Styx réprima l'envie de jeter le démon importun par la fenêtre la plus proche. Aussi agaçante qu'il trouve la gargouille, il ne pouvait nier qu'elle arrivait pile au bon moment.

Qui était mieux à même de divertir Darcy?

—Je peux te promettre sans trop m'avancer, Levet, que je ne te demanderai jamais de danser nu, que ce soit dans la neige ou pas, déclara-t-il d'une voix traînante en s'éloignant de Darcy. En revanche, que dirais-tu de distraire mon invitée pour moi? Je crains d'avoir des affaires urgentes qu'il m'est impossible de différer davantage.

Il adressa une petite révérence à une Darcy interdite avant de traverser le solarium et de se glisser par la porte ouverte.

Il sentit la jeune femme le suivre du regard, mais il fit mine de ne pas avoir remarqué qu'elle était troublée et s'engagea dans le couloir. Il fit alors signe au Corbeau qui attendait là.

DeAngelo sortit des ténèbres et inclina légèrement la tête.

— Maître ?

— Je veux que tu gardes notre invitée à l'œil.

— Certainement.

— Et dis à Santiago d'augmenter le nombre de sentinelles dans le parc.

Le visage pâle de DeAngelo partiellement dissimulé sous la capuche de sa robe trahit une lueur presque imperceptible de surprise.

— Vous escomptez une attaque ?

— Je ne sais pas encore ce que les garous préparent. (Son expression se durcit sous l'effet de la colère qui couvait toujours au fond de lui.) Mais je t'assure que j'ai l'intention de le découvrir. Jusque-là, ne quitte pas Darcy des yeux.

La mine soucieuse, Darcy resta dans le solarium après le départ soudain du grand vampire imprévisible.

Elle n'avait jamais été capable de lire dans les pensées. Et elle n'était certainement pas spécialiste des vampires. En revanche, elle avait appris depuis longtemps à observer le langage corporel des autres, et elle devait reconnaître qu'elle avait détecté de la colère chez son ravisseur.

— Vous aurais-je interrompus à un moment inopportun ?

— Quoi ? (Tournant la tête, Darcy s'aperçut que la gargouille était venue se placer près d'elle.) Oh… non, non pas du tout.

Levet croisa les bras sur sa poitrine.

— Si vous désirez le suivre, je ne m'en offusquerai pas. J'ai l'habitude des femmes qui ont été asservies par les vampires. Cela semble être mon triste sort dans la vie.

Darcy se surprit à sourire. À présent qu'elle avait surmonté le choc qu'elle avait ressenti en se retrouvant en présence d'une gargouille de quatre-vingt-dix centimètres, cette dernière lui paraissait étrangement charmante.

— C'est véritablement un plaisir de demeurer ici avec vous, *monsieur** Levet, dit-elle en se baissant pour lui tapoter l'épaule.

Elle retira vivement la main au contact de l'humidité de sa peau grise et froide.

— Oh, vous êtes mouillé.

— Bien sûr que je suis mouillé. J'ai battu le pavé dans la neige. (Il pointa un doigt sur elle.) Et tout ça pour vous.

— Pour moi ? (Darcy cligna des yeux, interloquée.) Pourquoi ?

— Votre si adorable vampire a affirmé sans équivoque que vous ne survivriez pas un instant de plus sans vos précieuses plantes et chacun de vos vêtements qui, au passage, ne représentent pas grand-chose. Il va falloir vous emmener dans un centre commercial, *ma belle**. Il ne fait aucun doute que le grand ténébreux se laissera convaincre de vous donner sa carte de crédit.

Elle s'efforça de suivre son flot de paroles, sans relever la manière peu élogieuse dont il avait évoqué sa garde-robe, qui était loin d'être remarquable.

— Mes plantes ? De quoi parlez-vous ?

— Le grand maître a insisté pour que je me rende à votre appartement pour rapporter vos plantes, mais a-t-il eu une pensée pour le pauvre diable qu'il a envoyé dans le froid et la neige ? *Non**. (Levet renifla doucement.) À ses yeux, je ne suis rien de plus qu'un pitoyable serviteur.

— Styx vous a demandé d'aller chercher mes plantes ?

Le démon poussa un profond soupir.

— Je m'exprime en anglais, non ?

Darcy se détourna brusquement pour arpenter le sol nu.

—Je… Pourquoi aurait-il fait une chose pareille?

La gargouille émit un petit rire.

—Si vous ne le savez pas, ce n'est pas moi qui vais vous l'expliquer. Je préfère de loin que vous pensiez qu'il est un monstre sans cœur.

Une sensation de picotement bizarre envahit le corps de Darcy, qui continuait à marcher de long en large.

—Et vous avez aussi rapporté mes habits?

—Tout est dans la cuisine. Je suis allé les chercher, mais il est hors de question que je joue le groom en vous les livrant dans votre chambre.

—Bien sûr que non.

Elle adressa un sourire distrait à la gargouille en passant devant elle pour sortir du solarium. Sans trop savoir pourquoi, il fallait qu'elle voie ses affaires de ses propres yeux.

Lorsqu'elle entra dans la cuisine, elle les trouva exactement comme Levet l'avait promis.

Ses diverses plantes avaient été mises dans quatre caisses, et ses vêtements dans une petite valise.

Elle les regardait fixement, les sourcils inconsciemment froncés, quand Levet la rejoignit à la table.

—J'ai tout rapporté, pas vrai?

—Oui, tout est là.

Il renifla tout bas.

—Je n'arrive pas à comprendre ce qui vous attire dans des touffes de mauvaises herbes plantées dans des pots moches. Ça semble représenter pas mal de travail, quand il suffit de passer la porte pour trouver tout un tas d'herbes absolument similaires.

—Ce ne sont pas des mauvaises herbes; ce sont mes compagnons, rectifia-t-elle.

—Eh bien, j'imagine que, comme colocataires, au moins ils ne font pas de bruit.

Elle sourit d'un air contrit et tendit la main pour toucher l'une de ses fougères dentelées.

—Personne ne comprend vraiment.

Un court instant de silence s'installa avant que Levet s'éclaircisse la voix.

—En fait, je dirais qu'au moins *un* vampire comprend.

—Oui, murmura-t-elle, de nouveau envahie par cette étrange sensation de picotement.

Styx.

Il la comprenait. Ou, si ce n'était pas le cas, il était du moins prêt à accepter l'importance que ses plantes avaient pour elle. Et il avait envoyé Levet dans la neige pour qu'elle ne se tracasse pas à leur sujet.

C'était…

Purée, c'était adorable. Et attentionné. Et ça ne correspondait en rien à un monstre sans cœur qui lui voudrait du mal.

Et pour quelque motif stupide, cela la touchait au-delà du raisonnable.

Eh bien, peut-être pas stupide, reconnut-elle en silence. Après tout, lorsqu'une personne était seule au monde, la plus petite marque de gentillesse avait tendance à prendre plus d'importance que pour la plupart des gens.

Même si elle venait d'un vampire assoiffé de sang qui la retenait captive.

—Excusez-moi, marmonna-t-elle à Levet en quittant la cuisine à la recherche de l'insaisissable Styx.

Il fallait qu'elle voie le séduisant démon.

Elle voulait qu'il sache que la sollicitude avec laquelle il se préoccupait de son bonheur ne la laissait pas indifférente.

En traversant le salon vide puis le bureau tout aussi désert, Darcy s'arrêta lorsqu'une sensation de froid lui picota la peau. C'était une froideur similaire à celle qui enveloppait

Styx, mais dénuée de la vague d'émoi que la sienne suscitait toujours en elle.

D'un mouvement rapide, elle se retourna, découvrant sans la moindre surprise le vampire qui se tenait dans l'embrasure.

—Oh. (Mal à l'aise, elle se déplaça un peu.) Bonjour.

Le vampire demeura immobile tout en la regardant fixement depuis les profondeurs de sa lourde capuche.

—Puis-je faire quelque chose pour vous ? demanda-t-il.

Elle réussit à s'empêcher de trembler. Il ressemblait à un mannequin. Un mannequin très effrayant.

—Je cherche Styx. Savez-vous où je peux le trouver ?

—Il a quitté la propriété.

—Savez-vous quand il sera de retour ?

—Non.

—Je vois.

Darcy ne pouvait nier ressentir une pointe de déception. Ce qui était presque aussi effrayant que ce vampire qui se tenait devant elle. Même une femme qui s'efforçait de voir les bons côtés des gens ne devrait pas se languir de l'homme qui la retenait prisonnière.

C'était dément.

Juste… dément.

CHAPITRE 7

L a piste qui partait de la chambre de Darcy et menait à l'hôtel délabré n'était pas particulièrement difficile à suivre. Ce qui ne fit rien, cependant, pour apaiser la colère qui couvait en Styx.

Salvatore s'était introduit sur son domaine et avait posé ses sales pattes sur Darcy.

Styx voulait du sang.

Du sang de loup-garou.

C'était la seule chose qu'il avait en tête.

Ou du moins jusqu'à ce qu'il perçoive l'odeur caractéristique de vampire.

Après s'être rapidement éclairci les idées, Styx se glissa dans les ténèbres d'une ruelle proche, son poignard au poing.

En tant que souverain des vampires, il était au-dessus des petits duels et des guerres de clans sporadiques qui éclataient encore. Mais un paria pouvait toujours estimer qu'un pieu dans son cœur améliorerait ses aptitudes de chef. Il gouvernait avec une main de fer, et nombreux étaient ses sujets à qui ses lois ne plaisaient pas systématiquement.

Ah, les joies de la royauté.

Styx était prêt à frapper lorsque le vampire s'approcha suffisamment pour qu'il reconnaisse son odeur familière. Marmonnant un juron, il remit le poignard dans sa botte et sortit de l'ombre pour faire face à son exaspérant ami.

—Viper. (Il planta les mains sur ses hanches.) Quelle surprise pas vraiment agréable.

Le vampire aux cheveux argentés s'arrêta et lui adressa une profonde révérence. Il aurait dû avoir l'air ridicule dans la veste de satin dorée qui lui retombait jusqu'aux genoux et son pantalon de velours noir, mais, comme d'habitude, ce démon réussissait à être tout à fait élégant.

—Bonsoir, l'ancien.

—Ne m'appelle pas comme ça, grogna Styx. Qu'est-ce que tu fais là?

—Tu me crois si je te dis que je me trouvais juste dans le coin?

—Pas un instant.

—Bon. (Viper avança d'un pas, le visage grave.) Je suis ici à cause de toi.

—Comment savais-tu que je serais là?

Après un moment de silence, Viper haussa légèrement les épaules.

—DeAngelo était inquiet.

—Il t'a contacté?

Styx secoua vivement la tête. Il avait transformé lui-même chacun des Corbeaux. Leur loyauté ne faisait pas l'ombre d'un doute.

—Non. Il n'aurait pas osé, reprit-il.

—Quel autre choix avait-il? demanda Viper. Tu as quitté la propriété manifestement hors de toi, sans emmener un seul garde.

Hors de lui? Styx se raidit à ces paroles. Il ne se mettait jamais en colère. Et même si c'était le cas, personne ne serait capable de percevoir son humeur. Il ne s'abaisserait jamais à piquer une crise comme un enfant colérique.

Il grimaça soudain en prenant conscience que c'était exactement ce qu'il avait fait. Il avait même tapé du pied.

Bon sang.

Tout était la faute de Darcy Smith. Elle seule était parvenue à ébranler la maîtrise de soi à toute épreuve qu'il avait perfectionnée sur des centaines et des centaines d'années.

— Je n'ai pas besoin de baby-sitter, Viper, répliqua-t-il.

— Non. (Viper l'observa avec insistance.) Il te faut une protection.

— Contre une meute de bâtards? (Blessé dans son orgueil, ses narines se dilatèrent.) Tu n'as pas une plus haute opinion de moi?

— Cela n'a rien à voir avec les garous. (Viper s'avança pour poser une main sur son épaule.) Tu n'es plus un simple vampire, Styx. Tu es notre chef, et DeAngelo est ton second. Il ne serait pas digne d'être un Corbeau s'il n'avait pas pris des mesures pour assurer ta sécurité.

Styx voulait protester. Cette nuit-là, il ne raisonnait pas comme le maître de tous les vampires. Mais comme un homme. Un homme qui voulait foutre une putain de raclée à un autre homme.

Une nuit de testostérone, pas de politique.

Malheureusement, DeAngelo était dans son droit. Il ne pouvait pas savoir que Styx n'avait rien prévu de plus dangereux qu'une petite prise de bec avec une meute de chiens.

— Très bien, reconnut-il à contrecœur. Tu peux rester ici pour regarder pousser l'herbe, si tu en as envie.

Il écarta la main de son ami mais il n'avait pas avancé d'un pas que Viper l'arrêtait en se mettant prestement sur son chemin.

— Tu as l'intention d'entamer les négociations avec Salvatore? s'enquit-il.

— Devrais-je te donner aussi mon itinéraire, maintenant? répliqua Styx d'un ton brusque.

— Ce n'est qu'une question. (Viper plissa les yeux.) Tu es venu ici pour marchander avec les garous?

111

Styx feula tout bas. Il n'avait à répondre à personne. Pas même à un membre de clan puissant qui se trouvait également être son ami.

— Je suis là pour m'assurer que Salvatore comprend que, la prochaine fois qu'il tentera de s'introduire sur mon territoire, ce sera la dernière.

— Il est entré sur le domaine ? demanda Viper, étonné.

Il y avait de quoi être surpris. Seuls les plus courageux, ou les plus stupides, oseraient pénétrer dans le repaire d'un vampire.

— Il s'est glissé dans la chambre de Darcy pendant que j'étais au rez-de-chaussée.

— Il l'a agressée ?

— Non.

— J'imagine qu'il a tenté de l'enlever contre son gré ?

La fureur brillait dans les yeux de Styx. Il n'allait pas avouer ne pas avoir la moindre idée de ce que le garou retors avait comploté. Ni que Darcy avait délibérément dissimulé sa rencontre avec Salvatore. Pas quand, à cette seule pensée, son sang ne faisait qu'un tour et qu'il brûlait d'envie de plonger les crocs dans de la chair chaude.

À coup sûr, Viper l'enfermerait dans une cave jusqu'à ce qu'il revienne à la raison.

— Quelle importance ? N'est-ce pas suffisant qu'il ait osé s'approcher d'elle ?

— Mais n'est-ce pas ce que tu voulais, mon vieil ami ?

Styx recula, les sourcils froncés.

— Qu'est-ce que tu as dit ?

Viper leva les mains.

— Elle ne peut guère nous servir d'argument pour négocier avec Salvatore s'il ne tient pas à mettre la main sur elle. Le fait qu'il ait risqué une mort certaine pour tenter de s'en emparer signifie qu'il acquiescera à tout ce que tu pourras lui demander.

Styx tourna les talons pour arpenter la ruelle. Il ne voulait pas que Viper voie son visage. Pas quand il y lirait forcément le violent accès de rage qu'avait provoqué en lui la seule idée de livrer Darcy au sang-pur.

Il réfléchirait à cette question plus tard.

Beaucoup, beaucoup plus tard.

— Il est plus probable qu'il est simplement assez arrogant pour se croire capable de l'enlever sans rien céder. Il a besoin qu'on lui rappelle les dangers encourus à enfreindre ma volonté.

— Ainsi, il s'agit uniquement de donner une leçon à ce garou?

Styx se retourna en percevant le ton indéniablement incrédule de Viper.

— Ça te pose un problème?

— Je pensais que tu souhaitais éviter toute effusion de sang? N'est-ce pas la raison pour laquelle tu as kidnappé cette femme, au départ?

Éviter toute effusion de sang? Ça n'était pas près d'arriver.

— Il m'a fait un affront que je ne peux ignorer.

Viper haussa les épaules.

— Du moment que Darcy est bien surveillée, qu'est-ce que ça te fait si cet homme manigance de s'emparer d'elle? Par ailleurs, ne vaudrait-il pas mieux éviter tout affrontement direct tant que les garous ne sont pas retournés sur leurs terrains de chasse?

Styx réprima un juron furieux. Son vieil ami s'avançait en terrain miné. Ce qu'il faisait ou pas de Darcy ne regardait personne à part lui.

— Il n'y aura pas de… négociations tant que je n'aurai pas découvert ce qu'il lui veut, dit-il d'une voix rauque.

Stupéfait, Viper attendit un instant avant d'incliner la tête en arrière pour rire avec une apparente satisfaction.

—Je vois.

—Quoi?

Styx remonta la ruelle pour foudroyer le vampire hilare d'un regard impatient.

—Qu'y a-t-il de si drôle? insista-t-il.

—Toi.

—Moi?

Styx serra les poings, sous l'effet d'une contrariété impuissante. Il était bien des choses. Arrogant, autoritaire, d'une férocité redoutable. Mais il n'avait jamais été amusant, jamais. Alors qu'il s'apprêtait à rappeler à son compagnon que se moquer de son chef était une habitude dangereuse, Styx fut soudain distrait par une odeur inattendue.

—Attends, Viper… quelque chose se rapproche.

Viper se départit brusquement de sa bonne humeur persistante en voyant la perplexité manifeste de son ami. Plus tard, il aurait tout le temps de savourer le spectacle de l'inévitable capitulation de Styx. Pour l'instant, la puanteur caractéristique des bâtards qui venaient sur eux l'intéressait bien davantage.

—Ils tentent de nous encercler, murmura-t-il.

Il sortit les deux petits poignards qu'il avait fourrés dans sa veste avant de quitter sa boîte de nuit.

Les armes : ne jamais partir de chez soi sans elles.

Une devise qui le gardait en vie depuis longtemps.

Styx pencha la tête en arrière pour renifler l'air.

—Trois au sud et deux au nord.

Viper afficha un large sourire d'impatience. Sa compagne, Shay, voyait d'un très mauvais œil qu'il prenne part à des combats par plaisir. Comme pour beaucoup de femmes, la violence n'était simplement pas à son goût, et il avait toujours droit à un sermon lorsqu'il rentrait chez lui avec quelques balafres sanglantes.

Cette nuit-là, cela dit, elle ne pouvait quand même pas s'attendre à ce qu'il laisse son maître devenir un en-cas pour bâtards sans remuer le petit doigt.

— Bien. (Il fit tournoyer les poignards dans ses mains.) Prends le nord, je m'occupe du sud.

Styx haussa les sourcils.

— C'est après *moi* qu'ils en ont. Je prends le sud.

— On tire à pile ou face ?

— Occupe-toi du nord, c'est tout, ordonna Styx.

Il tourna le dos à Viper, de sorte qu'ils surveillaient chacun une extrémité de la ruelle.

— Tu n'es pas censé avoir une attitude un peu plus démocratique ? demanda Viper tout en fouillant des yeux l'épaisse obscurité. Après tout, tu es américain maintenant.

— Je suis un vampire, et tant que personne n'a pris ma place, ma parole fait loi.

Eh bien, c'était difficile de contester cette affirmation arrogante.

Sa parole *faisait* loi.

Et puisque c'était Viper qui avait tué l'ancien chef pour mettre Styx sur le trône, il ne pouvait pas vraiment se plaindre à présent.

— OK, c'est toi qui décides.

— C'est toujours le cas, déclara calmement Styx.

Viper ne pouvait pas discuter ça non plus.

La brise fraîche tourbillonna dans la ruelle et Viper resserra ses doigts sur les poignards. Les bâtards étaient proches. Très proches.

Le plus léger bruit de griffes raclant sur la chaussée se fit entendre, puis, avec un hurlement, ils se ruèrent dans le passage à toute vitesse.

Ils s'étaient déjà métamorphosés, mais même sous forme de loups, ils étaient aussi gros que des poneys et possédaient une force inhumaine. Ils étaient également vraiment féroces.

Leurs yeux rouges flamboyant dans le noir, ils se précipitèrent sur Viper, sans tenir compte du fait qu'ils étaient sérieusement désavantagés. Il en faudrait plus de cinq pour battre deux vampires. Surtout quand ces derniers se trouvaient être tous deux des chefs de clan.

Viper écarta les jambes et s'accroupit. Un bâtard se jetait toujours sur la gorge en premier. C'était aussi prévisible que le lever du jour.

Des hurlements à faire dresser les cheveux sur la tête déchirèrent l'air comme les bâtards fonçaient vers leur mort. Viper attendit de sentir leur haleine chaude sur son visage pour tendre brusquement les bras et enfoncer les poignards profondément dans les larges poitrails.

L'une de ses armes fit mouche, et plongea dans le cœur de l'animal qui attaquait : ce dernier se désagrégea aux pieds de Viper. L'autre entama à peine le cœur et, avec un grondement féroce, la bête ouvrit la gueule pour la refermer sur la gorge de Viper.

— Putain, tu pues, dit le vampire d'une voix rauque en reculant le bras pour lui assener un revers.

Un cri perçant, étonné, retentit comme la créature volait à travers les airs et venait cogner contre le bâtiment de briques avec un sinistre bruit sourd. Au bout de quelques instants, l'animal s'était relevé et s'avançait de nouveau à pas pesants. Sous sa forme de loup, l'homme ne semblait pas s'être aperçu que le poignard toujours logé dans son poitrail le faisait abondamment saigner.

Viper attendit encore que le bâtard soit presque sur lui pour le frapper du pied. Dans un craquement, ce coup broya les os et le cartilage de son museau, mais, rendu fou par l'instinct de tuer et l'odeur de son propre sang, le bâtard continua à marcher péniblement.

Des dents aussi tranchantes que des lames de rasoir claquèrent près de la jambe de Viper, qui dut reculer pour les esquiver. Il heurta Styx, mais ni l'un ni l'autre ne se retournèrent, tous deux concentrés sur leur combat respectif.

Où étaient les gens de la fourrière quand on avait besoin d'eux ? se demanda-t-il avec regret en évitant les griffes qui tentaient de frapper sa gorge à la volée.

La grosse patte s'élança de nouveau vers Viper, qui se baissa et se rapprocha du bâtard pour empoigner le manche du poignard. Alors qu'il l'arrachait d'un coup sec de l'épaisse fourrure, il fut surpris de sentir des griffes s'enfoncer dans son dos. Merde. Il pensait que la bête s'attaquerait à sa gorge. Une erreur idiote.

Ses entailles étaient superficielles et cicatriseraient rapidement, mais pas avant que Shay ait l'occasion de lui passer un savon pour s'être fait blesser.

Contrarié que le garou soit parvenu à le marquer, Viper saisit le manche du poignard, qu'il plongea de nouveau dans le large poitrail.

Cette fois-ci, il ne manqua pas sa cible et la lame d'argent se planta profondément dans le cœur du bâtard.

Ce dernier hurla de douleur et tenta un peu tard de reculer.

Viper se raidit en le regardant se traîner derrière une poubelle. Il ne prit pas la peine de le suivre. Ce loup ne survivrait pas, et il n'était pas cruel au point d'éprouver l'envie de le regarder mourir.

De toute façon, il voulait s'assurer que Styx en avait fini avec sa part.

Alors qu'il se retournait pour voir si son compagnon avait besoin d'aide, un bruit de pas légers au-dessus d'eux retint l'attention de Viper.

Il jeta un coup d'œil vers le toit de l'hôtel délabré qui s'élevait près d'eux, s'attendant à découvrir un bâtard qui espérait les prendre par surprise. Ce qu'il aperçut à la place glaça son cœur mort.

—Styx!

Il hurla pour le prévenir tout en observant la silhouette indistincte se redresser et diriger une arbalète droit sur le cœur de son ami.

Viper tendit le bras pour pousser Styx sur le côté au moment même où la flèche d'argent fendait la nuit comme un éclair. Il était rapide, mais même s'il réussit à déplacer Styx suffisamment pour lui épargner un coup fatal, la flèche lui transperça le torse avec un horrible bruit sourd.

Le grand vampire baissa les yeux sur sa blessure, le visage crispé par la douleur. Puis il poussa un gémissement tremblotant et tomba en avant. Alors qu'il allait toucher le sol, Viper le prit dans ses bras et s'éloigna de la ruelle en courant.

Putain de bordel de merde.

Darcy avait défait sa valise, nettoyé la cuisine, arpenté sa chambre et était en train d'installer ses plantes dans le magnifique solarium tout en écoutant d'une oreille distraite le bavardage de Levet quand elle entendit des bruits de pas dans le couloir.

Cela n'aurait pas dû attirer son attention, étant donné que la maison était littéralement remplie de gens. Durant le court laps de temps où elle était retenue captive, elle avait compté au moins une demi-douzaine de gardes différents.

Mais c'étaient des vampires.

Si elle ne devait avoir appris qu'une seule chose, c'était qu'une centaine d'entre eux pouvaient se tapir dans l'ombre sans jamais faire ne serait-ce que craquer le plancher. Pas une pensée des plus rassurantes.

Laissant Levet terminer d'arroser les plantes flétries, Darcy entra avec précaution dans le couloir et s'avança vers une porte ouverte qui avait été camouflée par des boiseries de noyer foncé.

Elle scruta les ténèbres et ne s'étonna pas de découvrir une volée de marches étroites qui s'enfonçaient loin sous terre. Que des créatures qui craignaient le soleil affectionnent les endroits inaccessibles à ses rayons paraissait parfaitement naturel.

Un bruit de pas étouffé lui parvint encore d'en bas et, après avoir inspiré un bon coup, elle emprunta l'escalier avant d'avoir pris en compte les milliers de raisons pour lesquelles c'était une mauvaise idée.

Le parfum de la riche terre noire la submergea lorsqu'elle accéda au large tunnel. C'était une odeur apaisante, malgré l'obscurité totale ; elle s'arrêta pour s'orienter.

Plusieurs galeries plus étroites partaient du passage principal. Elle supposait qu'elles menaient à des retraites cachées, ou qu'elles permettaient peut-être de s'échapper rapidement.

S'échapper.

Il faudrait qu'elle se souvienne de ça, se dit-elle en silence.

Mais pas cette nuit-là.

Pas avec le garde enveloppé dans une cape qui l'observait, debout devant l'entrée de ce qui semblait être une petite pièce. Et pas avant d'avoir découvert ce qui s'était produit pour charger l'air d'une tension indubitable.

Elle traversa la courte distance qui les séparait et vint se placer juste en face du vampire immobile.

— Qu'est-ce qui se passe ? demanda-t-elle. Qu'est-il arrivé ?

D'un geste trop rapide pour être perçu par un simple mortel, le garde repoussa sa capuche, et Darcy recula précipitamment. Les yeux noirs du vampire brillaient d'une lueur étrange et on ne pouvait manquer de remarquer les canines qui s'étaient allongées de toute leur longueur.

Oh oui, quelque chose n'allait pas.

—Le maître a été blessé, dit-il d'une voix dure.

—Blessé?

Une douleur aiguë étreignit le cœur de Darcy, et l'envie de voir Styx qui l'avait tourmentée au cours des deux dernières heures se transforma en une violente nécessité.

—C'est grave?

Elle s'avança pour accéder à la pièce malgré le vampire qui en bloquait la porte, mais elle s'arrêta brutalement quand il tendit le bras pour l'empêcher de passer.

—Vous ne pouvez pas entrer.

Elle poussa sur son bras. C'était bête, bien sûr. Elle aurait plus de chances si elle tentait de déplacer un mur de briques.

Elle recula et planta les mains sur ses hanches, loin d'être aussi effrayée par ses crocs menaçants qu'elle l'aurait dû.

—Dans ce cas, habituez-vous à mon visage, parce que je ne partirai pas tant que je ne l'aurai pas vu, l'avertit-elle.

Le garde ne prit pas la peine de réagir à son avertissement ridicule. Et pourquoi l'aurait-il fait? Il pouvait la tuer sur-le-champ s'il se lassait de contempler sa tête.

À leur étonnement à tous les deux, cependant, une voix basse leur parvint de l'intérieur de la pièce.

—Laissez-la entrer.

Le garde se raidit mais baissa son bras à contrecœur. Sans hésiter, Darcy passa comme une flèche près de son corps imposant. Il n'avait pas l'air content du tout, et elle préférait éviter tout accident malheureux qui pourrait survenir alors qu'elle le frôlait.

Une fois dans la chambre, qui était bien plus spacieuse qu'elle ne s'y attendait, elle fut accueillie par un grand vampire aux cheveux argentés assez beau pour lui couper le souffle.

Waouh. Une beauté remarquable constituait-elle une condition préalable pour devenir un vampire?

— Vous devez être Darcy.

Son visage pâle demeura impassible tandis qu'il la dévisageait avec une force presque tangible.

— Je suis Viper, reprit le vampire.

— Oh, c'est votre maison, marmonna-t-elle.

Elle reportait déjà son attention vers le lit immense sur lequel Styx était étendu, les yeux fermés. Elle se mordit la lèvre comme cette douleur lui serrait de nouveau le cœur.

— Que lui est-il arrivé ?

Viper se retourna et se dirigea vers son ami, Darcy sur les talons.

— Les garous lui ont tendu un piège. Nous ne nous sommes rendu compte du danger que trop tard.

Elle retint son souffle.

— Trop tard ? Est-ce qu'il va…

— Mourir ? (Il secoua la tête.) Non, il a été grièvement blessé, mais il guérira.

Elle ne pouvait détourner le regard de son visage hâlé à l'expression féroce. Même inconscient, Styx réussissait à paraître redoutable. Un terrible guerrier qui tuait sans pitié. Pourtant, Darcy n'avait pas peur. Du moins, pas pour elle.

— Que puis-je faire ? chuchota-t-elle.

Il y eut un court instant de silence.

— Vous voulez nous aider ?

— Bien sûr.

— Pardonnez ma suspicion, mais étant donné que vous êtes actuellement retenue prisonnière par Styx, je serais plus enclin à croire que vous êtes ici pour l'achever plutôt que pour le secourir, l'accusa le vampire d'une voix mielleuse.

Se sentant étrangement offensée, Darcy tourna la tête pour croiser son regard calme.

— Si vous pensiez que j'allais lui faire du mal, alors pourquoi m'avez-vous laissée entrer ?

—Parce que je préfère que vous soyez là où je peux vous garder à l'œil.

Ces mots durs la firent tressaillir. Merde. Elle avait déjà dû endurer les soupçons et l'aversion pure et simple de ses semblables au cours des années. Ou peut-être pas si semblables que ça. Devait-elle subir la même chose avec les démons?

—C'est brutal mais franc, j'imagine, marmonna-t-elle.

Viper haussa les épaules.

—Cela évite toute ambiguïté.

Elle releva le menton.

—Je ne porterai jamais la main sur personne à part pour me défendre. Et certainement pas sur quelqu'un de déjà blessé.

—Alors que faites-vous ici? demanda-t-il.

—Je vous l'ai dit, je voudrais vous aider.

Viper ne semblait guère convaincu, mais avant qu'il ait pu parler, ils entendirent un froissement en provenance du lit. Même si elle ne possédait pas la rapidité d'un vampire, Darcy réussit à passer comme une flèche devant Viper et s'assit sur le matelas à côté de Styx.

—Styx?

Les yeux aux cils épais s'ouvrirent avec une lenteur douloureuse.

—Mon ange?

—Je suis là.

Styx tendit les mains et serra si fort les doigts de la jeune femme qu'il lui fit presque mal.

—Viper. A-t-il été blessé?

Viper se déplaça pour se mettre dans le champ de vision de Styx.

—Je suis là, mon vieil ami.

Le visage hâlé se détendit sous l'effet du soulagement, puis se durcit brusquement.

— C'était Salvatore ?

— Je crois. En tout cas, c'était un sang-pur doué pour dissimuler son odeur. J'ai vraiment failli ne pas remarquer sa présence.

— Bon sang.

— C'est exactement ce que je pense, dit Viper d'une voix tendue. Quand tu seras guéri, il faut absolument qu'on ait une longue conversation avec ce sale cabot.

— Plutôt courte.

— C'est encore mieux. (Viper le regarda avec insistance.) Désires-tu aller en terre pour cicatriser ?

Styx réfléchit un moment avant de refuser d'un signe de tête.

— Non.

— Le processus serait moins douloureux, en plus d'être beaucoup plus rapide, souligna Viper.

— Nous ne sommes pas sûrs que les bâtards ne vont pas nous attaquer.

— Tes Corbeaux les arrêteront. Ou moi.

Styx secoua péniblement la tête.

— Il faut que tu retournes auprès de Shay. Elle va s'inquiéter.

Viper se rembrunit.

— Non.

— Ce n'était pas une suggestion.

Intriguée par les rapports chaleureux que, manifestement, les deux hommes entretenaient, Darcy fut prise au dépourvu par le regard froid que lui jeta Viper.

— Elle ne devrait pas rester.

Darcy se hérissa malgré les doigts de Styx qui se resserrèrent autour des siens.

— Tu as utilisé tes sens pour sonder son âme, non ? demanda-t-il.

Darcy fronça les sourcils. Sonder son âme ? Eh bien, ça ne lui disait rien qui vaille.

— Oui, reconnut Viper d'un ton réticent.

— Alors va-t'en, ordonna Styx.

Viper secoua la tête, agacé.

— Si tu te prends un pieu dans le cœur, ça va me faire chier.

Un petit sourire effleura les lèvres de Styx.

— Je m'en souviendrai.

Tout en marmonnant entre ses dents, Viper se tourna et traversa la pièce. Il s'arrêta dans l'embrasure pour jeter un regard furieux à Darcy par-dessus son épaule.

— S'il est blessé, vous ne pourrez vous cacher nulle part. Pas même la mort ne vous mettra à l'abri de mon courroux, la prévint-il avant de franchir le seuil et de claquer la porte derrière lui.

Darcy tremblait. C'était une menace qu'elle prenait au sérieux. Difficile de faire autrement alors qu'il lui avait montré ses crocs à dessein.

Elle s'éclaircit la voix.

— Il est très protecteur.

— Nous deux, ça remonte à plusieurs années.

— Combien ?

— Presque deux mille, à quelques décennies près.

Darcy reporta son attention sur les traits d'une magnifique dureté de Styx.

— Purée.

— C'est toi qui as demandé, répliqua-t-il d'un ton ironique.

Un petit grognement de douleur lui échappa lorsqu'il tenta de se hisser sur le tas d'oreillers.

Elle posa une main sur son épaule, les sourcils froncés par l'inquiétude.

— Ne bouge pas.

—Alors rapproche-toi. (Il l'attira fermement par la main.) J'ai besoin de sentir ta chaleur.

Darcy hésita. Ce ne pouvait être une bonne idée de se blottir contre un vampire. N'importe lequel. Et plus particulièrement contre un qui faisait frissonner tout son être de désir.

D'un autre côté, elle n'avait jamais pu résister à une créature affaiblie et blessée.

Et en dépit de ses efforts pour avoir l'air arrogant comme à son habitude, on ne pouvait se méprendre sur la douleur qui crispait ses traits et la faiblesse qui accablait son grand corps musclé.

Sa propre bêtise la fit soupirer, et elle se déplaça précautionneusement sur le matelas moelleux pour s'allonger près de lui.

Elle ravala un autre soupir. Dû cette fois-ci au plaisir surprenant d'être entourée avec douceur par les bras de Styx, étroitement serrée contre son torse.

—Est-ce que ça va mieux? s'enquit-elle.

Elle ne pouvait s'empêcher de respirer à pleins poumons son odeur virile exotique.

Elle ne se rappelait même pas les raisons pour lesquelles elle ne le devrait pas.

Mmmmm.

—Beaucoup mieux, chuchota-t-il en lui effleurant la tempe des lèvres.

Oh. Son cœur faillit s'arrêter.

Il fallait qu'il cesse de faire ça.

—Viper a dit que tu avais été attaqué par des garous? réussit-elle à demander d'une voix rauque.

L'étreinte de Styx se resserra.

—Ils ont juste tiré avantage de ma présence près de leur repaire.

—Qu'est-ce que tu faisais là-bas?

Styx ne répondit pas tout de suite. Comme s'il était obligé de réfléchir à sa réponse.

— J'avais l'intention de le punir pour s'être introduit sur mon territoire, avoua-t-il enfin d'un ton froid.

Darcy inclina la tête en arrière pour le dévisager avec stupéfaction.

— Tu savais qu'il était venu ici ?

— Je l'ai senti sur toi.

Elle grimaça, et résista à l'envie de renifler sa peau. Elle n'avait jamais été le genre de personne à empester, mais le fait d'être entourée par des gens dotés de nez particulièrement fins la rendait carrément paranoïaque.

— Oh.

Les yeux noirs de Styx lançaient des éclairs.

— Pourquoi tu ne m'as pas dit qu'il était venu te trouver ?

— Parce que je savais que tu allais le chercher et tenter de le punir. (Elle soutint son regard furieux avec une détermination calme.) Je ne serai responsable d'aucune effusion de sang, même indirectement.

Cette simple explication suffit à effacer la contrariété de Styx.

— J'imagine que c'est mauvais pour ton karma ?

— Très.

Styx pinça les lèvres comme s'il luttait contre l'envie de sourire.

— Qu'est-ce qu'il t'a dit ?

— Qu'il avait l'intention de m'arracher de tes sales griffes, répliqua-t-elle sans réfléchir.

Du moins, jusqu'à ce qu'il la serre à lui faire mal. Elle ignorait si c'était l'idée de Salvatore complotant pour la secourir ou la partie sur ses sales griffes qui l'avait poussé à resserrer son étreinte, mais quoi qu'il en soit, elle suffoquait.

— Hum, Styx, je suis suffisamment humaine pour avoir besoin de respirer.

—Désolé. (Il desserra aussitôt les bras, mais pas de beaucoup.) Il t'a dit comment il comptait te délivrer ?

—Non. À part que je devrais recevoir un message de lui.

—Et concernant les raisons pour lesquelles il te veut ?

—Il a déclaré ne pas pouvoir m'en parler parce que tu me tuerais si tu découvrais la vérité.

—Il a prétendu que *je* te tuerais ? Le salaud.

Il s'assit tant bien que mal, certainement prêt à bondir hors du lit pour se lancer à la recherche du garou. De toute évidence une erreur, car il haleta bruyamment avant de s'effondrer en arrière.

—Bon sang…

Inquiète que Styx ait aggravé ses blessures, Darcy s'appuya sur son coude pour l'examiner d'un air soucieux.

—Qu'est-ce que je peux faire pour t'aider ? Je connais beaucoup d'herbes qui apaiseraient tes souffrances.

Ses traits durs s'adoucirent comme par miracle lorsqu'il tendit le bras pour lui toucher la joue.

Elle s'émerveillait encore qu'un homme si grand et redoutable puisse être si doux.

—Je crains que les herbes n'aient aucun effet sur les vampires.

Elle grimaça en prenant conscience que son offre avait été absolument ridicule.

—Non, j'imagine que non. Tu as besoin de sang.

Il acquiesça lentement, la douleur toujours imprimée autour des yeux.

—Oui.

Darcy inspira profondément, sans se donner le temps d'examiner la dangereuse pensée qui avait surgi dans son esprit.

Dans le cas contraire, elle aurait certainement pris ses jambes à son cou sans jamais regarder en arrière.

—Le sang frais est-il meilleur que celui en bouteille ?

L'expression de Styx était pleine de méfiance tandis qu'il enveloppait la joue de Darcy de sa main.

—Oui, mais il n'est pas nécessaire. Je vais guérir.

—Mais tu guérirais plus vite avec du sang frais ?

Il poussa un feulement vif.

—Mon ange…

—C'est ça ? insista-t-elle.

—Ne me le propose pas, Darcy. (Il ferma les yeux alors qu'un frisson secouait son corps.) Ce n'est pas ce que tu veux vraiment, et je suis beaucoup trop faible pour résister à la tentation.

—Tu n'as pas le droit de me dire ce que je souhaite, protesta-t-elle.

Même si elle ne pouvait nier qu'il y ait du vrai dans ses paroles.

Non pas qu'elle craigne qu'il lui fasse mal en prenant son sang. Mince, qu'était un peu de douleur pour une bonne cause ? En revanche, elle ne se rappelait que trop bien à quel point cela pouvait être agréable.

Et elle devait reconnaître que, tout au fond d'elle-même, elle se languissait de cette sensation délicieuse.

Styx ouvrit lentement les yeux tandis qu'un faible sourire se dessinait sur ses lèvres.

—Pardonne-moi. Je ne voulais pas offenser ton âme féministe, mais il n'est absolument pas nécessaire que tu fasses un tel sacrifice. Je vais demander à l'un de mes Corbeaux de m'apporter du sang.

Darcy croisa son regard sans ciller. Elle n'était pas quelqu'un de subtil. Elle était plutôt du genre à appeler un chat un chat.

—Styx, tu veux mon sang ou pas ?

Il écarquilla les yeux, mais ne put dissimuler la tension qui avait envahi son corps, ni l'allongement rapide de ses canines.

Oh oui, il le voulait.

— Dieux…, chuchota-t-il en plaçant sa main derrière la tête de Darcy. Si tu savais à quel point je te désire, tu t'enfuirais à toutes jambes, épouvantée.

Darcy se dit que c'était exactement ce qu'elle aurait fait si son propre corps le lui avait permis.

La chaleur qui faisait vibrer l'air entre eux ne venait pas seulement de Styx.

Elle en dégageait plus que sa part.

Tandis qu'il observait les émotions se succéder sur le visage de Darcy, Styx lui inclina la tête en arrière en la tenant avec une telle délicatesse qu'elle sut qu'elle pouvait se dégager à n'importe quel moment.

Elle s'attendait à ce qu'il aille droit à son cou. C'était un vampire, après tout. Mais au lieu de cela, il posa sa bouche sur la sienne et elle gémit tout bas lorsqu'il glissa sa langue entre ses lèvres.

Waouh, waouh, waouh.

Cet homme n'avait pas perdu ses deux mille dernières années. Du moins, pas en matière de baisers. Ses lèvres étaient douces, mais leur caresse trahissait une impatience, une avidité contenue, qui la faisait se sentir férocement désirée.

Une sensation bien trop rare.

Se penchant sur son torse, Darcy saisit sa tresse et commença à en libérer les mèches épaisses. Elle voulait le voir drapé dans ses longs cheveux satinés juste une fois.

Styx fit descendre ses mains le long du dos de Darcy, les attarda un instant dans le creux au-dessus de ses fesses, avant de la saisir par les hanches, puis, sans prévenir, il la souleva pour qu'elle se retrouve à cheval sur son corps ferme.

Elle se redressa en haletant un peu.

— Il faut que tu fasses attention. Ta blessure.

Un sourire se dessina lentement sur les lèvres de Styx pendant qu'il glissait ses mains sous la robe de chambre de Darcy pour tracer un chemin brûlant sur sa peau.

—Mon ange, ce n'est pas une flèche plantée dans ma poitrine qui va m'empêcher de savourer ta présence dans mes bras, dit-il d'une voix rauque.

CHAPITRE 8

Styx poussa un grognement guttural.

Il souffrait et était encore affaibli, mais la chaleur délicieuse de Darcy qui enveloppait son corps le lui fit oublier.

Avec impatience, ses mains parcouraient sa peau satinée tandis qu'il lui mordillait la mâchoire sur toute la longueur. Un désir ardent lui enflammait le corps, pourtant il s'obligea à goûter chacun des doux baisers, chacune des morsures, chacune des caresses qu'il lui prodiguait.

Le cœur tendre de Darcy l'avait conduite dans ses bras, cette nuit-là. Qui sait si une telle chance se représenterait ?

Il lui fallait savourer chaque instant.

Savourer. De la langue, il suivit la veine de la jeune femme jusqu'au bas de sa gorge. Savourer. Il lui arracha avec frénésie sa lourde robe de chambre, qu'il jeta par terre. Il lui fit écarter les jambes pour qu'elle chevauche son érection douloureuse. Savourer.

Darcy eut le souffle coupé lorsqu'il pressa son membre durci contre elle. Styx s'immobilisa, s'attendant à ce qu'elle le repousse. Le corps de la jeune femme était alangui par la passion, mais il connaissait suffisamment les humains pour savoir qu'ils se privaient souvent de ce qu'ils désiraient le plus.

Après une attente tendue qui, pour Styx, sembla durer une éternité elle enfouit son visage dans ses cheveux et bouge ses hanches en une invitation terriblement alléchante.

— Darcy.

Afin de sentir sa chaleur contre lui, il parvint à arracher les lambeaux de sa chemise, puis inclina la tête et laissa ses canines pénétrer en douceur dans la chair tendre de la jeune femme.

Un plaisir surprenant coupa le souffle à Darcy et, avec délicatesse, Styx but son précieux sang à petites gorgées.

La vie s'engouffra dans son corps, guérissant ses blessures et éveillant des sensations qui le firent tressaillir de désir.

Un désir qui allait au-delà de la soif de sang, de l'envie de sexe, ou du besoin de guérir.

Un désir qui venait d'un endroit si profondément enfoui en lui-même qu'il en avait oublié l'existence.

Lorsqu'il sentit les mains de Darcy dans ses cheveux, il gémit et s'autorisa à suivre la courbe des fesses de la jeune femme jusqu'à la douceur de l'intérieur de ses cuisses.

La peau de Darcy était chaude et soyeuse comme le satin sous le bout de ses doigts qu'il fit descendre derrière ses genoux puis remonter jusqu'à son entrejambe.

— Oh ! là, là ! souffla-t-elle lorsqu'il explora son sexe moite du doigt.

Après avoir rétracté ses canines, Styx lécha les petites blessures pour qu'elles se referment et laissa ses lèvres glisser le long du cou de Darcy et sur son épaule. Par tous les dieux, elle avait la saveur de l'innocence. Celle qui venait de l'âme et du cœur. C'était une tentation érotique qui pouvait faire perdre la raison à un vampire.

— Mon ange, j'ai envie d'être en toi. De te sentir m'envelopper, déclara-t-il d'une voix rauque.

— Oui.

Elle colla son visage contre le cou de Styx, et son haleine chaude fit courir une onde de satisfaction le long de sa colonne vertébrale.

— Oui, c'est ce que je veux, moi aussi.

Il s'apprêtait à dire quelque chose de romantique et charmant, mais il ne put émettre qu'un grognement sourd lorsqu'elle lui mordit le cou avec force. Un feu violent se déversa dans le corps de Styx lorsqu'il fit glisser le doigt sur l'humidité de Darcy et se servit de son autre main pour se débarrasser rapidement de son pantalon.

À ce moment-là, il n'était pas l'amant vampirique habile qui offrait du plaisir avec détachement. Il était juste un homme qui désirait désespérément s'enfouir au plus profond d'une femme qui le rendait fou de désir.

— Mon ange, je ne peux pas attendre davantage, chuchota-t-il en la couvrant de baisers de la clavicule au renflement du sein.

Darcy lui tira brusquement les cheveux ; cette petite douleur ne fit qu'attiser son désir enfiévré.

— Alors n'attends pas, ordonna-t-elle d'une voix troublée.

Il obéit. Prenant un téton dans sa bouche, il laissa ses canines pénétrer avec douceur dans la peau de son sein, tout en la plaçant au-dessus de son érection pour s'enfoncer profondément en elle.

Darcy en eut le souffle coupé. Elle pencha la tête en arrière tout en plantant ses ongles dans les épaules de Styx.

Ce dernier s'immobilisa pour donner le temps à la jeune femme de s'adapter.

Et pour qu'il recouvre la maîtrise de lui-même.

Rien n'avait jamais été aussi bon que la sensation de se trouver en elle, comprimé au point de craindre de ne pas durer plus d'un coup de reins.

Après avoir patienté jusqu'à ce qu'elle commence à bouger les hanches de son propre chef, Styx suivit le rythme lent qu'elle avait amorcé pour plonger toujours plus profondément en elle. Il ferma les yeux alors que le plaisir déferlait en lui. La chaleur, le parfum, le contact de la jeune femme l'enveloppaient dans une extase ténébreuse.

—Styx…, chuchota-t-elle, haletante.

Il aspira davantage de son sang, se cramponnant à la taille de la jeune femme alors qu'il s'enfonçait en elle encore et encore. La rencontre de leurs chairs et les faibles gémissements de plaisir de Darcy constituaient les seuls bruits. Dehors, les Corbeaux devaient monter la garde tandis que la gargouille faisait certainement des bêtises d'une sorte ou d'une autre.

Dans cette pièce, cependant, le monde avait disparu et il ne restait plus que cette femme qui devenait bien trop indispensable à son existence.

Styx ouvrit les yeux pour la regarder bouger au-dessus de lui, et il accéléra le rythme. Il sentait qu'elle approchait de l'orgasme. Elle y était presque. Presque.

L'espace d'une seconde, il fut distrait par la beauté absolue de son visage pris dans les affres du plaisir. Les traits légèrement empourprés. Les yeux assombris et à demi fermés. Les lèvres écartées par le désir. C'était une vision qu'il souhaitait graver dans son esprit pour l'éternité.

Un petit cri lui échappa lorsque l'extase la submergea, et la douce pression autour de son érection le fit brusquement chavirer.

Sa libération le frappa avec une force terrible.

Avec un gémissement râpeux, il souleva les hanches au-dessus du lit et s'enfonça aussi loin en elle qu'il le pouvait.

—Nom de Dieu, mon ange, dit-il en suffoquant.

—Waouh. (Elle s'effondra sur son torse en poussant un profond soupir.) Tu es guéri ?

Styx sourit d'un air narquois en baissant les yeux vers l'endroit où la flèche lui avait transpercé la poitrine. Il avait complètement oublié cette blessure.

Et pour cause.

—Je suis comme neuf, déclara-t-il.

—Comme neuf, hein ?

Appuyée sur ses bras, elle entreprit d'établir son propre diagnostic. En bougeant, elle provoqua un nouveau durcissement du membre de Styx, toujours en elle, et il gémit. Apparemment inconsciente du danger, elle observa son torse avec un intérêt manifeste.

—Mon Dieu, il y a à peine une cicatrice.

—Ton sang est beaucoup plus puissant que celui de la plupart des humains, dit-il d'une voix rauque.

Elle grimaça à ces mots. Comme si le fait qu'on lui rappelle qu'elle n'était pas entièrement humaine ne lui faisait pas plaisir.

—C'est un sacré tatouage que tu as là, fit-elle remarquer, visiblement déterminée à changer de sujet.

Styx regarda le dragon doré aux ailes cramoisies qui était imprimé sur sa peau. Il l'avait depuis de si nombreuses années qu'il se souvenait rarement qu'il portait la marque des démons.

—Ce n'est pas un tatouage.

Elle arqua les sourcils, incrédule.

—Tu ne vas pas me faire croire que c'est une tache de vin.

—Non. C'est la marque de CuChulainn.

Elle le dévisagea d'un air ébahi.

—Et c'est ?

Il hésita. Il éprouvait des réticences à lui parler de cette sélection violente. Non pas par crainte de dévoiler des secrets. Mais simplement à cause de l'innocence foncière de Darcy.

—La marque d'un chef de clan, reconnut-il enfin. On la reçoit après avoir survécu aux combats des Durotriges.

Elle plissa son joli nez.

—J'ai peur de ne toujours pas comprendre.

— Il s'agit d'un moyen structuré pour choisir nos dirigeants. Je t'assure que, même s'ils sont sanglants et souvent mortels, ils évitent les guerres ouvertes.

Elle n'était pas convaincue par ce qu'il affirmait. Évidemment, elle ignorait tout des années interminables d'hostilités barbares qu'ils avaient endurées. Ou du massacre brutal des infortunés démons pris dans les affrontements.

Styx, en revanche, se souvenait de tout bien trop clairement.

C'était la seule raison pour laquelle il avait accepté d'être propulsé à la position d'Anasso.

— Vous n'avez jamais pensé à voter pour votre dirigeant, tout simplement?

Styx agrippa les hanches de Darcy lorsqu'elle bougea, envoyant une onde de pure chaleur dans son corps.

— Nous ne sommes pas encore si civilisés, mon ange, dit-il d'une voix rauque. En plus, il faut bien qu'on s'amuse.

Le regard de la jeune femme était critique.

— Il existe de nombreuses façons moins violentes de s'amuser.

— Je suis entièrement d'accord avec toi, mon ange.

D'un geste délibéré, il donna un coup de reins qui lui coupa le souffle.

— Voudrais-tu que je te le prouve? ajouta-t-il en souriant.

— Je crois que tu as suffisamment fait tes preuves, le prévint-elle, même si son corps ne semblait pas l'approuver.

En fait, elle réagit avec un enthousiasme passionné lorsqu'il commença à s'enfoncer en elle peu à peu, à un rythme régulier.

— Jamais assez, chuchota-t-il. Je n'aurai jamais assez de toi, mon ange.

— Styx…

Ce qu'elle s'apprêtait à dire fut perdu quand il la renversa brusquement sur le dos pour s'allonger sur elle.

L'aube finirait par arriver, et il devrait dormir pour recouvrer ses forces.

En attendant, il avait l'intention de profiter pleinement de ce précieux moment d'intimité avec sa magnifique prisonnière.

Ce ne fut que bien des heures plus tard que Darcy retourna enfin dans ses appartements et immergea son corps las dans un bain chaud.

Il était endolori, mais c'était la plus délicieuse des douleurs.

Délicieuse et plutôt inquiétante.

Les yeux fermés, flottant dans la vaste baignoire, Darcy poussa un léger soupir.

Non pas qu'elle ait peur de Styx, même s'il pouvait se montrer troublant quand il le voulait. C'étaient plus ses réactions à elle qui la rendaient un peu mal à l'aise.

Une fantastique partie de jambes en l'air était une chose. À ne jamais considérer comme allant de soi ni à écarter à la légère. Mais les dernières heures passées avec Styx avaient été bien plus qu'une fantastique partie de jambes en l'air.

Pelotonnée dans ses bras, elle s'était sentie chérie d'une façon qu'elle n'avait jamais éprouvée auparavant. Comme si elle ne se limitait pas à un simple corps chaud et une donneuse de sang disponible. Comme s'ils avaient été liés au-delà de la chair.

Comme si… comme si elle n'était pas tout à fait si seule au monde.

Perturbée par ses pensées, Darcy se frotta vigoureusement avant de sortir de la baignoire. Avec une pensée de gratitude pour Levet, elle enfila son jean et son confortable sweat-shirt.

C'était un soulagement d'avoir ses habits. Quelque chose de familier dans un environnement particulièrement inconnu.

Après s'être brossé les dents et avoir passé un peigne dans ses cheveux, elle se dirigea vers le rez-de-chaussée. Sa vie avait toujours été bien trop mouvementée pour lui permettre de se pomponner. Elle savait se contenter de peu.

Ce qui lui convenait parfaitement.

Le temps qu'elle entre dans la cuisine, le soleil s'était couché, mais personne ne semblait levé. Les Corbeaux arpentaient certainement les tunnels pour s'assurer que rien ne risquait de s'approcher de leur maître, et Levet devait battre les bois à la recherche de gibier.

Beurk.

Heureusement, son propre repas avait été apporté par la gouvernante. Une femme vraiment douée qui avait réussi un tofu sauté qui fondait dans la bouche.

Peut-être que, lorsqu'elle aurait suffisamment d'argent pour ouvrir sa boutique de produits diététiques, elle pourrait convaincre cette femme de quitter le service de Viper, songea-t-elle. Quelques étagères de plats préparés ayant cette saveur-là lui amèneraient des clients des quatre coins de la ville.

Une fois son assiette terminée, Darcy fit la vaisselle puis erra sans but vers le solarium. Bien qu'elle ait vécu seule la plus grande partie de sa vie, elle s'apercevait que l'immensité de cette maison la faisait se sentir encore plus isolée.

Ou elle commençait peut-être simplement à trop s'habituer à la compagnie de Styx.

Une pensée dangereuse.

Elle chassa la panique qui la menaçait, entra dans le solarium et se mit à s'occuper de ses plantes qui reprenaient de la vigueur. Elle n'avait pas besoin d'un superbe mais exaspérant vampire pour donner un sens à son existence.

Si elle ne devait avoir appris qu'une chose au cours des trente dernières années, c'était qu'elle ne devait compter que sur elle-même pour s'épanouir.

Tout en fredonnant à mi-voix, elle vaporisa de l'eau sur les plantes et enleva avec délicatesse une poignée de feuilles flétries. Elle commençait juste à se demander s'il était nécessaire de tailler sa fougère luxuriante lorsqu'un bruit derrière elle la fit virevolter de surprise.

Sa stupéfaction ne fit que s'accentuer lorsqu'elle vit une femme svelte aux longs cheveux noirs, à la peau singulièrement hâlée et aux yeux dorés s'avancer vers elle.

Cette étrangère était d'une beauté extraordinaire, mais, malgré son œil inexercé, Darcy sentait qu'elle était autre chose qu'humaine.

Pas une vampire. Autre chose.

Après s'être arrêtée juste en face de Darcy, la femme esquissa lentement un sourire, et toute gêne concernant sa nature démoniaque s'évanouit.

Ce sourire contenait toute la gentillesse du monde.

— Est-ce que je vous dérange ? demanda-t-elle d'une voix douce.

— Pas du tout. (Darcy inclina la tête d'un côté.) Êtes-vous une amie de Styx ?

— Pas exactement. Je suis Shay, et vous devez être Darcy.

— Shay. (Un moment s'écoula avant que Darcy écarquille les yeux en la reconnaissant.) La compagne de… Viper ?

Son ton hésitant la fit rire.

— Oui, malheureusement pour moi.

Darcy n'était pas sûre de la raison pour laquelle elle était prise au dépourvu. Indubitablement, Shay était bien assez ravissante pour avoir capté l'attention de cet homme élégant. Mais cette femme avait quelque chose de spontané et chaleureux. Viper, lui… eh bien, pas vraiment.

Au souvenir du vampire aux cheveux argentés, Darcy plaqua sa main sur sa bouche.

— Oh, vous ne devriez pas être ici.

Shay arqua les sourcils.

—Non ?

—Je sais que c'est votre maison, mais je crois que ce solarium était censé être une surprise.

La femme rit en parcourant la pièce magnifique du regard.

—Viper est loin d'être aussi fin qu'il le pense. Je suis au courant depuis des semaines. (Elle se tourna de nouveau vers Darcy pour lui décocher un clin d'œil et un sourire.) Mais je ne lui dirai rien si vous en faites autant. Les hommes peuvent se montrer si susceptibles lorsqu'ils se croient malins.

Darcy ne put s'empêcher de lui rendre son sourire.

—Je ne dirai pas un mot.

Shay alla s'asseoir sur un banc rembourré.

—J'espère que vous vous sentez bien ici. Du moins, autant que possible, étant donné que vous êtes retenue contre votre gré. (Elle tira sur la longue tresse qui était retombée par-dessus son épaule.) Un de ces jours, je vais planter un pieu dans le cœur de Styx sans me soucier qu'il soit ou non le putain d'Anasso.

—L'Anasso ? s'enquit Darcy.

—Le maître de tous les vampires. (Shay roula des yeux.) Et il ne le sait que trop bien.

—Il peut effectivement se montrer arrogant parfois, reconnut Darcy.

—*Parfois* ? Ha ! Il pourrait écrire la bible de l'orgueil impassible.

Darcy fronça les sourcils. C'était vrai que Styx l'avait enlevée. Et il lui arrivait d'être distant. Mais elle n'ignorait pas non plus qu'il possédait des qualités merveilleuses qu'il dissimulait à la plupart des gens.

—Il prend ses responsabilités très au sérieux. Peut-être trop, par moments, reconnut-elle doucement. Mais il peut se montrer très gentil, une fois qu'on le connaît.

Son hôtesse s'étrangla mais, sentant apparemment que Darcy n'aimait pas dire du mal de Styx, elle parvint à esquisser un faible sourire.

—Je vais devoir vous croire sur parole.

—Si vous êtes venue le voir, je crains qu'il ne se soit pas encore levé.

—En fait, c'est vous que je suis venue voir.

—Moi?

—Viper m'a tout raconté à votre sujet et j'ai absolument tenu à vous rencontrer personnellement, expliqua Shay.

Darcy grimaça au souvenir de son entretien bref et tendu avec le vampire.

—J'imagine ce qu'il a pu vous dire. Il ne semblait pas beaucoup m'apprécier.

—Pour ne rien vous cacher, il a été très impressionné.

—J'ai du mal à le croire. Il paraissait convaincu que j'avais l'intention de tuer Styx dès qu'il aurait le dos tourné.

Shay leva les mains d'un air contrit.

—Il s'inquiète juste pour son Anasso. Les vampires se montrent tous très protecteurs envers lui.

—J'ai remarqué, répliqua Darcy d'un ton pince-sans-rire.

—Oui, je suppose que oui.

Shay rit doucement en se mettant debout et se dirigea vers les plantes que Darcy avait disposées sur les étagères en bois. Une énergie impétueuse semblait crépiter autour de son corps svelte.

—Elles sont à vous?

—Oui. (Darcy la rejoignit.) J'espère que ça ne vous dérange pas que je m'approprie votre solarium, mais je me faisais du souci à l'idée qu'elles restent seules dans mon appartement.

—Ça ne me dérange pas du tout. (La femme tendit le bras pour effleurer un saintpaulia.) Vous avez manifestement la main verte.

— J'adore les plantes.

— Moi aussi, mais, d'une façon ou d'une autre, je finis toujours par tuer tout ce que je touche. (Shay se tourna pour dévisager Darcy de son étrange regard doré.) Je pourrais vous embaucher quand le solarium sera achevé. J'aurai besoin de quelqu'un pour m'empêcher de commettre un massacre végétal.

Darcy sourit.

— Je ne refuserais pas. Je cherche toujours du travail.

— Viper m'a appris que vous étiez barmaid ?

— Entre autres choses, reconnut-elle volontiers. Je n'ai pas terminé le lycée, alors je prends ce que je trouve.

— Vous êtes seule au monde ? demanda Shay d'une voix douce.

— Oui.

— Je l'ai aussi été pendant de très, très longues années. On se sent…

Une souffrance qui commençait tout juste à guérir assombrit ses yeux dorés.

— Isolée ? compléta Darcy, avec un sourire triste.

— Isolée et effrayée.

Shay secoua la tête, comme pour chasser ses pensées noires. Puis, d'une manière assez inattendue, elle prit la main de Darcy dans la sienne.

— Vous permettez ?

— Quoi ? s'enquit Darcy.

— Viper m'a dit que vous pensiez avoir du sang de démon. Je suis moitié Shalott, ce qui me permet de détecter la plupart des créatures de l'autre monde. Je devrais pouvoir vous révéler quelque chose sur votre ascendance.

Darcy hésita pendant un long moment. Elle ne croyait pas vraiment que cette femme puisse l'aider à découvrir les secrets de son passé. Même si c'était une démone.

Néanmoins, ne pas la laisser essayer pourrait paraître impoli.

—Qu'allez-vous faire? demanda-t-elle finalement.

Shay grimaça.

—Je suis désolée, mais je dois vous sentir.

« Me sentir »? Putain. Qu'est-ce qui ne tourne pas rond chez ces gens?

—D'accord, accepta-t-elle avec méfiance.

La démone porta la main de Darcy à ses narines et huma sa peau à pleins poumons. Huma, huma, huma encore.

Ça avait l'air d'être un truc de démon.

—Bizarre. (La femme lâcha la main de Darcy et recula, le visage déconcerté.) Je jurerais…

—Quoi?

—J'ai senti une odeur imperceptible de loup-garou, avoua Shay.

Darcy leva les mains au ciel.

—Au nom de Dieu, j'ai pris deux douches et un bain depuis que je me suis trouvée en présence de Salvatore. Il faut que je me fasse bouillir dans de l'eau de javel?

—Vous étiez avec un garou?

—Seulement pendant quelques instants et il m'a à peine effleurée.

Shay se mordilla la lèvre en méditant les paroles de Darcy.

—C'est peut-être ça.

—Vous n'avez pas l'air très convaincue.

—Je ne le suis pas, ce qui est très étrange. (Elle poussa un profond soupir.) Je suis désolée; j'espérais pouvoir vous aider.

Instinctivement, Darcy lui toucha la main.

—C'est très gentil à vous d'être venue ici pour essayer. J'apprécie beaucoup.

—Je devais venir. (Son visage se fit plus grave.) Je sais, Darcy, je sais vraiment, véritablement, ce que c'est que d'être différente, de rester à l'écart du monde de peur que les autres découvrent la vérité, de se demander en permanence si on se sentira jamais en sécurité.

Darcy sourit gentiment. Elle se sentait étrangement liée à cette femme. Une affinité qui lui réchauffait le cœur.

— Vous le savez, oui. (Elle serra légèrement les doigts de Shay.) Mais vous êtes heureuse maintenant.

Shay cligna des yeux, comme interloquée par la perspicacité de Darcy.

— Je le suis aussi. Heureuse, je veux dire, affirma-t-elle à la démone. Ça a pris du temps, mais je me suis aperçue que la vie est très précieuse, même quand elle est difficile. Ce serait très mal de ne pas être reconnaissante pour chaque jour qui m'est donné.

Le silence envahit le solarium, puis un sourire chassa l'expression grave de Shay.

— Viper avait raison ; vous *êtes* impressionnante.

Darcy écarta d'un geste ces paroles ridicules.

— La plupart des gens pensent que je suis un monstre, mais c'est pas grave.

— La plupart des gens sont des imbéciles, répliqua Shay aussitôt. Et puisque je suis moi-même un monstre authentique, je crois qu'on devrait très bien s'entendre.

C'était ce que se disait Darcy, elle aussi.

Pour la première fois de toute sa vie, elle était entourée par des personnes à qui elle n'avait pas besoin de cacher sa véritable nature.

Elle n'avait pas à mentir, ni à faire semblant, ni à s'appliquer en permanence à jouer la comédie de la normalité.

C'était… paisible, comprit-elle avec une pointe de surprise.

Un sentiment bizarre étant donné qu'elle était retenue prisonnière par un vampire et qu'une meute de loups-garous la pourchassait.

Ah, eh bien.

C'était une aventure étrange de plus dans une vie d'étrangeté.

CHAPITRE 9

S tyx se réveilla seul.
Rien de nouveau à cela.

Il se réveillait seul depuis d'innombrables années. Sans jamais ressentir la moindre pointe de regret.

Les vampires n'étaient pas par nature enclins à l'intimité. Ils formaient des clans pour se protéger plus que par un quelconque besoin de famille, et alors même qu'ils étaient prêts à tuer pour leurs amis, ils recherchaient rarement la compagnie de ces derniers.

Ce soir-là, cependant, Styx s'aperçut qu'il était carrément d'humeur grincheuse lorsqu'il roula sur le côté et découvrit que le lit était vide.

Par tous les dieux, ce n'était pas bien.

Darcy devrait être dans ses bras. Sa chaleur devrait l'envelopper, et son parfum emplir la pièce de son odeur suave.

Pourquoi l'avait-elle quitté ?

Il avait l'intention de le découvrir.

Après avoir pris une douche rapide et attaché ses cheveux avec une lanière de cuir, il enfila une de ses robes traditionnelles et partit en quête de la femme qui accaparait une partie bien trop importante de ses pensées.

Il ne lui fallut pas longtemps.

Il était un vampire et avait bu le sang de Darcy. Dès l'instant où il atteignit le haut de l'escalier et s'engagea dans le couloir, il sentit sa présence de l'autre côté de la porte du solarium.

Styx laissa un petit sourire se dessiner sur ses lèvres.

Dieu merci, aucun Corbeau n'était dans les parages. Styx n'était pas un démon qui souriait souvent. Pas plus qu'il ne se précipitait pour retrouver une simple humaine. Ses serviteurs craindraient à coup sûr qu'il ait perdu la raison.

Et ils n'auraient peut-être pas tort, déplora-t-il.

Comme il approchait de la porte, son sourire s'évanouit brusquement en percevant l'odeur caractéristique de gargouille.

— Bon sang, souffla-t-il.

Levet sortit de l'obscurité en se dandinant et lui adressa ce qui ne pouvait être décrit que comme un petit sourire narquois.

— Je n'entrerais pas là si j'étais toi, railla la gargouille en remuant la queue. Pas si tu tiens à tes… euh… bijoux.

— Pourquoi ? (Styx avança d'un pas, la mine sévère.) Quelque chose est arrivé à Darcy ?

— Elle va bien, s'empressa de répondre Levet, sentant à coup sûr les envies de meurtre de son compagnon. Mais elle est occupée pour le moment.

— Occupée ?

Styx inclina la tête pour humer l'air. Son expression ne s'adoucit pas en reconnaissant le parfum familier.

— La Shalott.

— Oui. (Le petit sourire narquois réapparut sur le vilain visage gris.) Et Shay n'est pas du tout contente de toi.

Styx haussa les épaules. Shay n'était pas près de lui pardonner d'avoir tenté de l'offrir en sacrifice à l'Anasso ni d'avoir torturé Viper.

Allez comprendre.

— Est-elle jamais contente de moi ? demanda-t-il.

— Jamais.

L'aversion que nourrissait Shay contre Styx et ses Corbeaux paraissait ravir Levet. Le petit démon risquait de rapidement regretter son air satisfait, vu que l'humeur maussade de Styx venait juste de devenir franchement massacrante.

La part noble de lui-même souhaitait se réjouir que Darcy ait trouvé quelqu'un qui la comprendrait. Toutes deux étaient partiellement démoniaques, et seules au monde. Ou du moins, Shay l'avait été jusqu'à ce que Viper en fasse sa compagne.

Qui pourrait mieux rassurer Darcy sur le fait que l'univers du surnaturel n'était pas aussi effrayant qu'elle pouvait le craindre? Et surtout qu'il n'y avait pas à avoir honte d'en faire partie?

Sa part beaucoup moins noble souhaitait mettre Shay à la porte de sa propre propriété avant qu'elle réussisse à monter Darcy contre lui.

— Elle est là depuis combien de temps?

— Environ une heure. Elles ont l'air de bien s'entendre toutes les deux.

— Tant mieux, dit-il entre ses dents.

Il désirait plus que tout effacer ce sourire mauvais des lèvres du minuscule démon.

— Tant mieux? (Levet lâcha un petit rire.) Tu n'as pas peur que Shay persuade ta belle de te planter un pieu dans le dos?

Styx haussa les épaules à ce sarcasme délibéré. Certes, il avait érigé en règle inébranlable de ne faire confiance à personne d'autre que ses Corbeaux. Et peut-être Viper.

En matière de survie, la suspicion et la paranoïa se révélaient les meilleurs amis d'un vampire.

Mais malgré sa méfiance instinctive, il ne pensait pas que Darcy constituerait jamais une menace. Elle avait beau posséder un courage incroyable et une volonté de fer, son âme tendre ne pouvait être simulée.

—Darcy est bien trop gentille pour faire du mal à quiconque, affirma-t-il d'un ton catégorique. Même à moi.

Le sourire mauvais s'évanouit et Levet poussa un petit soupir déçu. Il n'y aurait pas de massacre de vampire cette nuit-là.

—Je dois reconnaître que tu m'as eu sur ce coup-là. Elle ne ressemble pas du tout à un démon. Ni à un humain, d'ailleurs.

Styx haussa les sourcils.

—Tu es parvenu à déterminer ce qu'elle est ?

—Une démone… sans l'ombre d'un doute.

Une pointe de contrariété se glissa dans le ton de Levet. Ne pas être capable de déceler l'ascendance de Darcy ne lui plaisait pas. C'était une insulte à ses pouvoirs de gargouille.

—Mais c'est comme si, d'une certaine façon, sa nature démoniaque était dissimulée par son humanité, reprit-il.

Styx se pencha en avant pour plonger son regard dans les yeux gris de Levet. Il n'était pas opposé à utiliser la curiosité insatiable de la gargouille contre elle.

—Salvatore détient la vérité.

—Le garou ?

—Oui.

Le minuscule démon tiqua, sentant de toute évidence qu'il se faisait manipuler.

—Il t'a déjà foutu une raclée une fois. Souhaites-tu vraiment te mettre de nouveau dans l'embarras ?

Styx feula tout bas. Rares étaient ceux qui oseraient lui rappeler une défaite si humiliante.

—N'importe quel imbécile peut tirer à l'arbalète en restant tapi à distance. Ce n'était qu'un coup de chance.

Levet ne sembla absolument pas convaincu.

— Si tu le dis.

— Très bien, je suis manifestement incapable de me montrer plus malin que le garou. (Au prix d'un effort, Styx maîtrisa sa colère et parvint même à esquisser un sourire froid.) Toi, au contraire, mon ami, tu es doté des aptitudes et de l'intelligence extraordinaires indispensables pour ridiculiser Salvatore.

Levet recula, les mains en l'air.

— *Non**. Mille fois, *non**. Je suis allergique aux chiens. Sans parler des longs crocs pointus et des méchantes griffes.

— Une puissante gargouille ne redoute certainement rien?

— Tu es malade? Je mesure quatre-vingt-dix centimètres, ma magie craint et je suis affublé de petites ailes de fille. J'ai peur de tout.

Styx haussa les épaules.

— Comme tu es menu, tu pourrais t'introduire dans leur repaire sans te faire remarquer.

— Tu es sûr que cette flèche t'a transpercé la poitrine et pas la tête? grogna Levet, écœuré. Pourquoi risquerais-je ma vie pour toi?

— Parce que ce n'est pas pour moi. C'est pour Darcy, répliqua Styx d'un ton doucereux. Tant que nous ignorons pourquoi les garous tiennent si désespérément à mettre la main sur elle, elle est en danger.

Levet plissa ses yeux gris.

— Ce n'est pas juste.

C'était vrai, évidemment. Mais Styx n'était pas opposé à recourir à tous les moyens nécessaires.

Il devait découvrir quels secrets les garous gardaient jalousement. Non seulement pour Darcy, mais aussi dans l'intérêt de la paix fragile qui les préservait d'une violente effusion de sang.

— Et je suppose que, si tu réussis, je pourrai trouver une façon de récompenser tes efforts, reconnut Styx à contrecœur.

— Et comment!

— Qu'est-ce qui te ferait plaisir?

— Être une rock star d'un mètre quatre-vingts aux fesses d'acier et aux abdos comme des tablettes de chocolat! s'exclama Levet aussi sec.

Styx haussa les sourcils.

— Je suis vampire, pas magicien.

— D'accord, d'accord. (La gargouille pointa un doigt vers le visage de Styx.) Je le ferai, mais que pour Darcy, tu comprends?

Styx fut assez sage pour dissimuler son sourire. Il n'avait pas douté un instant que le cœur tendre du démon l'emporterait.

— Bien sûr.

— Et si je finis dans le gosier d'un garou, je reviendrai te hanter pour l'éternité.

— Une perspective qui a de quoi donner des cauchemars à un vampire.

Levet marmonna tout bas un chapelet d'injures en français.

— Tu sais, Styx, tu n'es qu'à un bon coup de pieu d'être quelqu'un de bien.

— Des démons plus puissants que toi ont essayé, gargouille.

En lui adressant ce que Styx supposait être un geste grossier, la minuscule créature, d'un air digne, s'éloigna dans le couloir en direction de la cuisine.

Naturellement, il fallait qu'elle ait le dernier mot.

— Parle à ma queue, vamp, grogna-t-elle.

La salle d'armes sous la propriété de Viper était de toute beauté.

Non seulement elle contenait une collection d'armes suffisante pour équiper une petite armée, mais elle avait été aussi construite avec tout le nécessaire pour qu'un vampire y exerce ses aptitudes.

Elle était pourvue d'un stand de tir et d'une ligne de cibles pour l'entraînement au tir à l'arc et au lancer de couteau. Des mannequins matelassés étaient disponibles pour le combat au corps à corps, ainsi que d'autres en armure pour celui à l'épée.

Elle disposait en outre d'une petite arène, parfaite pour les véritables affrontements.

Vêtu seulement d'un pantalon de cuir et d'une paire de bottes en daim souple, Styx abaissa son épée en direction d'un DeAngelo impatient. Ils s'entraînaient depuis plus d'une heure, tous deux couverts des blessures sanglantes qui le prouvaient.

Les simulacres de batailles entre vampires avaient toujours tendance à être plus proches de la réalité que de l'imitation.

En dépit de ses entailles, Styx sentit son agitation se dissiper sous le flot familier du plaisir de se mesurer à un adversaire de taille.

DeAngelo était une fine lame, qui se débrouillait très bien, même contre Styx.

En silence, ils exécutaient la danse fluide et magnifique des épées. Ils auraient pu continuer pendant encore une heure, ou davantage, si Styx n'avait pas remarqué l'entrée de Darcy.

Elle eut beau se tenir dans l'ombre, sans un bruit, Styx n'eut pas la bêtise de se battre contre DeAngelo avec une telle distraction à proximité. C'était un bon moyen de se retrouver avec une lame plantée dans le cœur.

Une blessure qu'il ne désirait pas particulièrement recevoir cette nuit-là.

— Ça ira, DeAngelo, ordonna-t-il en présentant la poignée de son épée à son adversaire. Nous reprendrons demain soir.

— Oui, maître.

Après lui avoir adressé une profonde révérence, le Corbeau prit les deux épées et s'éloigna vers le fond de la salle. Styx faisait confiance à son serviteur pour nettoyer et huiler les armes avant de les remettre dans leur fourreau. Il comptait aussi sur le fait que ce vampire aurait la présence d'esprit de refermer la porte derrière lui, de sorte que Styx serait assuré d'être seul avec sa ravissante prisonnière.

Il saisit une serviette, puis s'approcha rapidement de la femme qui l'attendait, le prédateur en lui sur le qui-vive. Darcy avait réussi à lui échapper pendant trop longtemps.

À présent, il avait hâte de l'avoir à portée de la main.

Dans ses bras. Dans son lit. Gémissant sous lui.

Oh, oui. C'était exactement ce qu'il désirait. Un besoin si impérieux que son corps entier en souffrait.

Il s'arrêta devant elle et réprima un grognement bas lorsqu'un adorable et irrésistible sourire étira ses lèvres.

— Très impressionnant, murmura-t-elle.

Styx haussa les épaules, toujours captivé par sa bouche voluptueuse. Ses talents de guerrier étaient réputés partout dans le monde des démons. Il l'admettait sans même y penser.

— J'ai eu plusieurs siècles pour m'exercer.

Le sourire de Darcy s'élargit tandis qu'elle baissait délibérément les yeux sur le torse nu de Styx.

— Je ne parlais pas de la façon dont tu manies l'épée.

Styx frissonna sous le coup du violent émoi qui transperça son corps. Un simple regard de la jeune femme suffisait à le rendre fou de désir.

Il s'avança si près d'elle qu'il sentit sa chaleur l'envelopper.

— Une femme au goût raffiné, dit-il d'une voix rauque.

Prise au dépourvu, elle recula aussitôt, puis grimaça en observant les diverses blessures qui lui zébraient le torse.

— Eh bien, je dois avouer que c'est un peu trop sanglant à mon goût.

Styx se maudit en essuyant rapidement le sang avec la serviette. Il fréquentait si rarement les humains qu'il avait tendance à oublier leur nature délicate. Leur condition de mortels y était certainement pour quelque chose.

— Ça va cicatriser, lui assura-t-il en jetant la serviette de côté.

Elle leva les yeux pour le dévisager, une lueur troublée dans le regard.

— Mais ça ne te fait pas mal ?

Il cligna des paupières à cette question bizarre.

— Bien sûr que si.

— Alors pourquoi t'infliger ces blessures ?

— Je dois m'exercer. (Il se tut un instant avant de poursuivre avec un petit haussement d'épaules.) Et, pour tout dire, j'adore me battre. Dans ces moments-là, je me sens… vivant.

Elle esquissa un rictus.

— C'est assez ironique.

— Qu'un vampire puisse se sentir vivant ?

— Non, que flirter avec la mort te fasse te sentir vivant.

Styx s'avança de nouveau tout près d'elle, heureux que Darcy ne recule pas. Il affichait un sourire contrit.

Ce qui semblait réellement ironique, c'était qu'un vampire comptant sur sa réputation de monstre sans pitié pour maintenir les démons du monde entier sous sa domination panique à la seule pensée que cette femme minuscule puisse le craindre.

— Qu'est-ce que la vie sans un peu de danger ? murmura-t-il.

Incapable de résister, il tendit la main pour suivre le contour de ses lèvres irrésistibles du bout du doigt.

— Sûre ? répliqua-t-elle.

Sous son doigt, la peau de la jeune femme était de la soie pure ; ses muscles se contractèrent au point d'en devenir douloureux.

— Ennuyeuse, parvint-il à grogner.

— Confortable.

— Assommante.

— Prudente.

— Monotone.

Brusquement, elle mordilla le doigt baladeur de Styx, envoyant une onde de désir à l'état brut dans tout son corps.

— On devrait peut-être accepter d'être en désaccord, dit-elle, un feu dangereux couvant dans ses yeux verts. Je préfère de loin que ma vie soit paisible, avec aussi peu de risques et de violence que possible.

Styx couvrit la joue de Darcy de sa main. Il ne pouvait nier qu'une partie de lui-même était fortement attirée par sa douceur. C'était un réconfort irrésistible après des siècles de brutalité incessante. Mais il était réaliste avant tout.

Seule au monde, cette femme était une victime en puissance.

En fait, qu'elle ait été relativement épargnée pendant toutes ces années était incroyable.

— C'est une vie magnifique, mon ange, mais rares sont ceux qui possèdent ton cœur tendre, dit-il d'une voix douce. Tu as besoin de quelqu'un pour te protéger.

Elle plissa lentement ses yeux verts. Styx n'était pas du tout sûr que ce soit bon signe.

— Tu penses que je ne peux pas me défendre ? demanda Darcy.

Il eut soudain l'impression d'être tombé dans un trou qu'il ne se rappelait même pas avoir creusé.

—Je crois que tu te sacrifierais plutôt que de blesser quelqu'un, reconnut-il avec méfiance.

—Je n'ai pas besoin d'une épée, ni d'un poignard ou d'un revolver pour vaincre un vampire.

Sans prévenir, elle se rapprocha de Styx et posa les mains à plat contre son torse. Il feula lorsqu'elle commença à explorer avec assurance ses muscles tendus.

—Il existe toutes sortes d'armes qui sont bien plus redoutables.

—Mon ange…

Styx s'étrangla lorsqu'elle se pencha pour passer la langue autour de son téton durci.

—Oui?

Par tous les dieux. Il referma les bras sur elle pour la presser tout entière contre son corps excité.

Elle avait vu juste. Il était bel et bien vaincu par ce minuscule bout de femme.

—Des armes dangereuses, en effet. (Il resserra son étreinte.) Mais il vaudrait mieux que je sois le seul vampire sur lequel tu en fasses usage.

Elle gloussa à son ton féroce.

—Vu que les autres vampires me regardent comme si j'étais une moins que rien, je crois que je peux te le promettre sans trop m'avancer.

Styx fut abasourdi par l'émotion ténébreuse et inattendue qui lui serra le cœur. Un besoin de possession. Il n'y avait pas d'autre mot pour la décrire.

—Je devrais peut-être préciser que j'entends par là tous les démons, humains, faes et créatures de ce monde ou d'un autre.

Elle inclina la tête pour lui lancer un regard scrutateur.

—C'est très… exclusif.

—Complètement et totalement exclusif.

Ses lèvres tremblèrent, comme si elle trouvait la réaction troublante de Styx amusante. Mais avant qu'il ait pu protester, le visage de Darcy s'était de nouveau baissé et sa bouche effleurait son torse cicatrisé.

—Ainsi, tu ne veux pas que je fasse ça…

De façon terriblement excitante, elle fit glisser ses doigts sur son ventre jusqu'à la ceinture de son pantalon.

—… ou ça…

Elle tira sur le bouton, puis défit sa braguette. Styx grogna lorsqu'elle referma doucement ses doigts sur son sexe dur.

—… à un autre homme ?

Elle le caressa de bas en haut.

Styx enfouit le visage dans la courbe délicieuse du cou de la jeune femme.

—Par tous les dieux, tu es redoutable, dit-il d'une voix rauque.

Il ajouta en silence qu'il tuerait tout homme qu'elle toucherait d'une manière si intime.

Il ne semblait pas nécessaire de perturber son âme pacifiste avec cette pensée.

—Je t'ai prévenu, souffla-t-elle.

En effet. Mais elle n'avait pas évoqué ses lèvres lui frôlant les tétons, le sternum, le petit creux qui courait entre ses abdos ; puis, lascivement, elle s'agenouilla et referma la bouche sur l'extrémité de son érection.

Styx entremêla ses doigts aux douces boucles de Darcy pendant qu'elle baissait son pantalon avec impatience et qu'elle l'enserrait de ses mains d'une façon qui lui donna le vertige.

—Bordel, mon ange.

Sans tenir compte des mots étranglés de Styx, dieux merci, Darcy l'accueillit plus profondément dans sa bouche. Il ferma les yeux et ses canines s'allongèrent complètement en sentant la langue de la jeune femme qui tournait autour de son gland.

Rien n'était censé être aussi bon.

Si sacrément bon qu'il était convaincu de pouvoir mourir à cet instant, le sourire aux lèvres.

Gémissant tandis qu'elle le serrait et le léchait avec un enthousiasme qui menaçait de mettre promptement fin à son incroyable plaisir, Styx lutta pour tenir l'orgasme à distance.

Il avait affirmé que le danger le faisait se sentir véritablement vivant.

Ce n'était rien – *rien* – comparé à ça.

Et il voulait que ça dure plus qu'une poignée de divines caresses.

—Mon ange… assez, grogna-t-il en se baissant jusqu'à être à genoux devant elle.

Elle sourit avec une joie béate à la vue de ses canines allongées et de ses yeux assombris.

—Tu n'aimes pas ? le taquina-t-elle.

—Ça me plaît trop, souffla-t-il.

Il fit courir ses mains le long de la courbe du dos de Darcy jusqu'à ce qu'il puisse saisir le bas de son sweat-shirt. D'un geste souple, il le fit passer par-dessus sa tête.

—Maintenant, c'est ton tour.

Il l'entendit haleter quand il dégrafa son soutien-gorge et prit enfin dans ses mains les doux renflements de ses seins. Dieux merci, il n'avait pas à se soucier de respirer, se dit-il tandis que la chaleur envahissait son corps. Comment un homme pouvait-il se rappeler des choses si ennuyeuses en présence d'une telle beauté ?

Avec tendresse, ses pouces effleurèrent le sommet tendu de ses tétons, ses doigts savourèrent la rondeur de sa poitrine. Il avait touché d'innombrables humaines avant, mais jamais le simple grain de leur peau ne l'avait autant intrigué.

Exactement comme de la soie chaude, prit-il conscience, fasciné. De la soie chaude animée d'un léger frémissement qui faisait hurler de désir tous ses instincts.

Sentant peut-être son étrange perplexité, Darcy fit remonter ses mains le long des bras nus de Styx jusqu'à ses épaules.

—Styx? s'enquit-elle doucement. Quelque chose ne va pas?

Il pencha la tête pour appuyer son front contre le sien.

—Chaque fois que tu es près de moi, j'oublie tout le reste, avoua-t-il d'une voix rauque. Si je pouvais verrouiller les portes et empêcher le monde d'arriver jusqu'à nous pour le reste de l'éternité, je le ferais, juste pour que nous soyons seuls.

Darcy fit glisser ses doigts par-dessus ses épaules avant de les faire descendre dans son dos.

—Et c'est ce qui t'inquiète?

Il grogna, frôlant des lèvres l'arête de son nez fin et effleurant sa bouche.

—Pas autant que ça le devrait.

Styx, qui ne souhaitait pas ruminer son obsession bizarre pour cette femme, réclama sa bouche d'un baiser vorace, introduisant sa langue entre ses lèvres. En cet instant, il était prêt à oublier le monde, et les responsabilités qui l'attendaient de l'autre côté de la porte.

Son devoir le rattraperait tôt ou tard.

Il voulait que ce soit tard.

Beaucoup, beaucoup plus tard.

Délicatement, il prit Darcy dans ses bras pour l'étendre sur le tapis avant de s'allonger sur elle. Elle enfonça ses ongles dans son dos alors qu'il embrassait la courbe de son cou et s'attardait sur la ligne de sa clavicule.

—Tu as la saveur du printemps, murmura-t-il en laissant courir sa langue jusqu'à la pointe de son téton.

Darcy gémit et se cambra en une invitation silencieuse.

—Le printemps a quel goût? demanda-t-elle.

Ses canines percèrent sa peau pour goûter sa douceur.

—Un goût de miel, chuchota-t-il, continuant à exciter de la langue le bout durci de son sein. De nectar et de soleil.

Darcy ferma les yeux sous l'effet de ses caresses insistantes.

—Oh! là, là!

—Je ne fais que commencer, mon ange, promit-il en suivant des mains les lignes gracieuses de sa taille.

Avec une grande facilité, il défit le pantalon de la jeune femme. Il le baissa avant de le retirer d'un coup sec, en même temps que ses chaussures. Il en profita pour mordiller sa tendre voûte plantaire et lui suçoter les orteils.

Elle poussa un petit cri lorsqu'il remonta peu à peu le long de son mollet, s'attardant de façon grisante sur l'arrière de son genou. Il n'avait pas menti. Elle avait vraiment goût de nectar. D'une douceur à embrumer l'esprit de n'importe quel vampire.

Tandis qu'il suivait de la langue la veine alléchante sur l'intérieur de la cuisse de la jeune femme, Styx frissonna d'envie. Cette fois-ci était pour Darcy, mais il avait l'intention de retourner bientôt à cet endroit précis pour la goûter comme seul un vampire le pouvait.

Il progressa en la mordillant du bout des dents, puis lui écarta les jambes à la recherche de la partie la plus sensible de son corps.

—Styx. (Darcy lui empoigna les cheveux quand il introduisit la langue dans son sexe moite.) Oh…

Il sourit alors qu'elle n'était pas loin de lui arracher les cheveux. Cette douleur était un faible prix à payer pour ses gémissements rauques de désir.

Enfonçant la langue de plus en plus loin, Styx l'emmenait vers l'extase à un rythme régulier. Elle ondula des hanches pendant que ses plaintes se transformaient en halètements fébriles. Elle y était presque. Il pouvait le sentir sur ses propres lèvres.

Après une dernière caresse tendre, Styx se hissa vers son visage, s'emparant de la bouche de Darcy d'un baiser farouche. Elle passa instinctivement ses jambes autour de sa taille lorsqu'il souleva les hanches et, d'un coup de reins fluide, la pénétra profondément.

Ils s'agrippèrent l'un à l'autre tandis que le plaisir les submergeait par vagues torrides.

— Tu dois vraiment être un ange, souffla-t-il en se retirant d'elle avec lenteur pour s'y réintroduire avec un roulement des hanches. Parce que tu m'as montré le paradis.

Son petit rire se transforma en gémissement alors qu'elle cambrait le dos sous l'effet d'une excitation grandissante.

Tout en allant et venant en elle, il la couvrait de baisers. C'*était* le paradis. Et elle était son ange. Il pressa le visage contre la courbe de son cou. Sans jamais ralentir, il attendit qu'elle se contracte sous lui.

Ce fut lorsqu'elle poussa un faible cri de délivrance qu'il laissa ses canines percer la peau de Darcy et aspira son essence même. D'un dernier coup de reins, il s'enfonça aussi loin qu'il le pouvait et laissa éclater son plaisir avec violence.

Bordel.

Heureusement qu'il était immortel.

À n'en pas douter, un tel plaisir conduirait un simple mortel dans la tombe.

Chapitre 10

— Par ici.

Salvatore laissa Hess le conduire au sous-sol humide de leur repaire actuel. Il était d'humeur presque aussi exécrable que l'air épais qui les enveloppait.

Sophia arriverait à Chicago dans moins d'une semaine, et Darcy restait hors de portée de ses griffes.

À présent, Hess se plaignait d'un intrus qui se serait prétendument introduit dans le bâtiment par les égouts et se préparerait sournoisement à…

Eh bien, Hess ne s'était pas montré très clair sur les intentions dont il soupçonnait cet intrus. Bien sûr, Hess prenait rarement la peine de faire usage de la masse grise bosselée coincée dans son crâne.

À quoi bon s'embêter à réfléchir quand on pouvait s'agiter en tous sens et s'en sortir grâce à l'instinct brut ?

N'ayant heureusement pas conscience des pensées loin d'être élogieuses de Salvatore, Hess s'immobilisa soudain pour scruter l'obscurité d'encre.

— Là, je vous l'avais dit, chuchota le bâtard, le doigt pointé vers un coin éloigné. Un intrus.

L'étonnement secoua Salvatore alors qu'il observait le minuscule démon qui maugréait tout bas en s'efforçant de nettoyer ses ailes délicates.

Il renifla avec insistance, n'arrivant pas à croire à ce coup de chance.

— La gargouille. La même que celle que j'ai sentie dans le repaire de Styx, murmura-t-il. Comme c'est curieux.

Hess se raidit ; l'air vibra autour de lui tandis qu'il luttait pour ne pas se métamorphoser en loup.

— Elle appartient au vampire ?

— C'est ce qu'il semblerait.

— C'est une petite gargouille. Je n'en ferai qu'une bouchée.

Le plus grand des deux hommes s'avança avant de s'arrêter brusquement lorsque Salvatore lui empoigna le bras.

— Non.

— Mais…

— De toute évidence, elle est venue espionner pour le compte des vampires. (Le regard de Salvatore s'attarda sur la créature, qui remuait la queue en continuant à grommeler.) La moindre des politesses serait de s'assurer qu'elle ait quelque chose à ramener à son maître.

Hess frémit d'indignation.

— Avez-vous perdu la tête ? Nous devrions la tuer.

— Vraiment, Hess. (Salvatore soupira. Les bâtards.) Vous faites toujours preuve d'une telle impatience à résoudre vos problèmes par la violence, quand la diplomatie vous servirait tellement mieux.

— Lorsqu'on élimine ses ennemis, on n'a pas besoin de diplomatie.

— Et que vous apporte un cadavre ? demanda Salvatore.

Hess émit un grondement guttural.

— Il gît par terre et ne cause pas d'ennuis.

— Retenez ceci, mon ami, dit Salvatore d'une voix traînante. Un homme sage utilise tout le monde. Même ses ennemis.

Un silence tendu s'installa pendant que Hess se démenait pour faire fonctionner son esprit.

— La gargouille ?

— Et à travers elle, son maître, murmura Salvatore, un sourire lui effleurant les lèvres.

— Vous ne vous êtes pas fait prier pour lancer une flèche sur le vampire, râla le bâtard.

Salvatore haussa les épaules. Il ne pouvait nier qu'il avait pris beaucoup de plaisir à terrasser ce salopard arrogant. Son seul regret, c'était de ne pas être parvenu à l'abattre.

— Eh bien, il faut reconnaître qu'il constituait une cible irrésistible, dit-il d'une voix traînante. Mais cette nuit, j'ai l'intention d'utiliser une autre sorte de flèche pour tirer sur l'Anasso.

— Qu'allez-vous faire ?

— Laissez-moi m'occuper de la gargouille, ordonna Salvatore. Je veux que vous vous assuriez que vos bâtards ne tombent pas sur elle. Nous voulons que ce minuscule démon croie qu'il a réussi à entrer et sortir sans être vu.

Hess hésita avant de hausser les épaules et de se fondre dans l'obscurité. Ce garou préférait peut-être une réponse plus sanguinaire au problème de l'intrus, mais il était assez intelligent pour faire ce qu'on lui demandait.

Chassant son serviteur de son esprit, Salvatore reporta son attention sur la gargouille, qui s'avançait avec précaution sur le sol humide.

Un sourire passa sur son visage grave.

Cette fois-ci, la montagne allait venir à Mahomet.

Darcy exhala un profond soupir de contentement.

Elle n'avait pas eu l'intention de séduire Styx lorsqu'elle était partie à sa recherche.

Ou du moins, pas consciemment.

Mais quelle femme aurait pu regarder un homme d'une telle perfection exécuter sa danse mortelle dans la petite arène en restant de marbre ?

Plus particulièrement, une femme qui, pendant tant d'années, s'était refusée à toute relation intime ?

Sans compter qu'elle n'arrivait pas à se sentir coupable.

Sa vie avait été trop souvent remplie de solitude et de déception. Pourquoi ne pas profiter des moments inattendus de bonheur qui se présentaient à elle ? Elle vivrait dans l'instant, et tant pis pour les conséquences.

Allongée sur le tapis moelleux, toujours enlacée dans les bras de Styx, c'était facile de vivre dans l'instant.

Se sentant pleinement satisfaite, elle toucha l'étrange amulette qu'il portait autour du cou avant de lever la tête pour rencontrer son regard ardent.

— Tu as été vaincu dans les règles de l'art ? murmura-t-elle.

Un sourire étira lentement les lèvres de Styx.

— Je reconnais ma défaite, même si je dois avouer que j'ai bien plus l'impression d'avoir remporté une victoire.

Une vague de chaleur la picota jusqu'aux orteils.

— C'est bizarre, moi aussi.

— Pourquoi as-tu quitté mon lit, tout à l'heure ? (Il effleura du doigt le contour des lèvres de Darcy.) Tu m'as manqué quand je me suis réveillé.

— Tu étais blessé et tu avais besoin de sommeil. De toute façon, je ne suis pas le genre de fille à aimer traîner au lit.

— Je compte bien changer ça, chuchota-t-il.

— Et comment vas-tu t'y prendre ?

Il resserra son étreinte.

— Si tu veux que je te le montre, on pourrait retourner dans mes appartements.

Elle gloussa.

— Je pense qu'il vaut mieux attendre encore. Contrairement à toi, je suis suffisamment humaine pour avoir besoin d'un peu de temps pour récupérer.

— Tu es bien plus que simplement humaine.

Elle se raidit. Elle ne put s'en empêcher. Le mystère de son identité la hanterait jusqu'à ce qu'elle découvre la vérité.

— Peut-être, mais quoi ? Voilà la question. Même Shay n'a pas pu me le dire.

Ce fut au tour de Styx de se figer, soudain sur ses gardes.

— Ainsi tu as rencontré Shay ?

— Comme si tu ne le savais pas. Tu l'as sentie à coup sûr dès l'instant où elle a franchi le seuil. (Darcy secoua la tête.) Ça commence vraiment à me gonfler.

— Shay à notre porte ?

— Non, toutes ces histoires d'odeurs. Ce n'est pas poli du tout, tu sais.

Il haussa les épaules, et ses muscles ondulèrent sous la main de la jeune femme. Très agréable.

— La plupart des démons ont recours à leur odorat pour assurer leur survie. Tu as… apprécié sa visite ?

— Beaucoup. (Darcy sourit en repensant à la superbe demi-démone.) Je l'aime bien.

— J'imagine qu'elle peut se montrer charmante quand elle veut, reconnut-il à contrecœur.

Elle s'appuya sur son coude pour scruter le visage tendu de Styx. Son cœur fit un petit bond dans sa poitrine à la vue de la beauté absolue de ses sombres traits fins.

Quand bien même elle resterait avec ce vampire une éternité, elle ne s'habituerait jamais à sa magnificence farouche.

— J'ai bien compris que vous aviez des problèmes à régler, remarqua-t-elle, la voix voilée.

— Des problèmes. (Il grimaça.) Oui, on peut dire ça. Elle t'a certainement prévenue que j'étais un salaud sans cœur.

— Effectivement.

Il leva la main pour lui envelopper la joue, le regard scrutateur.

— Et pourtant tu es venue me trouver.

—Il semblerait que oui.

Il fronça les sourcils.

—Pourquoi?

—Pourquoi quoi?

—Je ne peux pas imaginer une autre femme qui ne me détesterait ni ne me craindrait. (Sa main se resserra sur sa joue.) Non seulement je suis un vampire, mais je t'ai enlevée et te retiens ici contre ton gré.

Darcy lui décocha un sourire narquois.

—Et n'oublie pas que tu as l'intention de me livrer à une meute de loups-garous.

—C'est loin d'être décidé, grogna-t-il. Salvatore n'a fait aucun effort pour négocier. Tant qu'il ne le fait pas, il est hors de question que tu ailles où que ce soit.

Le regard de la jeune femme se posa sur son amulette, qu'elle caressa distraitement.

—Quoi qu'il en soit, tu as raison. Je devrais avoir peur de toi et t'en vouloir.

Ses paroles brutales le firent tressaillir.

—Alors pourquoi ce n'est pas le cas?

Pourquoi, en effet.

Darcy prit une profonde inspiration.

—Franchement, je ne sais pas exactement. C'est peut-être parce que je n'ai pas vraiment eu l'impression d'être prisonnière. Après tout, tu ne m'as pas enfermée dans ma chambre, tu t'es assuré que ta gouvernante me prépare toujours mes plats préférés et tu as envoyé le pauvre Levet chercher mes plantes malgré la neige. (Elle haussa les épaules.) Ou alors c'est parce que je ne pense pas comme la plupart des gens.

Il arqua les sourcils.

—Non?

Elle rit.

—Pas de surprise à ça, hein?

168

Le visage de Styx se radoucit.

— Je crois que tu es une femme qui écoute son cœur plutôt que sa tête.

— Autrement dit, je suis impulsive et manque totalement de bon sens la plupart du temps, reconnut-elle d'un ton pince-sans-rire.

— Tu es gentille, pleine de compassion et capable de voir les bons côtés des gens, même de ceux qui ne méritent pas ton indulgence. (Sa main vint se poser sur la nuque de Darcy.) Même d'un vampire insensible et sans pitié.

Elle secoua lentement la tête.

— Tu n'es pas insensible, Styx. Bien au contraire.

Il serra les lèvres.

— Rares sont ceux qui seraient d'accord avec toi, mon ange.

— Uniquement parce que tu t'efforces d'avoir l'air impitoyable, souligna-t-elle. Ce qui t'aide certainement à être perçu comme un chef compétent, mais je sais de quoi il retourne.

— Ah oui ?

Il la dévisagea, l'air fasciné et perplexe à la fois.

— Oui. (Darcy réfléchit un long moment, prenant conscience de la vraie raison pour laquelle elle ne pouvait pas le voir comme son ennemi.) Tout ce que tu fais, y compris me kidnapper, tu le fais pour le bien de ton peuple. C'est ta famille. Ta responsabilité et ton devoir. Et tu es prêt à tout, même à mourir, pour le protéger. C'est pour cela que je te respecte. Et j'espère que… si j'avais une famille, j'en ferais autant.

Les yeux de Styx s'illuminèrent.

— Mon ange…

On frappa de grands coups à la porte, le faisant s'interrompre brusquement.

— Bon sang, DeAngelo, va-t'en.

—Maître… (La voix grave et impassible leur parvint à travers l'épais panneau.) Vous avez des requérants.

—Des requérants ? s'enquit Darcy.

Styx grimaça et se leva, son corps nu rayonnant d'une perfection hâlée à la lumière tamisée.

—Des vampires qui demandent justice. Je crains de devoir m'en occuper.

Darcy lutta contre l'envie de laisser courir ses mains sur toute la longueur de la jambe finement ciselée de Styx. Que DeAngelo et son interruption aillent se faire voir ! Elle ne voulait pas que Styx parte. Pas quand il avait l'air délicieux à croquer.

Malheureusement, elle comprenait que Styx ait des devoirs qui passaient avant eux.

—C'est dur d'être roi, hein ? soupira-t-elle.

—La plupart du temps, oui, marmonna-t-il en enfilant son pantalon en cuir et ses bottes.

Il lui jeta alors un regard farouche.

—Tu seras là quand je reviendrai ?

Elle sourit d'un air narquois.

—Où pourrais-je aller ?

Il se baissa pour lui dérober un baiser agréablement doux.

—Nulle part où je ne te retrouverais.

—Je m'en doutais.

Styx ne pouvait nier qu'être arraché à Darcy lui causait une violente frustration. Étrange. Il avait déjà assouvi sa soif de sang et de sexe. Aucun besoin raisonnable ne justifiait de s'attarder en sa compagnie.

Bien sûr, rien dans sa relation avec Darcy n'était raisonnable, reconnut-il avec ironie.

Même le désir d'élucider le mystère de l'importance de cette jeune femme pour les garous ne permettait pas de l'expliquer entièrement.

La vérité, c'était que sa vie était différente quand Darcy se trouvait près de lui.

Il était plus qu'un gardien farouche, ou le tout-puissant chef des vampires.

Il était… un homme.

Un homme qui avait oublié depuis longtemps à quel point une vraie compagne était précieuse.

Une adorable, belle et délicieuse compagne qui avait manifestement perdu la raison, pour si facilement offrir une telle affection à un redoutable vampire.

Styx secoua la tête et écarta Darcy de ses pensées pour tenter de se concentrer sur les problèmes qui se présentaient à lui.

Il avait beau mourir d'envie d'emporter Darcy dans ses appartements et de s'isoler du monde, il ne pouvait négliger ses devoirs.

Après avoir lissé ses cheveux en arrière, il prit la lourde robe noire que DeAngelo tenait dans ses mains.

— Qui sont ces requérants ? demanda-t-il en enfilant le vêtement et en montant les marches qui conduisaient à la cuisine.

Les traits pâles de DeAngelo étaient impassibles. S'il avait une opinion sur l'obsession indubitable de son maître pour leur prisonnière, il était assez sage pour ne pas la laisser transparaître.

Un vampire malin.

— Ils se sont présentés sous les noms de Victoria et Uther, murmura-t-il.

— Ça ne me dit rien.

— Ils arrivent d'Australie.

— Est-il question d'un conflit territorial ?

— En fait, je crois que cela relèverait plus du…

Styx entra dans la cuisine et s'arrêta pour regarder DeAngelo, les sourcils froncés.

—Quoi?

—Conflit personnel.

—Et ils viennent me trouver? (Styx émit un grondement exaspéré.) Je suis l'Anasso, pas…

—Le courrier du cœur? compléta DeAngelo, avec un léger sourire.

—Quoi?

—Oubliez ça.

Contrairement à Styx, ce vampire plus jeune ne s'était pas entièrement coupé du monde au cours des siècles précédents. Heureusement, il ennuyait rarement son maître avec les dernières modes.

—Ils sont venus vous demander asile.

—Pourquoi ne s'adressent-ils pas à Viper? Je n'ai pas de clan.

—Non, mais vous pouvez leur accorder votre protection contre leur chef. (L'expression de DeAngelo se fit grave.) Il a exigé un Duel de Sang.

Styx arqua les sourcils. Un Duel de Sang était un combat singulier à mort. Un défi qui ne devait pas être lancé à la légère, même par un maître de clan.

—Quel est le chef d'accusation?

—Il affirme qu'ils complotent pour prendre sa place. (DeAngelo haussa les épaules.) Ils nient ce dont il les accuse et prétendent que ce chef de clan, ayant découvert qu'ils étaient amants, veut les empêcher de s'unir.

—Il a des vues sur cette Victoria? demanda Styx.

—Sur Uther, rectifia DeAngelo.

—Ah.

Styx poussa un léger soupir. La dernière chose qu'il souhaitait, c'était qu'on le mêle à une querelle domestique. D'autant moins quand celle-ci l'éloignait de Darcy. Malheureusement, le seul fait qu'un Duel de Sang avait été prononcé l'obligeait à prendre cette affaire en considération. Zut.

— Je vais les entendre, grommela-t-il.

Il se força à rejoindre les deux vampires qui l'attendaient.

Lorsqu'il entra dans le salon, il regarda la grande femme aux cheveux noirs et l'imposant Viking tomber à genoux et coller leur front au tapis.

— Mon seigneur, psalmodièrent-ils en chœur.

Styx réprima un soupir et se composa une expression distante.

— Relevez-vous, Victoria et Uther, et dites-moi pourquoi vous sollicitez la justice de l'Anasso.

CHAPITRE 11

L' aube approchait quand Darcy quitta le solarium et pénétra dans la cuisine. Elle n'avait pas vu Styx du tout depuis qu'il avait été appelé par ses requérants, et elle ne pouvait que supposer qu'il était toujours enfermé avec eux.

Pendant quelque temps, elle avait regretté de ne pouvoir regarder Styx jouer les rois.

Elle ne doutait pas qu'il ait l'air très majestueux alors qu'il rendait justice à ceux qui se trouvaient en dessous de lui.

Un fier guerrier assis sur son trône royal.

Puis son bon sens avait réussi à se mettre en marche.

Elle ne savait pas grand-chose de la justice des vampires, mais elle était presque sûre que des séances chaleureuses et confuses avec un psychiatre ou des travaux d'intérêt général d'une sorte ou d'une autre ne figuraient pas au programme.

Il était plus que probable qu'il était question d'épées, de sang et de prompts châtiments.

Pas du tout son genre de truc.

Alors qu'elle errait dans la cuisine, Darcy prit une pomme dans un des meubles. Elle se retourna brusquement lorsque la porte du jardin s'ouvrit en grand et que Levet entra en se dandinant et en marmonnant des jurons dans sa barbe.

Elle frissonna sous l'effet de l'air glacial qui s'engouffrait dans la pièce.

— Seigneur, vous semblez gelé, dit-elle en allant fermer la porte.

Elle avait beau aimer la neige, elle ne voulait pas que la cuisine en soit remplie.

— Sans doute parce que je le suis, grommela Levet.

Il remua ses ailes pour se débarrasser du givre qui s'y accrochait.

— J'ai sérieusement l'intention d'enfermer cet enfoiré de vampire dans un congélateur un de ces jours… On verra bien si ça lui plaît de jouer les Mr Freeze parfum démon.

Darcy prit une serviette et entreprit de sécher avec douceur la peau grise et rêche de la gargouille.

— Styx vous a encore envoyé dehors ?

— Vous croyez que je déambule dans la neige de mon plein gré ?

— Pourquoi ferait-il une chose pareille ? s'enquit-elle, contrariée.

Vraiment, à quoi pensait Styx ? La pauvre gargouille était pratiquement bleue de froid.

— Oh… (Une expression bizarrement prudente passa sur le visage plein de bourrelets.) Juste une petite course. Où est le seigneur et maître ?

— Assis sur son trône.

Levet cligna des yeux, interloqué.

— J'ai peur même de vous demander ce que vous voulez dire.

Darcy gloussa et jeta la serviette de côté.

— Il rend justice à des vampires qui viennent d'arriver.

— *Sacrebleu**. Il n'y a qu'un vampire pour m'envoyer dans la neige et s'attendre ensuite à ce que je poireaute jusqu'à ce qu'il soit prêt à me recevoir.

Alors qu'elle regardait le minuscule démon s'approcher de la table d'un pas lourd et bruyant, Darcy remarqua la grande enveloppe qu'il serrait dans sa main. Un étrange frisson lui descendit peu à peu le long de l'échine.

Manifestement, il détenait des informations pour Styx. Lesquelles pourraient très bien la concerner.

—Vous ne m'avez toujours pas dit ce que vous faisiez, rappela-t-elle à son compagnon d'une voix douce.

Levet s'arrêta, l'expression préoccupée.

—Je ne suis pas sûr que votre ravisseur souhaiterait que je révèle ce que j'ai découvert.

—Et?

Quelques secondes s'écoulèrent encore avant que la gargouille affiche soudain un sourire.

—Et donc bien sûr, je vous ferai part avec plaisir de tout ce que vous voudrez savoir.

Darcy lui rendit son sourire. Elle avait su dès le départ qu'elle apprécierait ce minuscule démon.

—Dites-moi où vous êtes allé, demanda-t-elle.

Le sourire de Levet se fit légèrement suffisant.

—Pendant que votre champion si intrépide se remettait encore de sa blessure presque mortelle, j'ai réussi à me glisser dans le repaire des loups-garous.

Ah, ah, elle en était sûre.

Elle parvint à avoir l'air assez impressionnée.

—Ce que vous êtes malin, sans parler de votre courage!

Levet agita ses ailes.

—Ah, eh bien, je suis plutôt réputé pour être incroyablement courageux quand la situation l'exige.

—Je comprends pourquoi. (Darcy reporta son attention sur l'enveloppe.) Vous avez découvert quelque chose d'intéressant?

—C'est certainement curieux.

—Je peux? (Elle tendit la main, et arqua les sourcils lorsqu'il hésita.) Levet?

Il grimaça et exhala un soupir ronflant.

177

— Je suppose que vous devrez les voir à un moment ou à un autre, même si je risque de découvrir à mon réveil que mes parties viriles ont été coupées.

Le frisson se propagea vers le creux de son ventre. Elle n'arrivait pas à s'imaginer ce que les garous pouvaient posséder la concernant. Et elle devait s'avouer qu'une petite portion d'elle-même se sentait un peu mal à l'aise.

Les secrets étaient des bêtes dangereuses.

Ils pouvaient apparaître et mordre quand on s'y attendait le moins.

Pourtant, il fallait qu'elle sache. Il le fallait, voilà tout.

— Qu'est-ce que c'est ? demanda-t-elle d'une voix rauque.

D'un geste gauche, la gargouille lui fourra l'enveloppe dans la main.

— Tenez.

La gorge serrée, Darcy déglutit et s'installa sur l'une des chaises en bois disposées autour de la table. Une sage précaution semblait-il, vu que ses genoux se dérobaient déjà sous elle.

Après avoir ouvert l'enveloppe, elle en sortit une liasse de photos, qu'elle étala sur la table.

— Purée, souffla-t-elle.

Elle plissa les yeux en examinant les nombreux clichés. Ils étaient tous d'elle, tous pris au cours des deux dernières semaines. Elle à l'épicerie. Elle dans le parc. Elle dans son petit appartement… Dieu merci dans la cuisine, pas dans la salle de bains. Une vague de nausée lui souleva le cœur.

— Ils m'ont espionnée. C'est juste… flippant.

— Ce n'est pas tout, dit Levet doucement.

Étonnée, Darcy leva les yeux alors que Levet lui tendait une autre photo qu'il avait gardée cachée.

Elle la prit, et son cœur fit un bond violent en voyant la femme aux yeux verts et à la longue chevelure d'un blond pâle.

Si elle n'avait pas été incontestablement plus âgée, avec des cheveux plus longs, elle aurait pu passer pour la vraie jumelle de Darcy.

— Mon Dieu. Elle me ressemble, souffla-t-elle.

— Oui.

— Elle doit être de ma famille.

Darcy humecta ses lèvres soudain sèches et leva la tête pour rencontrer le regard circonspect de Levet.

— Peut-être même… ma mère.

Ayant l'impression que tout son univers prenait une tournure étrange, Darcy ne remarqua pas la grande et silencieuse silhouette qui entra dans la pièce et l'observa d'un œil scrutateur.

Pas avant qu'une main froide lui touche l'épaule.

— Darcy, que se passe-t-il ?

Elle sursauta imperceptiblement et inclina la tête en arrière, prenant conscience que Styx se tenait juste derrière sa chaise.

Les mains tremblantes, elle lui montra la bouleversante photo.

— Regarde.

Subitement, les traits fins de Styx se durcirent sous l'effet d'une colère dangereuse.

— D'où est-ce que ça vient ?

Levet s'avança, une expression opiniâtre sur le visage.

— Du repaire de Salvatore. Tu m'as bien dit de le fouiller.

Le vampire feula tout bas, agacé.

— Et de m'apporter ce que tu trouverais à moi, pas à Darcy. Où avais-tu la tête, bon sang !

Darcy cligna des yeux, hébétée, pendant que la gargouille battait des ailes avec nervosité.

— Pourquoi ne devrait-elle pas les voir ? Ces photos, après tout, la concernent, dit Levet.

—Bien sûr qu'elles me concernent, s'exclama Darcy en se levant.

Elle ne comprenait pas la réaction bizarre de Styx, mais en cet instant, elle était trop bouleversée pour y penser. Rien ne comptait, à part ce cliché.

—C'est… Je ne sais pas. Il faut que je parle à Salvatore.

—Hors de question.

Darcy se raidit et jeta un regard furieux au démon qui se dressait au-dessus d'elle. Pour la première fois, elle remarqua la robe élégante drapée autour de ses épaules. Assurément un symbole de son autorité.

Un symbole qui lui était manifestement monté à la tête s'il croyait qu'il pouvait lui donner des ordres comme si elle était l'un de ses larbins de vampires.

—Ce n'est très certainement pas hors de question. (Elle agita la photo sous son nez arrogant.) Tu comprends ce que ça signifie ? J'ai… de la famille. Et le loup-garou sait qui elle est et où elle se trouve.

D'un mouvement si rapide qu'il était impossible à distinguer, il lui avait arraché le cliché des doigts et il la foudroyait de son vibrant regard noir.

—Et si ce n'était qu'une ruse ?

D'instinct, elle fit un pas en arrière pour s'éloigner du pouvoir mordant qui ondulait dans l'air autour de lui.

—Comment ça ?

—Salvatore veut désespérément mettre la main sur toi. Tu ne crois pas qu'il serait prêt à toutes les bassesses pour t'attirer dans ses griffes ?

Une émotion très proche de la déception lui serra le cœur. C'était peut-être normal que Styx se méfie de tout ce qui venait des garous, mais il pourrait au moins essayer de comprendre son enthousiasme.

Pour l'amour de Dieu, elle avait attendu cet instant pendant trente ans.

— Ce n'est pas une ruse. (Elle montra la photo qu'il tenait.) Qui que soit cette femme, elle me ressemble. Suffisamment pour être ma mère.

— Darcy…

Il tendit le bras comme pour lui effleurer la joue, mais Darcy recula promptement. Elle ne se laisserait pas distraire par ses tendres caresses.

C'était trop important.

— Non. Je dois savoir.

Une expression impatiente contracta le beau visage de Styx avant qu'il parvienne à recouvrer la maîtrise froide qui faisait tant partie de lui.

— Alors, nous découvrirons la vérité, dit-il d'un ton autoritaire.

— Comment?

Il haussa les épaules.

— J'irai trouver Salvatore personnellement.

Darcy roula des yeux.

— Oui, parce que tu t'en es incroyablement bien tiré la dernière fois.

La pointe d'une canine apparut à cette pique délibérée. Il n'appréciait pas qu'on lui rappelle que Salvatore avait eu le dessus sur lui.

— J'ai été pris au dépourvu. Je te l'assure, ça ne se reproduira pas.

Darcy le croyait. Il tuerait le sang-pur avant de se laisser humilier de nouveau.

Raison pour laquelle elle lui faisait encore moins confiance pour découvrir la vérité dont elle avait besoin.

Elle n'obtiendrait pas de réponses d'un loup mort.

— Peut-être pas, mais Salvatore ne risque guère de répondre à son ennemi juré, tu ne penses pas?

— Il le fera, s'il sait ce qui est bon pour lui.

181

— Oh, nom d'un chien, tu ne peux pas l'obliger à dire la vérité par la force ! s'exclama-t-elle d'un ton brusque, son tempérament d'habitude enjoué étant mis à rude épreuve. C'est bien plus logique que ce soit moi qui l'interroge. C'est peut-être pour cette raison qu'il me recherche. Peut-être que cette femme l'a payé pour qu'il me retrouve.

— Ou alors elle se trouve déjà entre ses griffes, suggéra-t-il d'une voix sinistre.

— Oh.

Elle porta la main à son cœur. La pensée de cette femme inconnue retenue captive par les garous suffisait à la faire paniquer.

— Oh ! là, là ! Nous devons faire quelque chose.

— Je t'ai promis de m'en occuper, Darcy. Fais-moi confiance.

Elle inspira un bon coup. Il devait être le vampire le plus entêté jamais créé.

— Si tu insistes pour être de la partie, c'est d'accord, mais c'est moi qui vais affronter Salvatore.

Les yeux noirs lancèrent des éclairs menaçants.

— Ce n'est pas à toi d'en décider.

— J'en fais mon affaire. Je ne te laisserai pas mettre cette femme en danger parce que tu veux malmener les loups-garous.

Darcy ne souhaitait pas en discuter davantage. Elle avait pris sa décision, et la question était réglée. D'un pas ferme, elle se dirigea vers la porte.

— Où tu vas ? gronda Styx dans son dos.

— Me changer.

Styx regarda avec une colère impuissante Darcy quitter la pièce.

Eh bien, il avait réussi à tout faire foirer de façon remarquable.

Bien sûr, ce n'était pas entièrement sa faute.

Il se retourna brusquement, et pointa un doigt droit sur la gargouille qui tentait de se cacher derrière une des chaises en bois.

— Toi, souffla-t-il d'un ton redoutable. Tout ça, c'est à cause de toi.

Au prix d'un grand effort, le minuscule démon inclina le menton à un angle opiniâtre.

— Hé, je ne suis que le messager. Après tout, c'est toi qui m'as envoyé dans ce foutu repaire. J'aurais pu me faire tuer.

Dommage qu'il ne l'ait pas été, se dit Styx d'un air féroce. Il s'était mis en quête de Darcy dans l'espoir de terminer la nuit déclinante dans ses bras. Il avait besoin de sa douce étreinte, après les heures passées à s'occuper de deux vampires exigeants qui s'attendaient à ce qu'il résolve leurs problèmes comme par magie.

À présent, il semblait que la probabilité qu'il savoure une douce étreinte était nulle.

Forcément, vu qu'il était obligé de convaincre sa prisonnière têtue qu'il était hors de question qu'elle approche de Salvatore.

— Au lieu de quoi tu es revenu avec des photos qui allaient à coup sûr pousser Darcy à se jeter directement dans la gueule du loup, grogna-t-il.

Levet plissa les yeux.

— Ou d'un autre prédateur…

— Prends garde, gargouille.

— Tu peux le nier ? (Le petit démon sortit de derrière la chaise, en remuant la queue.) C'est toi qui l'as kidnappée. Qui la retiens prisonnière. Qui l'utilises pour servir tes propres buts.

Styx serra les poings. C'était ça ou étrangler la gargouille pour l'envoyer dans le royaume des ténèbres.

Il n'avait pas besoin qu'on lui rappelle qu'il avait le mauvais rôle dans cette farce absurde. Pour le moment, c'étaient surtout ses ennemis plus dangereux qui l'intéressaient.

— C'est de Salvatore qu'il faut s'inquiéter, petit imbécile, lança Styx. Il s'est beaucoup investi pour mettre la main sur Darcy.

— Tu n'as toujours pas de preuves qu'il a l'intention de lui faire du mal.

— Ni que ce n'est pas le cas.

Grisé par l'envie de frapper, mordre ou tuer un truc, Styx arpenta la grande cuisine. C'était ridicule. Il ne faisait jamais les cent pas. C'était le signe d'un esprit dérangé. Après s'être forcé à s'arrêter, il décocha un regard noir à l'agaçant démon.

— Souhaites-tu accorder ta confiance à un loup-garou qui a déjà démontré n'avoir aucune considération pour les lois auxquelles il est soumis ?

— Je n'ai nullement le désir de me fier aux vampires ou aux loups-garous, grommela Levet. Ils sont notoirement doués pour tourner n'importe quelle situation à leur avantage.

— S'il arrive quoi que ce soit à Darcy, je t'en tiendrai personnellement pour responsable, l'avertit Styx. Tu n'aurais jamais dû lui montrer cette photo.

— Tu la lui aurais dissimulée ?

— Évidemment.

Son estomac se tordit au souvenir de l'espoir fragile qui miroitait dans ces magnifiques yeux verts. Il ne pouvait pas supporter que ce salaud de Salvatore se serve de la vulnérabilité de Darcy contre elle.

— Il n'y avait aucune raison de la perturber.

Levet l'observa d'un air ouvertement soupçonneux.

— Même en sachant que cela pourrait lui apporter ce dont elle rêve plus que tout au monde ?

Styx écarta les paroles de la gargouille avec une efficacité impitoyable.

Salvatore était un ennemi intelligent qui s'abaisserait à tout pour attirer Darcy loin de la sécurité offerte par ce repaire. De toute évidence, il s'agissait simplement d'un procédé de plus pour s'emparer de la femme qu'il désirait si désespérément.

Et si ce n'était pas le cas…

Un sinistre sentiment d'effroi lui emplit le cœur.

Si ce n'était pas le cas, alors il ne pouvait toujours pas permettre que Darcy lui échappe.

Pour l'instant, elle constituait son seul moyen de pression pour obliger la meute à retourner sur ses terrains de chasse sans effusion de sang.

— Nous n'en savons rien pour le moment, dit-il enfin avec raideur.

— Si cette femme est sa mère…, commença Levet avant de s'interrompre lorsque Styx le foudroya du regard.

— Assez. Nous reparlerons de tout ça plus tard. Je dois maintenant tenter de convaincre Darcy de ne pas se précipiter dans le fichu piège de Salvatore.

Interloquée, Darcy s'aperçut que ses mains tremblaient en enfilant un jean propre et un doux pull vert.

Elle les regarda, étonnée.

Purée.

Au cours des années, elle avait supporté qu'on lui colle l'étiquette de monstre, elle avait été mise à la porte d'une dizaine de maisons d'accueil et avait vécu dans la rue jusqu'à enfin gagner assez d'argent pour prendre un appartement.

La semaine précédente, elle avait été suivie par un loup-garou et kidnappée par un vampire.

Avec tout cela, même la femme la plus calme, sereine et décontractée ferait une dépression nerveuse.

Pourtant rien – *rien* – ne l'avait autant bouleversée que cette simple photographie.

Une main posée sur son ventre serré de crampes, Darcy s'obligea à respirer profondément plusieurs fois.

Ce serait si facile de tirer des conclusions hâtives. Non, pas hâtives. Des conclusions précipitées, prématurées et expéditives, reconnut-elle avec ironie.

Mais chaque chose en son temps.

Elle devait retrouver la trace de Salvatore et découvrir l'identité de cette femme.

Il détenait la clé des questions qui la hantaient depuis bien trop longtemps.

Elle venait juste de finir de mettre ses bottes de cuir lorsque la porte de sa chambre s'ouvrit violemment et Styx se précipita vers elle avec cette expression distante qui annonçait de l'orage dans l'air.

Les poings sur les hanches, elle s'interdit de broncher comme il s'immobilisait à seulement quelques centimètres de son corps tendu. Il se dressait au-dessus d'elle, dégageant suffisamment de force pour l'écraser d'une seule main. Puis ces sales crocs capables de la vider de son sang apparurent.

Peut-être par bêtise, Darcy n'avait pas peur.

Pas même lorsqu'il lui agrippa le bras.

— Darcy, il faut qu'on parle, ordonna-t-il d'une voix basse.

— Non. (Elle rencontra son regard noir sans détourner les yeux.) Je ne discuterai pas de ça, Styx. Je dois connaître la vérité.

— Et tu ne me fais pas confiance pour la découvrir pour toi ?

— Je suis sûre que tu feras toujours ce qui est le mieux pour ton peuple, se déroba-t-elle avec prudence.

Vampire ou pas, Styx était aussi orgueilleux que n'importe quel autre homme. Merde, il possédait l'orgueil de plusieurs hommes. Le moment semblait mal choisi pour le blesser dans sa fierté.

— Et tu dois reconnaître que ce qui convient le mieux à ton peuple ne le sera pas toujours pour moi, poursuivit-elle. C'est quelque chose que je dois faire seule.

Il se raidit comme si elle l'avait giflé.

— Seule?

— Styx, c'est important pour moi, dit-elle d'une voix rendue tremblante par le besoin désespéré qui lui serrait le cœur. J'ai passé toute ma vie à me poser des questions et à chercher. S'il existe quelqu'un ici qui a des réponses, je dois le trouver. Tu peux certainement comprendre ça?

Il laissa retomber sa main et se retourna pour marcher vers la fenêtre obscure. Elle tiqua à la vue de ses épaules raides et de la tension indubitable qui tournoyait dans l'air.

— Tu sembles avoir oublié un élément pertinent, mon ange, annonça-t-il, la voix étrangement pâteuse.

Le sombre pressentiment qui planait au-dessus d'elle la fit frissonner.

— Et qu'est-ce que c'est?

— Pour l'instant, tu es ma prisonnière.

Prisonnière.

Son cœur menaça de s'arrêter tandis qu'elle serrait les poings.

— Tu vas m'empêcher de parler à Salvatore?

— Je vais t'empêcher de te mettre en danger.

— Et cette femme? demanda-t-elle d'une voix rauque. Si elle disparaît avant que je puisse la voir? Si Salvatore lui fait du mal?

Styx se retourna lentement, son beau visage impassible.

— Je comprends que tu sois contrariée.

Darcy lutta pour respirer. Non, non, non. Ce n'était pas possible. Pas quand elle était si près du but.

Même un vampire ne pouvait pas se montrer aussi impitoyable.

—Bien sûr que je suis contrariée. Toute ma vie, j'ai attendu ce moment. Je ne peux pas laisser passer cette occasion. (Elle releva brusquement le menton.) Je ne la laisserai *pas* passer.

—Et je ne permettrai pas que tu te précipites dans un piège alors que tu as manifestement les nerfs à fleur de peau, répliqua-t-il entre ses dents. Salvatore est un sang-pur redoutable, pas un humain pitoyable que tu peux manipuler d'un battement de cils et d'un sourire charmant. Il pourrait te tuer sans hésiter.

Elle s'avança d'un pas lourd, bien trop en colère pour se soucier du feu dangereux qui couvait dans les yeux de Styx.

—Ne t'avise pas de me traiter avec condescendance, dit-elle entre ses dents.

Durant un moment, l'air, comme chargé d'électricité, lui fit presque mal. Instinctivement, Darcy se frotta les bras alors que le pouvoir de Styx rayonnait autour d'elle. Puis, sans prévenir, une froideur glaciale s'installa sur son visage hâlé.

—Ma décision est prise, Darcy. Je ferai tout ce qui est possible pour découvrir l'identité de cette femme, et tu resteras ici. C'est clair ?

Elle fit un pas délibéré en arrière, l'expression aussi glacée et implacable que celle de Styx.

—Clair comme de l'eau de roche, répliqua-t-elle. Puis-je s'il te plaît avoir un peu d'intimité ?

Une émotion, peut-être du regret, assombrit les yeux de Styx lorsqu'il leva la main pour lui effleurer la joue.

—Mon ange, je ne veux pas te contrarier, mais tu dois comprendre que je ne peux pas risquer que tu tombes entre les griffes de Salvatore.

Elle repoussa sa main, refusant d'être influencée par sa voix douce et séduisante. Elle avait beau respecter Styx pour son dévouement à son peuple, en cet instant il était son ravisseur, pas son amant.

Il se dressait entre elle et la vérité qu'elle désirait si désespérément.

— Tu m'as bien fait comprendre que tu ne mettrais pas ta... monnaie d'échange en danger, Styx. (Elle jeta un coup d'œil ostensible vers la porte.) Maintenant, est-ce que tu vas partir, ou ai-je perdu le droit de rester seule quelques minutes ?

Un silence absolu s'installa, et Darcy craignit que Styx refuse vraiment de sortir. Le visage détourné, elle sentait son regard farouche rivé sur son profil, comme s'il tentait de lire ses sinistres pensées.

Une sensation troublante, devait-elle reconnaître.

Elle avait appris au cours des années à cacher ses secrets. Cette nuit-là, c'était plus important que jamais.

Au bout de ce qui sembla une éternité, Styx poussa enfin un petit soupir.

— Peut-être vaudrait-il mieux parler de ça une fois que tu te seras reposée, répondit-il à contrecœur.

Alors qu'il partait, il s'arrêta à mi-chemin de la porte, l'air légèrement renfrogné.

— Je ne suis pas ton ennemi, Darcy. Si seulement tu me faisais confiance, je te le prouverais.

Puis il disparut de la pièce, laissant derrière lui une bouffée de son odeur virile et exotique.

Une fois seule, Darcy ferma un instant les yeux.

Si seulement tu me faisais confiance...

Bon sang, elle lui faisait confiance. Ce qui, à coup sûr, ne faisait que confirmer l'opinion de la plupart des gens qui pensaient qu'elle était une vraie cinglée. Quelle femme ayant un minimum de jugeote se fierait jamais à un dangereux prédateur nocturne ?

Mais sa confiance allait de pair avec son intime conviction qu'il était bien trop honnête pour oublier ses devoirs.

Il ferait ce qu'il avait à faire.

Et elle aussi.

Sans prêter attention à l'étrange douleur qu'elle éprouvait dans la région du cœur, Darcy se rendit dans la salle de bains attenante et referma la porte. Lorsque Levet avait eu la gentillesse d'aller lui chercher ses vêtements, il avait également pris son téléphone portable et une petite liasse de billets qu'elle cachait dans le tiroir où elle rangeait ses chaussettes.

Quand elle avait découvert ce geste généreux, elle avait judicieusement dissimulé à la fois le portable et l'argent au milieu des serviettes, sous le lavabo. Elle savait que le moment viendrait peut-être où elle devrait s'échapper de sa luxueuse prison. Et que Styx ne lui faciliterait pas les choses.

Elle serra le téléphone sur sa poitrine et passa en revue les personnes susceptibles de l'aider.

Pas la police. On lui mettrait une camisole de force, si elle essayait de convaincre les forces de l'ordre qu'elle avait été kidnappée par un vampire. À condition que Styx et les Corbeaux ne leur réservent pas un sort horrible lorsqu'elles tenteraient de s'introduire dans la propriété.

Il en était de même pour sa poignée d'amis.

Il était hors de question qu'elle les mette en danger en les mêlant à ses ennuis.

Et, bien sûr, elle n'avait pas de famille à qui faire appel.

Ce qui ne laissait… absolument personne.

Elle serra les dents pour combattre ses pensées défaitistes, et arpenta le sol carrelé.

Quelqu'un pouvait l'aider. Forcément.

Elle s'immobilisa brusquement, soudain inspirée.

Shay.

Cette belle démone lui avait bien fait comprendre qu'elle était prête à la soutenir en cas de besoin. Sans compter qu'elle n'avait peur ni de Styx ni de ses Corbeaux.

Elle était parfaite.

À présent, si elle pouvait seulement trouver un moyen d'obtenir son numéro…

— Darcy.

Le téléphone lui tomba des mains quand elle s'aperçut que Styx était entré sans un bruit dans la salle de bains et qu'il se tenait juste devant elle.

— Merde, souffla-t-elle, le cœur battant douloureusement la chamade. Qu'est-ce que tu fous là ? Je t'ai dit…

Le doigt fin qu'il posa sur ses lèvres interrompit son flot de paroles paniquées.

— Chut. Ne t'inquiète pas, mon ange, tout va bien, murmura-t-il.

Elle fronça les sourcils lorsqu'il lui prit le menton et baissa la tête pour scruter ses yeux exorbités.

— Styx ? souffla-t-elle alors qu'une sensation de paix des plus étranges commençait à la submerger.

Elle ne voyait rien à part les yeux noirs de Styx, n'entendait rien à part sa voix douce et persuasive.

— Tu es très fatiguée, Darcy, dit-il d'un ton apaisant. Oublie les événements de cette nuit. Oublie que Levet est revenu du repaire de Salvatore. Oublie les photos.

Les paupières de Darcy s'abaissaient, malgré ses efforts pour résister à cette force mystérieuse.

— Mais…

— Oublie, Darcy, souffla-t-il. Maintenant, endors-toi.

Elle obéit.

Viper secoua la tête en observant la petite photographie.

— La ressemblance est remarquable, convint-il en relevant le visage pour regarder Styx arpenter le bureau exigu de sa boîte de nuit du centre-ville. Et Darcy ne sait rien sur cette femme ?

—Rien.

Styx s'obligea à s'arrêter près du bureau Louis XIV élégamment sculpté de volutes qui s'harmonisait parfaitement avec le reste du délicat mobilier français. Par tous les dieux, il avait plus fait les cent pas au cours de la semaine passée que pendant tout un millénaire. Et tout cela à cause de Darcy Smith.

—Elle a été… perturbée par ces clichés, ajouta-t-il. Surtout quand Levet a été assez stupide pour reconnaître qu'il les avait trouvés dans le coffre-fort de Salvatore.

Sentant peut-être quelque chose dans la voix de Styx, Viper se leva et l'observa avec curiosité.

—Perturbée ? Comment ça ?

Styx serra les dents, transpercé par l'image de Darcy profondément endormie dans son lit.

Il ne lui avait fait aucun mal. En fait, il l'avait très certainement sauvée de sa propre bêtise. Bon sang, elle voulait se jeter à tout prix dans le guet-apens retors de Salvatore.

Tout ce qu'il avait fait, c'était s'assurer qu'elle se réveillerait dans la soirée en n'ayant aucun souvenir des dernières vingt-quatre heures. Elle serait en sécurité entre ses bras, là où se trouvait sa place.

Alors, pourquoi avait-il l'impression d'avoir en quelque sorte trahi la femme qui apportait à sa vie autre chose qu'un devoir ennuyeux et une responsabilité sans fin ?

Viper arqua les sourcils.

—Styx ?

Styx haussa les épaules avec nervosité, jouant distraitement avec l'amulette qu'il portait au cou.

—Comme tous les humains, elle a tendance à tirer des conclusions sans la moindre preuve. Elle est complètement persuadée que cette femme est de sa famille. Que c'est peut-être même sa mère.

— C'est une conclusion plutôt logique. Leur ressemblance est troublante. Ce ne peut être une coïncidence.

Par tous les dieux, était-il le seul à qui il restait un peu de bon sens?

— Nous n'en savons rien pour l'instant. Il pourrait s'agir simplement d'un stratagème astucieux concocté par Salvatore pour attirer Darcy dans son repaire.

— Pas si astucieux, répliqua Viper.

Styx se figea.

— Qu'entends-tu par là?

— Tu as dit que Levet avait découvert les photos cachées dans un coffre-fort?

— Oui.

— Si le garou avait l'intention de s'en servir pour faire venir Darcy à lui, il les aurait certainement prises avec lui quand il l'a abordée pour la première fois au bar, souligna Viper doucement. Ou, tout au moins, lorsqu'il a réussi à déjouer ton système de sécurité pour la rencontrer. Elles ne lui sont pas d'une grande utilité, enfermées dans un coffre.

Styx n'était pas bête. Il avait examiné le fait que, bizarrement, Salvatore n'avait pas tenté de tirer parti des photos plus tôt.

Il en avait finalement conclu que ces raisons n'y changeaient rien.

Du moins, en ce qui concernait Darcy.

— Qui sait ce qui se passe dans la tête d'un chien? dit-il d'une voix rauque.

— Parfaitement vrai, je suppose, reconnut Viper, les yeux plissés. Comment va Darcy?

Styx se tourna brusquement pour contempler les aquarelles aux tons pastel qui ornaient le mur.

— Elle va bien.

Durant le court silence qui suivit, Styx osa espérer que son intonation glaciale mettrait un terme à ce questionnement importun.

Stupide, bien sûr.

Rien, à part un pieu en bois, ne dissuadait Viper une fois qu'il avait planté ses crocs.

— Tu as dit que les photos l'avaient perturbée ? insista-t-il.

Styx tressaillit au souvenir de l'espoir fragile qui avait brillé dans les yeux de la jeune femme.

— Plus que ça. Elle avait la ferme intention de se précipiter dans le repaire des loups-garous pour exiger des explications, répondit-il d'une voix rauque.

— Pas étonnant. Shay m'a appris que la famille comptait énormément pour les humains. Elle semble leur apporter un sentiment de réconfort et de sécurité.

La famille ?

Qu'importait une famille à Darcy ? Surtout une qui ne s'était pas souciée d'elle lorsqu'elle en avait le plus besoin.

D'ailleurs, il était là désormais, ainsi que ses Corbeaux, pour lui apporter réconfort et sécurité.

— Elle semble aussi leur ôter le peu de bon sens auquel ils peuvent prétendre. Elle était prête à tout risquer, y compris elle-même, pour une photo ridicule.

— Elle n'est pas si ridicule à ses yeux.

Styx tourna la tête pour fusiller son ami du regard.

— Je ne la laisserai pas tomber entre les mains de Salvatore. Il y a trop de choses en jeu.

— Tu parles du traité entre les garous et les vampires ?

— De ça et, bien sûr, de la sécurité de Darcy.

— Ah. (Viper grimaça.) Bien sûr.

— Quoi ?

—J'imagine que Darcy ne te porte pas dans son cœur en ce moment?

Ce fut au tour de Styx de faire la grimace.

—Elle n'était pas vraiment ravie.

—Tu ferais mieux de la surveiller de près, mon vieux compagnon, le prévint Viper. Je sens que, derrière son doux sourire, se cache une volonté de fer. Si elle décide de partir, ce ne sera pas facile de l'en empêcher.

Styx ferma les yeux comme une vague de regret lui tordait l'estomac.

—Il n'y a aucune crainte à avoir de ce côté.

—Tu ne doutes pas de ton charme.

—Ce n'est pas sur mon charme que je compte. J'ai pris des mesures pour m'assurer qu'elle ne commettra aucune imprudence.

Le ton froid de Styx ne laissa transparaître aucune des émotions inconnues qui le tourmentaient.

—Quel genre de mesures? (Viper feula tout bas.) Styx? Tu as altéré ses souvenirs?

Par l'enfer, il n'avait pas à se montrer si choqué. C'était ce que faisaient les vampires depuis le commencement des temps.

—C'était la seule solution raisonnable.

—Par les couilles du diable. (Viper secoua la tête avec lenteur.) Tu joues un jeu dangereux.

—Ce n'est pas un jeu.

—Non, en effet. C'est une chose d'asservir un étranger à l'occasion… c'en est une autre de se servir de ses pouvoirs sur une femme que tu as mise dans ton lit.

Avec des gestes raides, Styx prit sa cape et s'en enveloppa les épaules. Il n'avait pas besoin qu'on lui rappelle qu'il s'était servi de la confiance de Darcy contre elle de façon éhontée. Ni que, alors qu'elle ne se souviendrait pas de la nuit précédente, celle-ci le hanterait pour l'éternité.

—Je n'ai fait que le nécessaire.

Il avait atteint la porte lorsque la voix douce de Viper lui parvint.

—Peut-être, mais si Darcy découvre la vérité, elle te fera vivre un enfer.

CHAPITRE 12

Il était presque minuit lorsque Darcy se réveilla en se sentant étrangement désorientée.

Non, c'était plus que ça, reconnut-elle en se douchant, puis en enfilant un jean et un sweat-shirt.

Elle avait le cerveau embrumé, comme s'il était rempli de coton.

Bizarre, vu qu'elle ne pouvait pas avoir la gueule de bois. Elle ne buvait pas d'alcool : plutôt ironique pour une barmaid. Et elle n'avait pas l'impression d'avoir attrapé un vilain microbe.

Se pourrait-il que les conséquences d'avoir donné du sang à Styx commencent à se faire sentir ?

Troublée par un léger mal de tête et le sentiment tenace que quelque chose n'allait pas, Darcy se dirigea vers le rez-de-chaussée.

Tout ce qu'il lui fallait, à coup sûr, c'était un bon repas et un bol d'air frais.

Ainsi que, peut-être, un ou deux baisers de vampire.

Cette pensée suffit à lui réchauffer le cœur et à lui redonner le sourire, alors qu'une silhouette familière et silencieuse sortait de l'ombre au pied de l'escalier.

— Bonsoir, DeAngelo.

Le démon lui adressa une petite révérence, ce qui prenait toujours Darcy au dépourvu. Même si les vampires semblaient s'adapter aux grands changements qu'ils devaient subir au cours des siècles, ils conservaient un soupçon des mœurs de l'ancien temps qu'on ne rencontrait guère plus de nos jours.

— Dame Darcy.

Dame. D'un air contrit, elle passa la main dans ses courts cheveux hirsutes. C'était pas près d'arriver.

— Avez-vous vu Levet ou Styx?

Après s'être redressé, le démon la dévisagea depuis les profondeurs de sa capuche.

— Je crois qu'ils se sont rendus chez Viper.

Elle ne put s'empêcher de ressentir une pointe de déception.

Putain.

Elle était devenue complètement folle.

— D'accord. (Elle parvint à esquisser un autre faible sourire.) Le repas est-il prêt?

— Oui, et il vous attend dans la cuisine.

— Super.

Il lui adressa une autre de ses élégantes révérences.

— Si vous avez besoin de quoi que ce soit, vous n'avez qu'à me le dire.

Darcy contourna le vampire et se dirigea vers la cuisine.

Les Corbeaux ne l'effrayaient pas, mais ils la rendaient parfois un peu nerveuse. Elle n'avait pas l'habitude d'être entourée d'autant de personnes, qu'il s'agisse d'humains ou de démons. Des fois, elle avait l'impression de faire l'objet d'une expérience bizarre qu'une foule de scientifiques suivait de près.

Même quand elle ne les voyait pas, elle sentait leurs regards sur elle.

Évidemment, il y avait certains avantages, reconnut-elle en entrant dans la cuisine : une cassolette de légumes l'attendait dans le four et une grande coupe de fruits frais était déjà disposée sur la table.

Après avoir rempli son assiette, elle s'installa, prête à déguster ce plat délicieux.

Elle venait à peine de s'asseoir, cependant, qu'elle fut prise de vertiges et manqua de dégringoler de sa chaise.

Qu'est-ce qu'il lui arrivait ?

Elle mit les mains sur ses tempes. Les vertiges s'accompagnaient d'une impression de déjà-vu des plus bizarres, qui lui causait des élancements à la tête.

Cela ne rimait à rien. C'était comme si un souvenir tentait de faire surface, mais celui de quelqu'un d'autre, pas le sien.

S'efforçant de ne pas paniquer à cause de ces sensations désagréables, Darcy inspira profondément et s'évertua à comprendre les images qui lui venaient.

Il y avait quelque chose… La gargouille, oui. Levet se trouvait dans la cuisine et tenait une enveloppe dans ses mains. Et elle tendait le bras vers celle-ci…

Qu'y avait-il dans l'enveloppe ?

Des photos.

Des photos d'elle. Et d'une autre personne.

Elle eut des élancements à la tête puis, d'un mouvement rapide, elle se leva.

— Ce fils de pute, souffla-t-elle d'une voix tremblante de rage.

Styx sut que quelque chose n'allait pas dès l'instant où la propriété isolée fut en vue.

Il sentit la tension vibrante de ses Corbeaux lorsqu'il franchit le haut portail de fer.

Après avoir arrêté la Jaguar devant la porte du manoir dans un crissement de pneus, Styx surgit de la voiture et se précipita à l'intérieur.

La première chose qui le frappa fut la puanteur caractéristique de fumée.

Putain de bordel de merde.

Un feu avait été allumé. Très peu de temps auparavant. Ce n'était peut-être pas une odeur choquante dans la plupart des maisons de Chicago en hiver. Les humains faisaient assez souvent brûler des bûches pour se protéger du froid qui leur venait du nord. Mais un vampire tolérait rarement une flambée à proximité de lui. Et certainement pas dans son repaire.

Sans ralentir, Styx traversa à toute vitesse le vestibule sombre jusqu'au salon, où il découvrit DeAngelo et deux autres Corbeaux qui parlaient à voix basse.

À son arrivée, ils se retournèrent pour le regarder avec une expression préoccupée. Le cœur de Styx se serra sous l'effet d'un malaise soudain.

Quand un vampire avait l'air inquiet, cela signifiait que quelque chose allait terriblement, horriblement mal.

— Que s'est-il passé?

— Maître. (DeAngelo lui adressa une profonde révérence.) Je crains que nous n'ayons manqué à nos devoirs.

Son malaise se transforma en une peur intolérable, hurlante.

— Darcy? A-t-elle été blessée?

— Non, mon seigneur, mais elle s'est… échappée, lui apprit son second, manifestement écœuré de lui-même.

Aveuglé l'espace d'un instant, Styx n'éprouva plus qu'un immense soulagement. Darcy allait bien.

Il pouvait tout supporter sauf qu'il lui arrive quelque chose.

Styx ne prêta pas attention aux Corbeaux, qui l'observaient avec un regret stoïque. Retrouver son esprit froid et logique habituel lui demandait un effort ahurissant.

Enfin, il parvint à se rendre maître de quelques pensées cohérentes.

La première était la prise de conscience désagréable que Darcy ne se serait pas enfuie sans raison pressante.

Il ne croyait pas une seconde qu'elle s'était simplement réveillée et avait décidé de fuir ses griffes « malfaisantes ». Après tout, elle se trouvait avec lui depuis des jours et n'avait jamais essayé de s'échapper.

Sa tentative pour effacer ses souvenirs avait de toute évidence échoué.

À cette idée, son estomac se tordit d'effroi.

Bon sang, il aurait dû prendre en compte qu'elle n'était pas entièrement humaine. Après tout, un tas de démons étaient capables de résister à l'asservissement d'un vampire.

Si elle avait réussi à se rappeler, alors, non seulement elle était partie, mais il était plus que probable qu'elle était déjà à la recherche de Salvatore.

Bordel de merde.

— Comment ? demanda-t-il abruptement, son ton cassant faisant tressaillir les Corbeaux qui attendaient.

— Elle a mis le feu à la cuisine et a profité de l'affolement général pour emprunter les tunnels qui conduisaient hors de la propriété, avoua DeAngelo.

Cela expliquait la fumée.

— Elle est maligne, reconnut Styx à contrecœur. Elle a réussi à comprendre quel était le seul moyen sûr de semer la confusion dans une maison pleine de vampires.

DeAngelo montra brièvement les crocs, contrarié.

— Ce n'était pas malin au point de nous berner. Je n'ai aucune excuse.

Styx écarta d'un geste ces propos. Il n'avait qu'une chose en tête : suivre Darcy et la ramener là où se trouvait sa place.

— Depuis combien de temps est-elle partie ?

— Moins de deux heures.

— Deux heures ?

— L'incendie a été allumé juste avant minuit, mais nous n'avons remarqué la disparition de dame Darcy qu'il y a peu.

Une peur glacée lui déchira le cœur. Deux heures ? C'était trop long.

— Bon sang. Elle pourrait être n'importe où, maintenant.

— Allez-vous vous lancer à sa recherche ?

Styx se demanda un instant si son second n'avait pas perdu la tête. Même tous les démons de l'enfer ne pourraient l'empêcher de retrouver Darcy Smith.

Bien sûr, il te faudra faire attention, lui chuchota une voix intérieure, en guise de mise en garde.

Il ne doutait pas une seconde que les garous surveillaient en permanence la propriété. Mais si Darcy était parvenue à en sortir sans qu'ils la voient, il ne voulait certainement pas leur faire soupçonner la vérité.

Avec un peu de chance, il arriverait à remettre la main sur cette femme exaspérante et à la ramener avant qu'elle trouve le moyen d'entrer en contact avec Salvatore.

De la chance.

Il réprima l'envie de hurler de dépit.

Il était un vampire qui s'appuyait sur une logique froide et des plans parfaitement exécutés. Il ne confiait pas son sort à une chose aussi capricieuse que la chance.

Jusqu'à ce soir.

Puissent les dieux avoir pitié de lui.

Le taxi déposa Darcy devant un entrepôt délabré dans une zone industrielle miteuse.

Ce n'était pas un quartier des plus charmants. En fait, il était sombre, sale et isolé à en être inquiétant. Mais avec le compteur qui tournait, elle n'avait pas vraiment le choix. Sa petite somme d'argent n'allait pas l'emmener bien loin.

Cela dit, cet entrepôt au sud de Marengo n'était pas un si mauvais lieu pour attendre Gina, qui devait lui apporter ses affaires.

C'était le dernier endroit où on irait la chercher et, étant donné qu'un incendie n'en avait laissé presque que les murs environ trois mois auparavant, elle espérait vaguement que la meute de vampires qui était à coup sûr sur ses traces ne percevrait pas son odeur au milieu des exhalaisons qui subsistaient.

Pas le meilleur des plans, mais ce n'était pas comme si elle pouvait choisir entre une dizaine d'autres plus élaborés.

Elle avait su qu'elle aurait une occasion, et une seule, d'échapper à Styx. Le temps lui avait manqué pour concevoir un projet complexe et infaillible. Elle avait allumé le feu, récité une prière et était partie dans les tunnels aussi vite qu'elle l'avait pu.

Le simple fait d'avoir réussi à héler un taxi et de s'être autant éloignée était tout bonnement incroyable.

Serrant les bras sur son ventre pour se protéger du froid pénétrant, Darcy trépigna en scrutant l'obscurité épaisse.

Au bout de ce qui sembla une éternité, elle entendit le bruit caractéristique du vieux tacot de Gina. Elle se précipita à la porte de derrière où elle avait donné rendez-vous à son amie.

Quelques instants après, Gina se dépêchait de la rejoindre, enveloppée d'une excitation qui crépitait avec une force presque palpable.

— Darcy ? Waouh, c'est toi !

Darcy jeta un coup d'œil nerveux au parking désert avant de tirer Gina dans l'entrepôt.

— Évidemment que c'est moi. Qui croyais-tu que ce serait ?

Gina haussa les épaules.

— Je pensais que tu étais morte.

Darcy cligna des yeux, stupéfaite.

— Qu'est-ce qui a bien pu te fourrer une idée pareille dans la tête ?

La jeune femme mince lâcha le lourd sac qu'elle portait.

— Non, sans déc' ? Tu as disparu du travail sans laisser de trace, tu ne répondais pas au téléphone, tu n'étais pas chez toi et la boîte de pizzas où tu bosses comme livreuse m'a dit que tu ne t'étais pointée pour aucune de tes tournées. Qu'est-ce que j'étais censée penser ?

— Oh.

Darcy n'avait jamais vraiment réfléchi au fait que tout le monde la croirait morte. Purée. Et ses boulots ? Son appartement ? Si elle se trouvait de nouveau à la rue, elle allait véritablement planter un pieu dans le cœur de ce fichu vampire.

— Tu as appelé la police ?

Gina parut surprise par cette question.

— Non.

— Alors même que tu pensais que j'étais morte ?

— Quand on est mort, on est mort. (Gina haussa les épaules.) C'est pas comme si la police pouvait te ramener, ou un truc du genre.

— Je suppose que tu n'as pas tort, reconnut Darcy avec regret.

Elle ne pouvait pas vraiment en vouloir à son amie. Gina faisait beaucoup de choses pour joindre les deux bouts, et toutes n'étaient pas légales.

— Tu as réussi à trouver l'argent ?

— Ouais, il était caché dans ton casier, exactement comme tu me l'avais dit. (Gina s'agenouilla près du sac en cuir et ouvrit la fermeture Éclair.) Tu sais, je n'aurais jamais eu l'idée de le planquer dans une boîte de tampons.

Darcy gloussa alors que Gina lui tendait le billet de 50 dollars qu'elle dissimulait toujours quelque part.

— Même le voleur le plus déterminé semble allergique aux produits d'hygiène féminine. (Elle glissa l'argent dans sa poche.) Et le manteau ?

— Je l'ai apporté, même si je n'arrive pas à t'imaginer portant cet horrible machin.

Gina sortit la veste militaire élimée qui appartenait à l'un des videurs. Elle grimaça en la passant à Darcy.

— Elle sent comme Bart. Beurk.

— C'est vrai que c'est une odeur caractéristique, convint Darcy en se forçant à enfiler le lourd vêtement.

Il empestait la fumée de cigarette, la bière et des trucs auxquels elle ne voulait pas penser. Un moyen parfait de masquer sa propre odeur. Et puant ou pas, il tenait chaud.

— Je t'ai aussi apporté de quoi manger.

Gina fouilla dans le sac pour en tirer une boîte de barres de céréales.

— Merci.

— Oh… j'ai failli oublier. Tu te rappelles ce superbe truand qui est venu la nuit où tu as disparu ?

Darcy grimaça. Si elle s'en souvenait ? C'était gravé dans son esprit dans les moindres détails et en technicolor.

— Difficile de faire autrement.

— C'est clair. (Gina poussa un profond soupir.) C'est vraiment un beau mec.

— Et alors ?

— Il est revenu il y a un ou deux jours, et a laissé ça pour toi, dit Gina.

Elle se releva et mit le petit objet dans la main de Darcy.

— Un téléphone portable ?

— Ouais, il a précisé que, si tu réapparaissais, t'aurais peut-être envie de lui passer un coup de fil avec. (Une pointe de jalousie illumina le regard de Gina.) Vachement romantique, si tu veux mon avis.

Le ventre de Darcy se noua. Même si elle avait quitté Styx avec la ferme intention de rechercher ce loup-garou, elle n'avait pas oublié l'étrange attitude possessive de Salvatore, ni les nombreux clichés que Levet avait découverts dans son repaire.

Quel genre d'homme allait photographier des femmes inconnues ?

Les cinglés, pas de doute.

—À condition d'être intéressée par les psychopathes, marmonna-t-elle.

—Hé, si tu n'en veux pas, je te le piquerai avec plaisir ! rouspéta Gina.

—Fais-moi confiance, Gina, tu ne veux rien avoir affaire avec cet homme.

—Bien sûr que non. (La jeune femme roula des yeux.) Qu'est-ce que je ferais d'un gars sexy à en crever qui, par miracle, n'est pas gay ?

Bon sang. La dernière chose que Darcy souhaitait, c'était que sa seule amie ait une liaison avec les démons impitoyables qui avaient désormais envahi sa vie. Malheureusement, il lui était impossible de l'avertir correctement des risques qu'elle courait. Pas sans que Gina la prenne pour une vraie folle.

—Tu me croirais si je te disais que c'est un vrai loup, sous son costume Armani ? essaya-t-elle avec prudence.

Gina fronça les sourcils.

—Qu'est-ce que tu veux dire ?

—Garde juste tes distances. Il est… dangereux.

—Oh mon Dieu. (Gina porta une main à sa bouche.) C'est un baron de la drogue, c'est ça ?

Eh bien, ce mensonge en valait un autre, décida Darcy.

—Un truc dans le genre.

—Classique. (Gina émit un bruit de dégoût.) C'est exactement ce que dit toujours ma grand-mère.

— Qu'est-ce qu'elle dit?

— Si quelque chose a l'air trop beau pour être vrai…

Darcy éclata d'un rire sans joie.

— Tu prêches une convertie, ma vieille, marmonna-t-elle.

Elle repensa avec douleur à Styx et à la façon impitoyable avec laquelle il avait manipulé ses souvenirs. Elle referma la main sur le téléphone et le serra.

— Je dois y aller.

— Où tu vas? demanda Gina.

— Je ne sais pas très bien. (Elle réussit à esquisser un sourire crispé.) Merci, Gina, et promets-moi s'il te plaît d'être prudente.

— Moi? (La jeune femme jeta délibérément un coup d'œil au bâtiment en ruine.) Ce n'est pas moi qui joue à cache-cache dans un sale entrepôt.

— Promets-le-moi, c'est tout, s'il te plaît, insista Darcy.

Elle ne se le pardonnerait jamais s'il arrivait quelque chose à Gina.

— D'accord, comme tu veux. Je serai prudente.

Avec un haussement d'épaules, Gina se retourna et franchit la porte. Un court instant plus tard, Darcy entendit le bruit d'une voiture qui démarrait et sortait du parking en vrombissant.

Restée seule, elle inspira un bon coup et regarda fixement le téléphone, une grosse boule de peur dans le creux du ventre.

Voilà.

Après avoir ouvert le clapet, elle observa l'unique numéro enregistré dans le répertoire.

Elle disposait du moyen qu'il lui fallait pour entrer en contact avec Salvatore.

À présent, tout ce dont elle avait besoin, c'était du cran pour le faire.

Salvatore se trouvait dans son bureau et étudiait la grande pile de rapports qui venaient d'arriver d'Italie.

L'univers entier des démons serait certainement stupéfait d'apprendre que Salvatore possédait une équipe composée des scientifiques et des médecins les plus talentueux au monde. Ils se plaisaient à dénigrer les garous comme s'ils étaient des chiens féroces dépourvus d'intelligence et de subtilité. Autrement, comment pourraient-ils justifier le fait de les maintenir emprisonnés et opprimés ?

Les laisser dans l'ignorance ne dérangeait nullement Salvatore. Ils découvriraient un jour à quel point ils s'étaient trompés, mais pas avant qu'il ait mis à exécution tous ses plans.

Et pour cela, il avait besoin de Darcy Smith.

L'image de ses traits délicats venait à peine de se former dans son esprit quand, lui donnant l'impression troublante qu'il s'agissait de l'œuvre du destin, la sonnerie de son portable brisa l'épais silence.

À cette interruption, il fronça les sourcils et regarda machinalement qui le dérangeait à une heure pareille. Son cœur s'arrêta lorsqu'il reconnut le numéro de son second téléphone.

Celui qu'il avait laissé pour Darcy.

Il décrocha tout en sortant précipitamment de la pièce. D'un geste de la main, il enjoignit à Hess, qui montait la garde à la porte, de le suivre.

— *Cara* ? dit-il d'un ton apaisant.

Le silence régnait à l'autre bout du fil, même si son ouïe accrue perçut aisément la respiration irrégulière de Darcy.

— Je sais que vous êtes là. Parlez-moi, Darcy.

— Je… veux vous voir, dit-elle enfin d'une voix rauque.

Salvatore bondit au bas de l'escalier, puis d'une nouvelle volée de marches tandis qu'une intense excitation faisait vibrer tout son corps. Il percevait la méfiance et l'inquiétude dans la voix de Darcy, ainsi qu'autre chose. Une pointe de défi.

En dépit de ses craintes, elle était déterminée à le rencontrer.

Ce qui ne pouvait signifier qu'une chose : la gargouille lui avait montré la photo que Salvatore avait cachée de façon à ce qu'elle la trouve.

— C'est ce que je désire également, *cara*, même si vous devrez m'excuser de préférer que notre entrevue se déroule ailleurs que dans le repaire d'un vampire. (Salvatore descendit les dernières marches, puis traversa le hall qui tombait en ruine.) Je vous invite dans mon humble demeure. Elle n'est peut-être pas aussi élégante, mais je vous promets que vous y serez une invitée d'honneur.

— Non. Je veux vous rencontrer dans un lieu public. Quelque part où je me sentirai en sécurité.

Son ton cassant ne le dérangeait pas. C'était une femme intelligente. Il était tout à fait normal qu'elle se montre soupçonneuse.

Après être sorti du bâtiment, Salvatore rejoignit d'une démarche souple le Hummer qui l'attendait, et se glissa sur le siège du passager. Hess fut tout aussi rapide pour prendre sa place derrière le volant et démarrer le moteur.

— Combien de fois dois-je vous répéter que je ne vous ferai jamais de mal, *cara* ? demanda Salvatore en enclenchant le GPS.

Un sourire se forma sur ses lèvres quand le système de localisation qu'il avait installé sur le portable de Darcy s'alluma. Elle se trouvait à une bonne distance, dans un entrepôt abandonné à l'ouest de la ville, mais elle était loin de la protection des vampires.

— Pour moi, vous êtes ce qu'il y a de plus important au monde.

Il perçut son incrédulité. Et la peur qui l'étreignit. Elle se sentait vulnérable, et au plus petit signe de menace, elle s'enfuirait.

—Acceptez-vous qu'on se rencontre dans un lieu public, ou pas ? demanda-t-elle.

—Je vous retrouverai où vous le désirerez, lui affirma-t-il doucement.

—Et je veux que vous me promettiez de venir seul.

Salvatore fut projeté contre la portière du passager tandis que Hess fonçait dans les rues désertes à une vitesse terrifiante.

—Maintenant, *cara*, vous devez vous montrer raisonnable. Pour ce que j'en sais, il pourrait s'agir d'un piège tendu par votre vampire. Je ne suis pas complètement idiot.

—Moi non plus. Il est hors de question que je me laisse encercler par une meute de loups-garous.

—Alors, nous devons arriver à un compromis. Je suis prêt à faire tout ce qui est nécessaire…

Subitement, les paroles apaisantes de Salvatore furent interrompues par le grognement sourd de Darcy.

—Espèce de fils de pute.

Salvatore fronça les sourcils.

—Il se trouve que c'est exact, mais qu'est-ce qui vous met tant en colère ?

—Vous êtes déjà là, pas vrai ? Vous m'avez suivie.

Le sang de Salvatore se glaça. Ce qui n'était pas rien pour un loup-garou.

D'habitude, un feu d'enfer coulait dans ses veines.

—Il y a quelqu'un avec vous ?

—Vous m'avez filée jusqu'à la ville, ou vous avez installé un truc dans le téléphone. Bon sang, Styx avait raison. On ne peut pas vous faire confiance.

—Darcy, vous devez m'écouter. (Sa voix était devenue plus grave à cause de la soudaine urgence de la situation.)

La personne qui se trouve dans l'entrepôt avec vous, ce n'est pas moi, ni un membre de ma meute.

—Ah ouais ? Alors, comment savez-vous où je suis, Salvatore ? demanda-t-elle. Reconnaissez-le, vous m'avez suivie.

Salvatore poussa un grondement féroce. Pour la première fois de son existence, il dut faire un effort pour ne pas se transformer contre sa volonté.

Si quoi que ce soit arrivait à Darcy…

—*Cazzo. Si*, j'ai fait surveiller le téléphone, mais nous sommes encore à plusieurs rues, avoua-t-il. (Il tenta en silence d'estimer le temps nécessaire pour atteindre l'entrepôt.) J'ignore qui se trouve dans le bâtiment avec vous, mais vous êtes en danger.

—Pourquoi je vous croirais ? (Elle eut le souffle coupé lorsqu'un hurlement lointain retentit derrière elle.) Merde.

Tous les instincts de Salvatore se mirent sur le qui-vive. Il reconnaissait ce cri.

Il ne pouvait appartenir qu'à un loup-garou.

—Écoutez-moi, *cara*. Vous devez sortir de là. Tout de suite.

La respiration de Darcy sifflait dans le téléphone.

—Ça commence vraiment à ressembler à un mauvais film d'horreur.

Salvatore fit signe à Hess d'accélérer.

—Quoi ?

—Vous savez, quand la police appelle la baby-sitter pour lui dire que les coups de fil de menace viennent de la maison ?

Il secoua la tête, se demandant si la peur l'avait rendue dingue.

—Je ne connais pas ce film, mais… (Il s'interrompit lorsqu'un grésillement soudain malmena son oreille fine.) Darcy !

Les parasites disparurent en même temps que la communication était coupée. Après avoir lancé le téléphone de côté, Salvatore jeta un regard furieux au bâtard près de lui.

— Emmenez-moi à l'entrepôt dans les quinze minutes ou je mange votre cœur au petit déjeuner.

Chapitre 13

D arcy fourra le téléphone dans sa poche en observant avec méfiance la femme qui se tenait près de la balustrade, au-dessus d'elle. Oh! là, là! Elle n'était pas du genre qu'on s'attendrait à voir rôder dans des entrepôts crasseux. Pas avec cette grande silhouette svelte, et ces cheveux noirs et lustrés qui encadraient un visage à l'ovale parfait et aux yeux bridés.

Elle ressemblait davantage à une plante exotique qui devrait être abreuvée de soie et de champagne.

Cela dit, Darcy était assez intelligente pour ne pas se fier aux apparences. Si ces derniers jours ne devaient lui avoir appris qu'une chose, c'était que les créatures les plus belles et les plus élégantes du monde se révélaient aussi les plus dangereuses.

Un fait qui ne fit qu'être confirmé lorsque l'étrangère glissa au bas des marches. Oui, glissa, reconnut Darcy en frissonnant. Il n'y avait pas d'autre mot pour ça.

Cette femme n'était pas humaine. Ou du moins, pas entièrement.

Darcy recula précipitamment vers la fenêtre la plus proche. Avoir une porte de sortie sous la main semblait une bonne idée. Pas autant qu'un pistolet, bien sûr, mais, vu qu'elle doutait d'être capable d'appuyer sur la gâchette même si elle en avait eu un, la fenêtre constituait sa meilleure chance.

—Ainsi, tu es la mystérieuse, ô combien fascinante Darcy Smith, déclara la femme d'une voix traînante et sur un ton qui donna la chair de poule à Darcy. Je m'étais dit que ta photo devait te desservir, mais je constate que tu es vraiment aussi… ordinaire que je le pensais.

Ordinaire?

Eh bien, Darcy avait déjà été traitée de pire. Mais pas avec cette pointe de malveillance-là, ni cette haine très personnelle qui brillait dans ces yeux noirs.

Pour une raison qu'elle ignorait, Darcy avait réussi à foutre cette femme en rogne, et à présent cette dernière était déterminée à le lui faire payer.

—Désolée de te décevoir, marmonna-t-elle. On s'est rencontrées?

—Tu serais déjà morte si c'était le cas, grogna la femme, dont les yeux noirs se mirent à flamboyer d'un éclat particulier.

Un autre frisson descendit lentement le long de l'échine de Darcy tandis qu'instinctivement elle tendait le bras pour toucher la fenêtre cassée derrière elle. Elle commençait à reconnaître cette lueur caractéristique.

Cette femme était une garou.

Ce qui signifiait que Salvatore lui avait menti effrontément… – apparemment une tradition pour les démons en tous genres – et que Darcy était vraiment dans la merde jusqu'au cou. Elle était peut-être capable de se défendre contre la plupart des humains, mais elle ne croyait pas un instant être en mesure de repousser un loup destructeur.

—Je vais beaucoup m'avancer, là, en supposant que tu ne m'apprécies pas beaucoup. (Darcy tentait de distraire la… chose qui se rapprochait toujours plus.) Ça t'ennuierait de me dire ce que j'ai fait pour te déplaire?

Une énergie étincelante rayonnait autour de son corps svelte.

— Tu es odieuse.

— De façon générale, ou tu peux être un peu plus précise ?

— Tu es humaine.

Elle tourna la tête pour cracher par terre.

Darcy arqua les sourcils.

— C'est tout ? Je suis odieuse parce que je suis humaine ? Plutôt dur.

— Parce que Salvatore te préfère à moi, dit-elle d'une voix sifflante.

Eh bien… purée.

C'était tout ce dont elle avait besoin. Une ex-petite amie psychopathe. Qui se trouvait être en plus une louve-garou.

Merci mille fois, Salvatore.

À la dérobée, Darcy entreprit d'ouvrir la fenêtre cassée. Elle aimait autant ne pas avoir à se jeter à travers les éclats de verre qui restaient, si elle pouvait l'éviter.

Ça lui arrivait d'avoir des idées folles comme ça.

— Alors, Salvatore ne sait pas que tu es ici ? répliqua Darcy.

— Bien sûr que non. (La lueur dans les yeux en amande devint carrément flippante.) Cet idiot s'est tant entiché de toi qu'il me tuerait s'il apprenait que j'ai croisé ton précieux chemin, rien que ça.

Ainsi, Salvatore ne lui avait pas menti.

Une vague de soulagement submergea Darcy. Stupide, évidemment, alors qu'il y avait de grandes chances qu'elle se fasse bientôt manger par la petite amie en colère.

Elle releva la fenêtre de quelques centimètres supplémentaires.

— Et pourtant, tu es là, dit-elle d'un ton tendu.

— Il n'aurait pas dû me repousser. J'ai beau être une bâtarde, je ne suis pas une chienne qu'on largue juste comme ça. (Le rayonnement se fit plus net et l'air fut envahi d'une chaleur qui picotait.) Il me le paiera.

Darcy déglutit pour faire partir la boule qu'elle avait dans la gorge.

Merde, merde, merde.

— Écoute, je suis sûre que tout ça n'est qu'un malentendu. C'est à peine si je connais Salvatore.

La fenêtre était presque à moitié ouverte. Juste quelques minutes de plus. *Oh, je vous en prie, mon Dieu, accordez-moi encore quelques minutes.*

— En fait, on est pratiquement des étrangers. Peut-être que, si tu retournais lui parler, tout ça pourrait s'arranger.

— J'ai l'intention de tout régler maintenant.

Avec un grondement à faire dresser les cheveux sur la tête, la femme bondit brusquement en avant, son corps svelte se métamorphosant avec fluidité de l'humain au loup sous le regard abasourdi de Darcy.

La stupéfaction la pétrifia l'espace d'un instant angoissant. S'entendre dire que les loups-garous existaient était une chose ; voir une femme se transformer en une bête imposante en était une autre.

Cette vision avait quelque chose d'étrangement impressionnant.

Et inspirait une terreur sauvage.

Lorsqu'elle reprit enfin ses esprits, Darcy parvint tout juste à se jeter sur le côté au moment où la garou retombait à seulement quelques centimètres d'elle. Un grognement frustré retentit quand elle tourna la tête, découvrant ses yeux rouges flamboyants et des dents qui semblaient spécialement faites pour déchiqueter la chair.

Ouille. Rien d'humain ne subsistait dans ces horribles yeux. Rien avec quoi il soit possible de discuter, en tout cas.

Tout en reculant en marchant en crabe, Darcy ne quitta pas du regard la louve-garou, qui se ramassait, prête à bondir de nouveau.

Elle n'avait pas la moindre idée de la façon dont elle était censée repousser cette bête, mais elle savait qu'elle devait essayer. Même si elle aurait préféré une solution non violente à leur affrontement, elle était assez intelligente pour comprendre qu'il serait difficile de raisonner avec une louve qui lui sautait dessus.

Un sourd grondement menaçant se fit entendre et l'animal s'élança comme un éclair. D'instinct, Darcy envoya de grands coups des deux jambes. C'était un acte désespéré, et pourtant, contre toute attente, elle réussit à frapper en plein sur le museau de la louve qui, avec un glapissement perçant, s'arrêta pour secouer la tête.

Aussitôt, Darcy se releva et se précipita vers la porte au loin. Elle ne croyait pas vraiment pouvoir l'atteindre mais, pour le moment, plus elle mettrait de distance entre elle et son agresseur, mieux ce serait.

Ce fut encore grâce à son seul instinct qu'elle eut la vie sauve. Lorsqu'elle sentit un picotement descendre le long de sa colonne vertébrale, elle se jeta en avant la tête la première, et se retrouva sur le sol crasseux à l'instant même où la louve-garou bondissait au-dessus d'elle.

L'impact soudain avec le ciment avait expulsé l'air de ses poumons, et elle dut faire un effort pour se mettre à quatre pattes.

Devant elle, elle vit que le saut débridé de la bête l'avait fait retomber au milieu d'une pile de tonneaux rouillés. Une poignée d'entre eux avait réussi à lui dégringoler dessus, et l'avait clouée au sol avec efficacité.

Mais pas pour longtemps, comprit Darcy. Sur le point de se relever, elle remarqua un court tuyau de métal à juste quelques centimètres d'elle. À contrecœur, elle le ramassa en se redressant et s'avança de nouveau vers la porte.

Elle avait presque traversé l'entrepôt quand le bruit de griffes qui raclaient le ciment la poussa à virevolter pour faire face à la louve-garou qui approchait.

— Merde, souffla-t-elle.

La bouche sèche, elle regarda les longues dents se diriger droit sur sa gorge.

Sans se laisser le temps de réfléchir, elle décrivit un arc de cercle avec le tuyau en direction de la tête de la bête.

L'acier percutant son crâne épais produisit un horrible son sourd et Darcy fut projetée en arrière par la puissance de l'impact. Elle récolta encore plusieurs bosses douloureuses, mais, tandis qu'elle se remettait sur ses jambes tant bien que mal, elle s'aperçut qu'elle était parvenue à assommer l'animal.

Peut-être plus que ça, reconnut-elle avec un violent frisson.

Couchée sur le flanc, les yeux fermés, la garou saignait abondamment d'une entaille qui s'étendait d'une oreille à la courbe du museau.

Darcy fut prise de nausée en prenant conscience qu'elle avait frappé cette femme plus fort qu'elle n'en avait eu l'intention.

Elle avait toujours senti qu'elle avait une force supérieure à la moyenne, mais battre une louve-garou…

Elle était vraiment un monstre.

Elle secoua la tête pour chasser ces pensées absurdes puis, la main encore serrée sur le tuyau, elle se dirigea vers la porte.

Elle se rua hors de l'entrepôt et, tandis qu'elle s'engageait dans le parking, elle aperçut une voiture de sport aux lignes pures garée près d'une poubelle.

Avec prudence, elle s'approcha du véhicule pour jeter un coup d'œil à l'intérieur, prête à filer au premier signe que la femme n'était pas seule. Son cœur fit un bond lorsqu'elle remarqua les clés encore sur le contact.

Oh! là, là! Se pourrait-il que la chance soit enfin de son côté?

Darcy ouvrit la portière d'un coup sec et se glissa sur le siège du conducteur. Le moteur ronronna à la première tentative et, se débattant contre le levier de vitesses qui ne lui était pas familier, elle réussit à traverser le parking en faisant des embardées.

Elle ignorait où elle allait, mais c'était loin de l'entrepôt. Et même très loin.

Elle n'avait aucune envie d'un deuxième round avec la louve-garou inconsciente. Pas alors qu'elle était couverte de bleus, meurtrie et que le seul fait de savoir qu'elle avait délibérément blessé quelqu'un la rendait encore malade.

Et, bien sûr, Salvatore arriverait d'un moment à l'autre.

Elle était bien trop énervée pour faire confiance au sang-pur pour l'instant. Qu'il ait envoyé la louve ou non, elle le tenait pour responsable de cette attaque.

Se retirer paraissait une meilleure idée. Elle pourrait ainsi prendre le temps de réfléchir plus amplement au moment et aux conditions de son entrevue avec cet homme.

En s'engageant hors du parking, Darcy sortit le téléphone de sa poche. Tandis qu'elle conduisait lentement sur la route déserte, elle apprit le numéro de Salvatore par cœur avec le plus grand soin.

Lorsqu'elle fut certaine de s'en souvenir sans effort, elle baissa la vitre de la voiture et, avec un petit sourire, jeta le portable dans le terrain inoccupé près duquel elle passait.

Elle en avait assez d'être l'infortunée monnaie d'échange d'une guerre personnelle entre démons qu'elle ne comprenait pas.

Désormais, elle avait l'intention de jouer selon ses règles à elle.

Styx marmonna un chapelet d'anciens jurons en pénétrant dans l'entrepôt sombre. Même si l'air était imprégné du parfum de Darcy, il était évident qu'elle s'était déjà enfuie.

Pire encore, il discernait l'odeur fétide caractéristique des loups-garous.

Traversant l'obscurité, Styx découvrit la femme allongée, inconsciente, sur le sol. Sur le côté de son visage, une blessure cicatrisait, et une bosse résultant d'un violent coup était visible sur sa tempe.

Darcy?

Cela semblait incroyable que son ange adorable et innocent puisse avoir vaincu cette bâtarde, mais s'il ne devait avoir appris qu'une chose au cours des derniers jours, c'était qu'il était vain de tenter de prédire les réactions de Darcy.

Elle l'avait perturbé, déconcerté et fasciné dès l'instant où il l'avait enlevée.

Un léger déplacement d'air lui signala que Viper s'avançait vers lui.

Styx l'avait appelé avant de partir à la recherche de Darcy. Il avait retenu la leçon, et il n'était plus question pour lui de foncer seul tête baissée. Il avait déjà envoyé ses Corbeaux au repaire de Salvatore afin qu'ils surveillent le satané sang-pur.

— Ses traces mènent au parking, mais elle a dû trouver une voiture pour s'enfuir. Elle est certainement à des kilomètres maintenant.

— Bon sang.

Styx se tendit de frustration. La nuit passait trop rapidement. Bientôt, l'aube serait là et il serait obligé de s'abriter.

Darcy se retrouverait livrée à elle-même.

À la merci de Salvatore.

Eh bien, peut-être pas complètement à sa merci, reconnut-il en parcourant des yeux la louve inanimée. Viper, qui avait suivi son regard, croisa les bras sur la poitrine.

— Qui est cette bâtarde ?

Styx grimaça de dégoût.

— Elle a l'odeur de Salvatore. Elle doit faire partie de sa meute.

— Tu crois qu'elle est venue ici pour rencontrer Darcy ?

À cette seule pensée, les canines de Styx lui firent mal, tant l'envie de les plonger dans de la chair de garou était forte. Bien sûr, son humeur était si massacrante qu'il les aurait enfoncées dans n'importe quoi.

— Quelles qu'aient été les raisons de sa présence, on dirait que ça ne s'est pas déroulé comme elle l'avait prévu.

— Non, ça n'a pas l'air de s'être bien passé du tout. (Viper se tourna pour regarder Styx en haussant les sourcils.) Ta femme sait se débrouiller.

— C'est ce qu'il semblerait.

Styx se rembrunit, le cœur serré à l'idée de Darcy affrontant cette bâtarde. Pas seulement parce qu'elle aurait pu si facilement être blessée, mais parce qu'il connaissait suffisamment son ange pour se douter qu'elle souffrait profondément d'avoir frappé quelqu'un.

— Elle doit avoir senti que sa vie était menacée, sinon elle ne se serait jamais débattue. (Styx se retourna brusquement pour marcher vers la porte, reniflant avec insistance l'air confiné.) Mais pourquoi Salvatore aurait-il envoyé une bâtarde l'attaquer ? S'il voulait qu'elle meure, il aurait pu la tuer dans le bar, ou même quand il s'est introduit dans la propriété. Il paraissait tenir absolument à l'avoir vivante.

— C'est ce qui semble être la question. (Viper examinait avec attention l'entrepôt de son côté.) Une autre femme était là, aussi. Une humaine.

Styx feula tout bas.

221

—Rien de tout cela n'a de sens.

Viper examina en vitesse le sac noir qui avait été laissé par terre, avant de secouer la tête.

—C'est un mystère qui devra être résolu plus tard, mon vieil ami. L'aube est à moins d'une heure. Nous ne pouvons pas nous attarder ici.

Styx serra les poings.

—Si Darcy a une voiture, elle pourrait se trouver à l'autre bout de l'État avant que je puisse me remettre à sa recherche.

Percevant sans mal la rage et la frustration qui bouillaient en Styx comme la lave d'un volcan au bord de l'éruption, Viper s'approcha de lui pour poser doucement sa main sur son épaule.

—Même l'Anasso ne peut gagner un combat contre le soleil, lui rappela-t-il gentiment.

—Vous n'êtes certainement pas en train de dire que l'invincible Styx a peur de quelques rares rayons de soleil? demanda une voix moqueuse depuis la porte. Comme c'est terriblement décevant. La prochaine fois, vous m'apprendrez que vous ne pouvez pas sauter par-dessus les gratte-ciel ni arrêter les balles.

Seule la main qui le retenait par l'épaule empêcha Styx de bondir par l'ouverture pour déchirer la gorge du sang-pur.

—Je crains peut-être la lumière du soleil, mais pas les chiens, le prévint-il avec un mépris glacial. Montrez-vous, Salvatore.

—Avec plaisir.

Sans se presser, Salvatore franchit la porte, vêtu d'un costume gris fumée impeccable, son bâtard bien dressé sur les talons. Il se déplaçait avec la grâce pleine d'aisance de tous les garous, même si une tension indéniable rayonnait autour de son corps svelte.

— Ah, le magnifique Viper est là aussi. Nous avons vraiment beaucoup de chance de nous trouver en présence de vampires si éminents, n'est-ce pas, Hess ?

Le bâtard massif jeta un regard noir aux deux vampires, puis se passa délibérément la langue sur les lèvres.

— J'ai bien l'impression que le repas est servi, mon seigneur.

Styx sourit en laissant son pouvoir tournoyer vers l'extérieur, et mettre le bâtard à genoux.

— Ce repas a des dents, chien, et je ne suis pas très digeste. Bien sûr, si vous ne me croyez pas, n'hésitez pas à essayer d'en goûter un morceau.

Le bâtard se releva, mais avant qu'il puisse se suicider efficacement, Salvatore l'attrapa par le bras pour le tirer en arrière.

— Doucement, Hess. Nous avons des problèmes plus importants à régler, cette nuit. (Le sang-pur s'avança tranquillement pour observer la femme toujours inanimée, sur le sol.) Jade. J'aurais dû m'en douter. (Il se tourna vers Styx.) Je suis surpris que vous ne l'ayez pas tuée.

Styx montra les crocs. Peut-être un peu puéril pour le noble Anasso, mais la dignité ne lui importait pas vraiment, en ce moment.

— Je l'aurais fait. Ce n'est pas mon œuvre.

— Darcy ? (Salvatore esquissa lentement un sourire, tandis qu'une expression ravie illuminait son visage fin.) Bien, bien. Qui s'en serait douté ? Elle devient une sacrée femme. De celles que tout homme serait heureux de faire sienne.

Une rage féroce et absolue submergea Styx, et même Viper qui le tenait étroitement ne put l'empêcher de s'élancer en avant pour empoigner Salvatore par le cou. Il le viderait jusqu'à la dernière goutte avant de laisser ce chien poser la main sur Darcy.

Avec une rapidité fulgurante, Salvatore donna de grands coups de pied, réussissant à atteindre Styx au genou. Ce dernier feula et resserra son emprise sur la gorge du garou.

— Avez-vous envoyé cette bâtarde la tuer ? demanda-t-il d'une voix rauque.

Salvatore grogna en frappant brutalement Styx au ventre.

— J'ai toujours entendu dire que les vampires avaient certains manques au niveau de leur anatomie. J'ignorais qu'il s'agissait de la taille de leur cerveau.

Styx esquiva un uppercut avant que Salvatore lui assène un autre coup dans l'estomac. Il tressaillit, puis fut obligé de bondir en arrière lorsque le garou sortit d'un geste souple un poignard de sous sa veste.

Débarrassé de la menace immédiate, Salvatore ajusta sa cravate avec calme et jeta un regard furieux à Styx.

— Je sacrifierais tout pour garder Darcy en vie.

Ce serait un jeu d'enfant de se débarrasser du poignard et de maîtriser de nouveau le garou, mais Styx résista à cette envie.

Bordel. Qu'était-il arrivé à son sens de la discipline ? À sa perspicacité et à sa logique froides ?

L'Anasso ne se roulait pas dans la boue avec un simple loup-garou.

— Alors pourquoi cette femme l'a-t-elle attaquée ?

— Jade a tendance à être un peu nerveuse, même pour une bâtarde.

Styx plissa les yeux.

— Vous voulez me faire croire que cette… bâtarde s'est trouvée par hasard dans cet entrepôt et a décidé d'agresser Darcy ?

Salvatore haussa les épaules.

— Elle a dû surveiller votre propriété dans l'espoir d'une occasion de se retrouver seule avec elle. (Il s'interrompit, un sourire moqueur lui étirant les lèvres.) Que faisait-elle ici d'ailleurs ?

— Ne me prenez pas pour un imbécile, chien. (La poussière tourbillonna alors que le pouvoir de Styx agitait l'air autour de lui.) Darcy est peut-être naïve, mais je vous assure que ce n'est pas mon cas. Vous avez dissimulé à dessein une photo truquée, afin d'attirer Darcy loin de ma protection.

— Cette photo n'a rien de faux, vamp.

— Impossible.

— Si vous le souhaitez, je peux demander à Sophia de vous arracher la gorge, pour vous démontrer à quel point elle est réelle. (Ses yeux dorés flamboyèrent dans la faible lumière.) C'est ce qui risque d'arriver, de toute façon, dès qu'elle aura découvert que vous avez enlevé sa fille.

Styx demeura silencieux. Se pouvait-il que ce soit vrai ? Cette photo était-elle authentïque ? Et dans ce cas, cette femme pouvait-elle faire partie de la famille de Darcy ?

Il repoussa brusquement ces interrogations subites. Ce n'était pas le moment de se tracasser avec des « *si* ».

— À quel jeu jouez-vous, Salvatore ? demanda-t-il.

Les traits graves du garou se durcirent. Son propre pouvoir rendit l'air mordant.

— Il n'est pas question de jouer. Darcy m'appartient.

— Jamais.

— Vous avez vécu suffisamment longtemps pour ne jamais dire jamais, vamp.

Ce sang-pur manifestait vraiment une attitude suicidaire.

— Vous serez mort avant de poser les mains sur elle.

— Pas si je vous mets dans votre tombe en premier.

Styx avança d'un pas, parfaitement prêt à relever le défi que Salvatore voudrait lui adresser.

— C'est une menace ?

— Oh oui. (La lueur dans ses yeux dorés miroita tandis que Salvatore luttait pour maîtriser sa bête.) Vous avez kidnappé ma reine. Personne ne me reprochera le châtiment que je choisirai. Y compris la mort.

— Votre reine ?

Styx se raidit comme si Salvatore lui avait planté un poignard dans le cœur. En fait, il avait l'impression que c'était le cas.

— Un sang-pur ne prend pour compagne qu'une autre sang-pur, ajouta-t-il.

— Exactement.

Styx feula, menaçant. Tuer ce garou et en finir une bonne fois pour toutes devenait une tentation de plus en plus forte à chaque instant

À n'en pas douter, le plaisir de mettre Salvatore dans une belle tombe bien profonde compenserait n'importe quelle peine qu'on lui infligerait.

— Darcy n'est pas une louve-garou, dit-il entre ses dents.

— En êtes-vous si sûr, vamp ?

— Par tous les dieux, c'est une ruse.

Salvatore esquissa un sourire railleur.

— Croyez ce que vous voulez. (Il fit tournoyer le poignard, puis le glissa en douceur sous sa veste et commença à traverser la salle sans se presser.) Venez, Hess, nous devons suivre la piste de ma reine. Vraiment navré que vous ne puissiez vous joindre à nous, Styx. D'ici à ce que le soleil se couche de nouveau, Darcy sera mienne. Dans tous les sens du terme.

Styx s'était mis en branle avant même d'avoir réfléchi.

Que ce chien pose un doigt sur Darcy ? Jamais de la vie.

Il bondit en avant, sans s'attendre à rencontrer la grande silhouette qui surgit soudain devant lui. Il percuta Viper avec une violence terrible, qui les envoya tous deux au sol.

En un clin d'œil, Styx était debout, mais Viper aussi.

— Styx, non, gronda ce dernier.

Son expression farouche indiquait qu'il était tout à fait prêt à se battre contre son Anasso pour l'empêcher de poursuivre ce satané garou.

— L'aube est trop proche pour que tu affrontes les garous. Nous devons partir d'ici. Tout de suite, ajouta-t-il.

— Et le laisser libre de retrouver Darcy? demanda Styx, dont tout le corps tremblait tant le besoin de suivre le sang-pur était puissant. Il la rattrapera bien avant le coucher du soleil.

Une expression étrange passa sur les traits pâles et gracieux de son ami.

— Si elle est vraiment sa reine, alors tu devras t'effacer, Styx, dit-il d'un ton prudent. Même le Comité ne permettra pas que tu retiennes prisonnière la compagne d'un roi.

— Darcy n'est pas une louve-garou, répliqua-t-il d'une voix glaciale.

— Mais…

— Ça suffit, Viper. Comme tu n'as pas cessé de le répéter, l'aube ne va pas tarder.

Tournant les talons, Styx traversa l'entrepôt. Son pouvoir envoya la poussière tourbillonner autour de lui, et les vitres des fenêtres volèrent en éclats sous la pression.

Il était un vampire en rogne, et tout ce qui se trouvait à proximité était en danger.

Bon sang.

Il n'envisagerait même pas la possibilité que Salvatore ne mente pas.

Il mentait forcément.

Darcy ne pouvait pas être la reine d'un loup.

Pas quand il était absolument sûr qu'elle était prédestinée à être sa propre compagne.

CHAPITRE 14

Darcy se réveilla avec une crampe à la jambe et un douloureux torticolis.

Manifestement, les voitures de sport étaient très bien pour qui voulait épater la galerie, mais, pour une pauvre femme qui tentait de grappiller quelques heures de sommeil, c'était de la merde.

Elle se frotta la nuque, sortit péniblement du véhicule et parcourut des yeux le petit parc dans lequel elle avait décidé de se cacher.

C'était l'un de ces jardins absolument impeccables qu'on ne trouvait que dans les quartiers les plus élégants. Un endroit où elle n'avait pas à craindre d'être attaquée pendant qu'elle dormait. Du moins, pas par des humains. Et comme elle avait réussi à voler le genre de voiture qui ne pouvait appartenir qu'à quelqu'un d'une richesse considérable, même la police n'avait pas pris la peine de la déranger.

Son ventre gargouilla, et elle soupira en repensant aux délicieuses barres de céréales qu'elle avait laissées dans le sac que Gina lui avait apporté.

Merde.

Cette imbécile de louve-garou avait tout gâché.

Bien sûr, cette femme regrettait sans doute encore plus que Darcy de l'avoir attaquée. Du moins, pour le moment.

De nouveau, Darcy fut prise de nausées au souvenir persistant de leur violent affrontement. Putain, cette femme

229

était manifestement folle. Comment pouvait-elle être jalouse alors que Darcy avait à peine parlé à Salvatore ?

Peut-être que tous les loups-garous étaient tout bonnement fous.

Ou que c'était elle qui était folle, reconnut Darcy en poussant un petit soupir.

Quelle femme ayant une once de bon sens traînerait dans ce parc alors qu'elle pouvait être en train de conduire aussi vite et aussi loin de Chicago que possible ?

Elle avait bouclé ses valises pour repartir de zéro plus de fois qu'elle ne pouvait s'en souvenir. Après tout, rien ni personne ne l'avait jamais retenue en un lieu.

Une nouvelle ville, un nouveau travail, un nouveau départ.

La belle affaire.

Mais malgré la petite voix qui lui chuchotait de céder à cette tentation, elle savait qu'il n'y avait pas moyen qu'elle s'en aille.

Pas avant d'avoir découvert la vérité au sujet de cette photo.

Elle mit une main sur son ventre qui gargouillait et se figea peu à peu comme un étrange picotement lui donnait la chair de poule.

Le parc paraissait tranquillement endormi sous sa légère couette de neige, mais elle sentit d'instinct qu'elle n'était plus seule.

Quelque chose, ou quelqu'un, se glissait entre les arbres proches dans un silence qui n'avait rien d'humain.

Alors qu'elle reculait lentement vers la voiture, prête à fuir, la silhouette élégante de Salvatore sortit de l'ombre. Elle reconnut le géant massif juste derrière lui pour l'avoir vu la nuit où ils l'avaient abordée pour la première fois. M. Muscles était carrément habillé des mêmes tee-shirt et jean noirs, comme s'il faisait vingt-cinq degrés au lieu de moins sept.

Salvatore, évidemment, était vêtu d'un autre costume hors de prix. Celui-là était gris cendré, assorti à une chemise à fines rayures et à une cravate de soie impeccable.

Elle se demanda s'il les achetait par lots.

— Oh, oh, souffla-t-elle.

Elle recula et se cogna soudain contre la voiture.

Lorsqu'il la vit tâtonner à la recherche de la poignée de la portière, Salvatore fit aussitôt un pas en avant et leva une main implorante.

— Je vous en prie, Darcy, ne fuyez pas. (Son accent était mis en évidence par son ton suppliant.) Je vous jure que je ne suis pas venu ici pour vous faire du mal.

Elle grimaça au souvenir de sa dernière rencontre avec un loup-garou.

— Et je devrais vous croire parce que… ?

Il haussa les épaules.

— Parce que, si je vous voulais du mal, vous ne pourriez rien faire pour m'en empêcher.

Eh bien, c'était appeler un chat un chat.

Ou peut-être, un loup un loup.

— C'est censé me rassurer ?

Il sourit avec lenteur.

— En fait, vous ne devriez pas avoir besoin que je vous rassure. Vous avez prouvé que vous étiez parfaitement capable de vous débrouiller si nécessaire.

Elle tressaillit, la note de fierté qui transparaissait dans la voix de Salvatore n'étant pas à son goût. Bon Dieu, la dernière chose qu'elle voudrait jamais serait qu'on l'admire pour avoir frappé quelqu'un.

— Vous étiez à l'entrepôt ?

— Oui.

— Est-ce que la femme… Elle va bien ?

— Elle se remettra de ses blessures.

L'expression de son superbe visage changea légèrement. Comme si ses émotions passaient sous sa peau, pas dessus.

— Mais quant à savoir si ça va aller pour elle…, poursuivit-il. Il me faut encore décider de la façon dont je vais la punir.

Darcy ne prit pas la peine de dissimuler son air désapprobateur.

— La punir ?

Les yeux dorés flamboyèrent dans le soleil éclatant. Elle jugea que c'était tout aussi troublant à midi qu'à minuit.

Comme quoi, elle n'était pas complètement bête.

— Il n'y a pas d'autre solution, lui apprit-il d'un ton qui n'admettait aucun compromis. Non seulement elle a désobéi à mes ordres directs, mais elle a osé vous attaquer. Cela, je ne le tolérerai pas.

— Si vous voulez mon avis, je trouve qu'elle a été suffisamment punie, marmonna Darcy.

La femme qui avait tenté de lui arracher la tête ne lui inspirait aucune sympathie, mais elle refusait de servir d'excuse pour qu'on lui inflige des souffrances supplémentaires.

Salvatore poussa un petit soupir et rajusta soigneusement les manchettes de son impeccable chemise.

— Il faut vraiment que vous surmontiez votre nature douce, *cara*. Sinon, dans notre monde, vous allez vous faire tuer.

Elle releva le menton. Il était hors de question qu'on la réprimande comme si elle était une enfant. Elle ne s'excuserait pas parce qu'elle n'appréciait pas la violence.

— Vous voulez dire, *votre* monde.

— Non, le nôtre. (Le garou laissa un silence stratégique s'installer, surveillant avec attention la moindre de ses expressions.) Vous faites réellement partie des nôtres, Darcy.

Le cœur de la jeune femme bondit brusquement.

— Un démon ?

Salvatore entrouvrit les lèvres comme s'il allait enfin répondre aux questions les plus pressantes de Darcy, puis, secouant la tête avec impatience, il jeta un coup d'œil délibéré aux environs.

— Ce n'est pas un endroit pour discuter. Venez avec moi et je vous révélerai tout.

— Nous pouvons très bien parler ici.

— Vous êtes incroyablement têtue pour un si petit bout de femme, grommela-t-il avant qu'un sourire contrit lui étire les lèvres. Ce qui devrait rendre notre vie commune très intéressante.

Vie commune ? Comme dans « et ils vécurent heureux jusqu'à la fin de leurs jours » ? Purée.

Elle s'appuya contre la voiture et l'observa avec une méfiance renouvelée.

— Attendez, chef. Vous allez un peu vite en besogne, marmonna-t-elle.

— Chef ? (Il avait l'air extrêmement offensé.) Je suis *roi*, pas chef. Vous découvrirez que les garous sont bien plus raffinés que les vampires, en dépit de notre réputation de sauvages.

Prise au dépourvu par son mécontentement manifeste, Darcy arqua les sourcils.

— Je ne vous confondrai jamais avec un sauvage. Pas dans un costume à 1 000 dollars.

— Merci… (Il l'observa un long moment.) Je crois.

— Ce qui ne signifie pas, néanmoins, que j'aie l'intention de passer ma vie avec vous.

— Pourtant, c'est ce que vous ferez, vous savez, lui affirma-t-il en baissant la voix, donnant une tonalité rauque et sensuelle à ses mots. C'est notre destinée.

Darcy frissonna. Incontestablement, cet homme possédait un magnétisme animal puissant. Même de loin, il parvenait presque à lui mettre les jambes en coton. Cependant, Darcy n'était pas intéressée par la passion dévorante à l'état brut qu'il lui offrait.

Elle préférait de beaucoup la tendresse déchirante de son vampire.

À la pensée de Styx, une pointe de douleur inattendue lui transperça le cœur.

Même si elle était furieuse contre lui, et qu'elle avait de sacrément bonnes raisons de l'être, elle ne pouvait nier qu'il lui manquait.

Lorsqu'il se trouvait près d'elle, elle ne ressentait aucune peur, aucun doute.

Elle se sentait entière d'une façon qui n'était pas fondée sur les sentiments ou la raison.

— Je ne crois pas vraiment au destin. J'aime mieux penser que j'ai un certain contrôle sur ma vie, dit-elle en serrant les bras sur son ventre. (Tout à coup, elle eut l'impression d'être gelée jusqu'aux os.) Plutôt ridicule quand on regarde dans quelle situation je me trouve, pas vrai ?

Soudain, le sang-pur bougea, mal à l'aise, et la dévisagea avec une méfiance étrange.

— Darcy, *cara*, vous n'allez pas pleurer, si ?

Elle renifla, surprise de constater qu'elle était effectivement au bord des larmes.

Cette prise de conscience affermit son courage comme rien d'autre ne l'aurait pu. Merde. Elle n'allait quand même pas verser des larmes à cause d'un vampire arrogant.

Même si ce vampire était parvenu à se loger dans son cœur.

— Ce n'est rien. (Elle secoua la tête, dégoûtée.) Je suis juste fatiguée, terrifiée et affamée.

Salvatore, qui semblait toujours perturbé d'une manière ridicule à l'idée d'avoir peut-être affaire à une femme pleurnicharde, s'éclaircit la voix.

—Je crains de ne pouvoir rien faire au sujet de votre fatigue et de votre peur, mais je suis prêt à vous nourrir, si vous le souhaitez. (Il adressa un geste brusque à son compagnon.) Hess.

Après avoir rejoint le sang-pur, l'incroyable Hulk lui fit une profonde révérence. Le tee-shirt noir protesta, mais ne craqua pas. Darcy s'était presque attendue au contraire.

—Oui, mon seigneur ?

Sa voix était rauque, comme s'il passait plus de temps à grogner qu'à parler.

—Allez dans le restaurant le plus proche et rapportez à Mlle Smith de quoi déjeuner. (Ses yeux dorés se posèrent sur Darcy.) Avez-vous une préférence ?

Elle avait trop faim pour rejeter son offre. De plus, elle ne pouvait nier qu'être débarrassée de Hess lui procurerait un certain soulagement. Il avait un regard sauvage qui la rendait particulièrement nerveuse.

Comme si elle était une côtelette de porc qu'on faisait pendiller juste au-dessus de la gueule d'un chien enragé.

—Pas de viande, dit-elle avec plus d'insistance que nécessaire.

Les deux hommes en restèrent bouche bée.

—Pas de viande ? répéta Salvatore. Vous êtes sérieuse ?

—Pourquoi pas ? Je suis végétarienne.

—Impossible, souffla Salvatore, manifestement choqué.

—Où est le problème ? demanda-t-elle. Beaucoup de gens ne mangent pas de viande. Vous savez, c'est bien meilleur pour la santé de consommer des fruits et des légumes.

—Mais pas un…

Le sang-pur s'interrompit brusquement, et il afficha une expression impassible.

—Un quoi?

Il ne tint pas compte de sa question et se tourna vers son compagnon.

—Hess, apportez à Mlle Smith quelque chose qui ne contienne pas de viande.

Un grondement menaçant sortit lentement de la gorge de l'homme massif.

—Mon seigneur, je ne pense pas que je devrais vous laisser seul ici. Il pourrait s'agir d'un piège.

Salvatore plissa les yeux.

—Un piège très astucieux, vu qu'il fait grand jour et que même le vampire le plus déterminé n'oserait pas s'aventurer hors de son repaire.

—Les vampires ne constituent pas l'unique danger.

—Parfaitement vrai, mais je ne suis pas sans défense.

—Je crois quand même que je devrais rester. (Hess tourna la tête pour montrer les dents à Darcy.) Je ne fais pas confiance à cette femme. Elle pue le mensonge.

—Hé…

Darcy allait protester mais elle s'étrangla quand Salvatore gifla l'homme avec nonchalance.

Avec un cri étonné, le bâtard tomba à genoux et porta la main à sa bouche sanglante.

—Cette femme est destinée à être votre reine, Hess, déclara Salvatore d'un ton sinistre. Et surtout, je vous ai prévenu plus d'une fois que, quand je voudrai votre avis, je vous le demanderai. D'ici là, vous allez faire ce que je vous ordonne sans poser de questions. Vous avez compris?

—Oui, mon seigneur.

Après s'être remis debout, Hess esquissa une révérence, puis recula avec une prudence évidente.

Darcy attendit qu'il disparaisse parmi les arbres et que l'impression de violence qui flottait s'atténue peu à peu avant de pousser un profond soupir.

—Purée.

Salvatore s'avança d'une démarche souple, et ne s'arrêta que lorsqu'il fut si proche de Darcy qu'elle se raidit.

—Je suis désolé s'il vous a fait peur, *cara*, dit-il d'une voix apaisante. Les bâtards sont de nature indisciplinée, et Hess plus que d'autres. Ce qui en fait un serviteur guère fiable.

Elle humecta ses lèvres soudain sèches.

—Ce n'est pas lui qui m'a effrayée, répondit-elle lentement. Vous frappez toujours vos serviteurs comme ça?

Il haussa les épaules.

—Nous sommes des loups-garous, Darcy, pas des humains. Et, à l'instar de tous les démons, nous sommes des bêtes violentes. Nous respectons la force. Je ne suis pas roi juste parce que je suis un sang-pur. C'est ma puissance qui fait de moi un chef.

Une sensation de froid envahit le cœur de Darcy.

—Je ne peux pas croire que tous les démons soient violents.

—Peut-être qu'une poignée peut se prévaloir d'une nature plus douce, mais, je vous l'assure, pour la plupart des démons la force brutale est indispensable. Ce sont les mœurs de notre monde.

Elle baissa les yeux comme son ventre se tordait sous l'effet d'une sensation de malaise. Elle n'allait pas croire qu'elle était en quelque sorte destinée à devenir une bête sauvage.

Ce n'était certainement pas dans son caractère, peu importait à quel point son sang était mauvais.

Non, bien sûr que ce n'était pas le cas. Elle ne permettrait pas que ça le soit.

Elle releva la tête et rencontra le regard doré de Salvatore.

—Alors, je n'aime pas beaucoup votre monde.

Il tiqua à ses paroles virulentes.

—Vous croyez que les vampires sont différents?

237

— Peut-être pas. (Elle le regarda droit dans les yeux.) Mais je n'ai jamais eu peur que Styx me gifle.

— Ah. (Il l'observa attentivement.) Vous pensez que je le ferais ?

— À vous de me le dire.

— Je ne vous ferais souffrir que si c'était ce que vous désiriez. Vous êtes ma femme, ma reine. Mon égale.

Darcy se rembrunit. Salvatore avait déjà laissé entendre qu'elle lui inspirait un intérêt intime, mais pas à ce point.

Elle ne pouvait qu'imaginer qu'il se moquait d'elle.

— Ouais, c'est ça. Moi une reine, très drôle, marmonna-t-elle.

Il fronça les sourcils, et inclina la tête en prenant une profonde inspiration. À coup sûr, il sentait ce qu'elle pensait, ce qu'elle ressentait et ce qu'elle avait mangé deux semaines auparavant.

Les démons et leur putain de nez.

Finalement, il secoua la tête avec lenteur.

— Ce n'était pas censé être drôle.

— Tant mieux, parce que ça ne l'est pas, répliqua-t-elle. Comment pourrais-je bien être la reine des loups-garous quand à l'évidence je n'appartiens pas à cette espèce ?

Les yeux dorés brillèrent d'une lueur qui aurait pu être du regret.

— Ce n'est pas ainsi que je souhaitais vous apprendre la vérité, *cara*. Vous rendez les choses plus difficiles qu'elles ne devraient l'être.

Oh non, non, non.

La sensation de froid s'installa de nouveau dans le cœur de Darcy et, sans réfléchir, elle s'écarta soudain de la voiture, pour mettre une distance dont elle avait grandement besoin entre elle et le loup-garou.

Elle ignorait ce qu'il s'apprêtait à dire, mais elle pressentait qu'elle ne voulait pas l'entendre.

— Dans ce cas, nous devrions peut-être changer de sujet, déclara-t-elle d'un ton cassant. Parlez-moi de cette photo. Qui est cette femme ?

Salvatore fut assez sage pour ne pas la suivre. Il s'appuya plutôt contre la voiture de sport avec élégance.

— Une personne qui désire énormément vous rencontrer.

— Alors, pourquoi ne se trouve-t-elle pas avec vous ?

— Elle devrait arriver à Chicago d'ici à demain, ou après-demain au plus tard.

Darcy cligna des yeux, étonnée. Elle n'était pas en ville ?

Elle n'était pas enfermée dans un cachot, peut-être même torturée en cet instant ?

— Elle ne… reste pas avec vous ?

— Pas en ce moment. (Salvatore haussa les épaules.) Elle a été accaparée par ses propres responsabilités au cours des dernières semaines, mais, dès que je l'ai appelée pour lui dire que vous aviez pris contact avec moi, elle a tout laissé en plan pour se précipiter à votre rencontre.

Darcy fit un effort pour réorganiser ses pensées. Une tâche incroyablement difficile.

— Ainsi, elle ne court pas de danger particulier ?

— Bien sûr que non. (Il plissa les yeux en voyant l'expression déconcertée de la jeune femme.) Quelque chose ne va pas ?

Eh bien, rien à part le fait qu'elle avait complètement paniqué à l'idée d'avoir peut-être découvert sa mère et de risquer de la perdre. Et que son affolement l'avait amenée – d'une façon assez compliquée – à fuir Styx, s'exposer à un loup-garou jaloux déterminé à la tuer, commettre un vol de voiture et se trouver à présent dans un parc glacial tandis que son ventre grondait de faim.

Qu'est-ce qui pourrait bien ne pas aller ?

Elle s'éclaircit la voix.

— Comment la connaissez-vous ?

—Nous avons été proches durant plus d'années que vous ne pouvez vous l'imaginer.

—Ah…

Elle médita les mots de Salvatore jusqu'à ce qu'elle comprenne ce qu'il devait vouloir dire. Oh! là, là! C'était quelque chose à quoi elle n'avait jamais pensé.

—Ah, dit-elle encore.

Les lèvres du sang-pur s'étirèrent en un sourire sensuel.

—Je présume d'après cette rougeur charmante que vous en déduisez un peu vite que nous sommes amants.

—C'est le cas? demanda-t-elle sans ménagement.

—Non. (Il lissa doucement sa cravate bleu pâle.) Sophia séduirait certainement tout homme par sa beauté et ses attraits, mais elle a déjà plusieurs amants. Je préfère ne pas en être réduit à faire partie du lot.

Des amants? Au pluriel? Comme un harem entier d'hommes?

Putain. Ça devenait de plus en plus bizarre.

Ce qui n'était pas peu dire.

Darcy appuya ses doigts sur ses tempes qui l'élançaient. Elle avait besoin de plus de six heures de sommeil dans une voiture exiguë pour faire face à tout ça.

—Oh! là, là! Ça me donne mal à la tête.

Elle jeta un regard noir à Salvatore et décida qu'elle en avait assez des sous-entendus voilés et des allusions subtiles. Il était temps de prendre le taureau par les cornes. Ou le loup par les crocs. Peu importait. Elle inspira un grand coup.

—Qui est cette femme?

—Je pensais que c'était évident.

—Je veux l'entendre de votre bouche.

Un silence tendu s'installa avant qu'il s'éloigne de la voiture pour se mettre juste devant elle.

—Cette femme est votre mère, Darcy, déclara-t-il.

Même si elle s'y attendait, elle eut les jambes en coton et son cœur battit la chamade.

—Vous en êtes sûr ? chuchota-t-elle.

Il tendit le bras pour effleurer la joue pâle de la jeune femme.

—Vu que j'étais présent à votre naissance, j'en suis absolument certain. (Les doigts du garou glissèrent vers la commissure de ses lèvres.) Vous étiez un bébé incroyablement beau, tout comme vos sœurs.

—Mes sœurs ?

Brusquement, elle agrippa les poignets de Salvatore avec frénésie. C'était ça, ou tomber à genoux.

—J'ai des sœurs ?

—Votre mère a mis au monde des quadruplées, dit-il d'une voix douce. Ce qui n'est pas rare pour une sang-pur.

Darcy poussa un cri et commença à reculer, les mains levées en un geste implorant.

—Attendez. Attendez… c'est tout.

Il cligna des yeux face à sa violente réaction, comme s'il ne venait pas de lâcher l'équivalent d'une bombe nucléaire sur elle.

—Qu'y a-t-il, Darcy ? Ça ne va pas ?

Elle serra les bras sur son ventre en continuant à reculer.

—Je suis bouleversée. J'ai besoin de quelques instants.

Il pinça les lèvres, sentant sans mal la panique à peine maîtrisée de la jeune femme.

—Je vous ai pourtant prévenue que ce n'était pas le lieu pour cette conversation.

—Je vous assure que le cadre n'a rien à voir avec ma réaction. (Elle lâcha un rire bref, presque hystérique.) Pour l'amour de Dieu, j'ai été complètement seule pendant trente ans, et maintenant je découvre soudain que non seulement j'ai une mère, mais également trois sœurs. (Elle déglutit pour se débarrasser de l'étrange boule dans sa gorge.)

Et pour couronner le tout, vous avez plus que laissé entendre que ma mère est une louve-garou. Ce qui devrait signifier…

— Que vous en êtes une aussi, termina-t-il doucement. *Si*.

— Non, nia-t-elle instinctivement.

Styx avait affirmé que Salvatore tentait de la duper. Ce vampire extrêmement âgé avait de toute évidence raison. C'était plus facile à croire que l'idée que Salvatore dise la vérité.

— C'est impossible.

L'air se fit mordant autour de lui tandis que Salvatore luttait pour ne pas perdre patience. Darcy sentait que ce n'était pas un exercice qu'il effectuait souvent. Ni bien.

— Que dois-je faire pour vous le prouver ? s'enquit-il.

— Rien.

Le ton de Darcy était cassant. Pas étonnant. Elle se débattait contre ses propres émotions embrouillées.

— Je pense que je le saurais si je me changeais en animal une fois par mois. Ce n'est pas vraiment le genre de truc dont on ne s'aperçoit pas.

— Il y a une explication au fait que vous ne vous transformez pas.

— Et c'est ?

Il serra les lèvres pour maîtriser son impatience.

— C'est quelque chose dont je ne parlerai que lorsque nous serons assurés d'être seuls.

— Vous pouvez m'apprendre que je suis une louve-garou ici, mais vous ne pouvez pas me dire pourquoi je n'en ai aucun symptôme ? demanda-t-elle, incrédule.

— Je ne souhaitais rien vous révéler ici.

Elle lui jeta un regard noir.

— Toutes ces cachotteries, ça commence à me porter sur les nerfs.

Il demeura silencieux un long moment, certainement à se rappeler qu'il s'était donné trop de mal pour l'étrangler tout de suite.

— Je pensais que vous seriez heureuse de découvrir que vous avez une famille.

Agacée, elle haussa les épaules.

— C'est le cas, bien sûr.

— Mais? s'enquit-il.

«Mais», en effet.

Elle ne savait même pas par où commencer.

— Où était-elle? demanda-t-elle enfin. Pourquoi ai-je été abandonnée quand je n'étais qu'un bébé?

— Darcy, vous n'avez jamais été abandonnée. (Ses yeux dorés flamboyèrent soudain d'une lueur dangereuse.) Vous et vos sœurs êtes incroyablement vitales pour notre peuple. Pas un parmi nous ne donnerait sa vie pour protéger les vôtres.

— Vous vous moquez de moi? répliqua-t-elle, incrédule. On m'a laissée être ballottée de maison d'accueil en maison d'accueil jusqu'à ce que je finisse par m'enfuir pour vivre dans les rues. Sans mentionner qu'une de vos louves-garous semble avoir raté l'info sur mon importance vitale, puisqu'elle a tenté de me tuer, il y a seulement quelques heures de cela.

Salvatore tiqua.

— Jade n'est qu'une bâtarde et n'est pas en position de connaître nos secrets. Elle a senti que vous comptiez énormément pour moi, mais elle n'a pas compris à quel point.

Génial. Parce qu'il était trop arrogant pour s'expliquer avec des bâtards, elle avait failli se faire assassiner.

— Et la raison pour laquelle on m'a abandonnée?

— Comme je vous l'ai dit, vous n'avez jamais été abandonnée, Darcy. (Il serra les poings.) Nous vous avons perdues, vous et vos sœurs.

— Perdues ? Vous dites ça comme si on était de la monnaie que vous aviez laissé tomber dans le caniveau.

Un picotement troublant parcourut la peau de Darcy.

— Alors, permettez que je sois plus précis. Vous nous avez été dérobées.

Il lui fallut du temps pour comprendre ses paroles.

— Dérobées ?

— Les nourrissons en bonne santé sont toujours convoités, Darcy, fit-il remarquer. Certains humains paieraient n'importe quel prix pour un enfant et, bien entendu, il en existe d'autres, et même des démons, qui sont prêts à voler ces bébés pour les leur fournir.

Eh bien, elle ne s'attendait pas à ça.

Cela dit, apprendre des choses surprenantes semblait être un schéma récurrent dans sa vie ces derniers jours.

— Nous avons été enlevées pour être vendues au marché noir ?

— *Si.* Le temps que nous parvenions à retrouver la trace des voleurs, vous aviez déjà toutes les quatre quitté l'Italie en bateau pour l'Amérique. (La colère que Darcy percevait dans son ton semblait s'être renforcée au cours des années.) Il est impossible de suivre une odeur sur l'océan, même pour un sang-pur. Il nous a fallu très longtemps pour reconstituer ce qui vous était arrivé, à vos sœurs et à vous.

— Alors vous ne savez toujours pas où elles sont ?

— Nous sommes parvenus à retrouver la trace de deux d'entre elles, même si nous ne les avons pas encore abordées. (Un sourire ironique effleura les lèvres de Salvatore.) Comme vous l'avez démontré, prouver que nous n'avons pas de mauvaises intentions n'est pas forcément une tâche aisée.

— Vous ne pouvez pas vraiment me le reprocher. Je…

Elle s'interrompit brusquement lorsqu'il se rapprocha, les mains levées pour l'avertir.

— Hess est de retour, dit-il d'une voix si basse qu'elle entendit à peine ses paroles. Vous devez venir avec moi. Je vous promets de répondre à toutes vos questions.

Darcy fit un pas délibéré en arrière.

— Non.

Salvatore fronça les sourcils.

— Darcy, je suis le seul à connaître la vérité.

— Peut-être, mais là tout de suite, je crois que j'ai eu ma dose de vérité, avoua-t-elle. En fait, je commence à croire que l'ignorance pourrait bien être une bénédiction.

— Vous ne pouvez pas fuir la vérité. Vous ne pouvez certainement pas me fuir, moi. (Il était impossible de ne pas remarquer le ton menaçant de sa voix.) Vous êtes trop importante.

Elle releva le menton en percevant qu'il lui donnait clairement un ordre. Elle n'allait pas se laisser intimider. Pas quand elle avait désespérément besoin de méditer tout ce qu'elle avait appris jusque-là.

— J'ai déjà compris que je n'ai nulle part où m'enfuir, répliqua-t-elle. Du moins, nulle part où un démon ou un autre ne me retrouverait pas, mais, pour l'instant, je veux juste du temps pour réfléchir.

D'une démarche mal assurée, elle retourna à sa voiture volée, s'attendant presque à ce que Salvatore tende le bras pour l'arrêter lorsqu'elle passa devant son corps svelte.

Heureusement, son aptitude à sentir la moindre de ses humeurs le retint de tenter de la menacer ou de la malmener avec arrogance.

Un loup intelligent.

Elle était tellement à cran qu'elle aurait tout à fait été capable de filer aussi loin et aussi vite qu'elle le pourrait s'il osait seulement la regarder de travers.

Après s'être glissée dans la voiture, elle démarra et s'apprêta à partir.

Tout à coup, sa portière s'ouvrit et Salvatore jeta un gros sac sur ses genoux.

— N'oubliez pas votre déjeuner, dit-il avant qu'elle ait pu protester. Et comprenez, *cara*, que même si je suis prêt à faire preuve de patience pour l'instant, l'heure viendra où vous devrez accepter votre destinée.

— Et souvenez-vous, Salvatore, que ma destinée est précisément cela : la mienne. Elle s'accomplira comme je le déciderai.

Sa riposte débitée, elle claqua la portière et sortit du parc en marche arrière en faisant crisser ses pneus.

Eh bien, en fait ce n'étaient pas les *siens*, reconnut-elle avec un rire bref et hystérique.

Elle avait, après tout, volé cette voiture.

Elle ne pouvait qu'espérer que les flics n'étaient pas à sa poursuite.

Elle avait déjà suffisamment de monde sur le dos, merci bien.

CHAPITRE 15

C'était une vraie honte de prétendre que ce tas de briques croulant et son toit affaissé étaient un immeuble de logements. Malgré les quelques tentatives pitoyables pour flanquer de la peinture sur les murs et recouvrir la moquette usée jusqu'à la corde avec des carpettes, la seule chose qui aurait pu améliorer cet endroit était un bulldozer.

Mais, même si cette chambre sordide ne pouvait se prévaloir que d'un lit étroit et d'une télé cassée, il y faisait légèrement plus chaud pour dormir que dans la rue et, pour le moment, elle était vide de tout démon.

Blottie près du radiateur, qui diffusait à contrecœur un peu de chaleur, Darcy grignotait la salade qu'elle avait trouvée dans le sac que Salvatore lui avait jeté sur les genoux, tout en essayant de remettre en ordre ses pensées éparpillées.

Ouais, mais bon. Comment débrouillait-on des pensées qui étaient un fouillis confus et indistinct ?

Tout ce qu'elle avait voulu, c'était découvrir la vérité sur son passé.

Rien de plus simple.

Ha !

Si elle devait croire Salvatore – un effort qu'elle n'était pas encore prête à fournir –, la vérité sur son passé, c'était que sa mère était une louve-garou ayant un certain nombre d'amants, et ayant mis au monde une portée de quatre bébés. Lesquels avaient rapidement été volés pour être vendus au marché noir.

Une intrigue digne de Hollywood.

Putain. Après ces dernières heures, elle était terrifiée rien qu'à l'idée d'envisager qui – ou ce que – pouvait être son père.

Ou comment, après avoir prétendument été vendue au marché noir, elle était passée d'une maison d'accueil à l'autre.

De quoi donner un sacré mal à la tête à n'importe quelle pauvre femme.

Ainsi que des élancements.

Et… des tintements ?

Darcy laissa tomber sa salade, puis appuya les mains sur son front, luttant contre l'impression soudaine qu'un trou noir se formait au milieu de son cerveau.

— *Darcy.* (Elle poussa un petit cri perçant comme la voix insistante résonnait sous son crâne.) Sacrebleu*, *je sais que vous m'entendez*, grogna la voix.

— Levet ? souffla-t-elle.

— Oui*.

— Purée, je perds la boule, dit-elle, ses mots retentissant de façon anormale dans la pièce vide.

— Non*, *votre boule n'est pas perdue*, lui assura la gargouille. *Je vous parle grâce à un portail.*

Ridicule, bien sûr. Elle secoua la tête. Le minuscule démon ne se trouvait pas réellement sous son crâne.

Ou du moins, elle l'espérait.

Au point où elle en était, elle était prête à croire n'importe quoi.

— Un quoi ?

— *Un portail*, répondit Levet, une pointe d'impatience dans la voix. *Et alors que ma magie est tout à fait formidable, et est partout redoutée des démons, lors de quelques très rares occasions, elle n'a pas fonctionné exactement comme prévu, en particulier lorsque j'ai ouvert un portail et réussi à libérer une nymphe des plus agaçante. Bien entendu, elle était magnifique, et parée de la plus suggestive… Peu importe. Ce que j'essaie de vous dire, c'est que nous devons nous dépêcher.*

—Ainsi, c'est… (Elle s'efforça de réfléchir à ce que c'était.) De la magie ?

—*Évidemment.* (Il y eut un bref silence.) *Où êtes-vous, ma chérie* ?*

Bien que choquée qu'une vraie – du moins, elle espérait qu'elle l'était – voix lui parle dans sa tête, Darcy n'avait pas l'impression d'être totalement stupide.

—Oh non. Je ne veux pas que Styx me retrouve, dit-elle. Pas encore.

—*Styx se trouve toujours bien au chaud dans son cercueil. C'est Shay qui m'a demandé d'entrer en contact avec vous.*

Les paroles de la gargouille la prirent au dépourvu.

—Pourquoi ?

—*Elle se fait du souci.*

—C'est aussi la compagne de Viper, souligna Darcy d'un ton pince-sans-rire.

—*En effet, oui*, mais elle est capable de prendre ses propres décisions et elle s'inquiète beaucoup pour vous.*

Darcy sentit son cœur se réchauffer. Elle n'avait pas l'habitude qu'on s'inquiète pour elle.

Cela dit, elle ne voulait surtout pas causer de problème entre Shay et son compagnon.

—Remerciez-la pour moi, mais ce n'est pas la peine. Je me débrouille toute seule depuis longtemps.

—*Bah. À l'époque vous n'aviez pas à faire face à une meute de loups-garous et à des vampires déterminés. Vous avez besoin d'un endroit sûr où séjourner.* (Il y eut court silence.) *Et Shay souhaite vous rappeler que rien ne lui ferait plus plaisir que de contrarier le ô combien arrogant Styx.*

Darcy ne put s'empêcher de rire. Elle ne doutait pas un instant que Shay appréciait de faire une vacherie à ce maître vampire de temps en temps.

Et à vrai dire, parler à quelqu'un pourrait lui faire du bien.

En ce moment, elle n'était pas sûre d'être jamais capable de démêler ses pensées confuses toute seule.

Elle avait besoin d'une amie. D'un radiateur qui marche vraiment. Et d'une grande dose de chocolat.

Dans cet ordre.

— D'accord. Dites-moi où je peux vous rejoindre.

Styx commença à faire les cent pas bien avant le coucher du soleil et se lança en quête de Darcy alors qu'il faisait à peine assez nuit pour circuler sans danger. Il serait même parti plus tôt si Viper n'était pas resté dans la propriété pour se reposer pendant la journée et ne l'avait pas menacé de l'enchaîner au mur s'il tentait quoi que ce soit de stupide.

Le vampire aux cheveux argentés s'était révélé un ami précieux au cours des derniers jours ; pourtant sa détermination à être raisonnable portait parfois sur les nerfs de Styx.

Après avoir ordonné à ses Corbeaux de demeurer dans le domaine au cas où Darcy reviendrait, Styx retourna à l'entrepôt avec Viper. Ils suivirent la piste tout juste perceptible à travers Chicago, et s'arrêtèrent dans un petit parc isolé pour inspecter la neige piétinée.

— Elle se trouvait ici. (Viper annonça une évidence.) Et elle n'était pas seule.

— Non.

Styx serra les poings comme le doux parfum de Darcy l'enveloppait. Des heures s'étaient peut-être écoulées depuis qu'elle s'était tenue dans ce parc, mais son essence même persistait. Ainsi qu'une odeur bien moins agréable.

—Salvatore et un satané bâtard étaient également là, ajouta-t-il.

—Il ne semble y avoir aucun signe de lutte et aucune odeur de sang, dit Viper d'une voix apaisante. Leur rencontre a été de toute évidence pacifique, et il est tout aussi manifeste qu'ils sont partis chacun de leur côté.

—Ce qui ne signifie pas qu'ils ne soient pas ensemble, maintenant, grogna Styx qui arpentait la neige pour examiner leurs traces.

Salvatore s'était trouvé tout près de Darcy. Suffisamment pour la toucher. Sale cabot.

—Qu'est-ce qu'il lui veut, à la fin ?

—Excellente question. (Viper vint se placer à côté de lui.) Malheureusement, pour la première fois depuis des siècles, je suis incapable d'y répondre. Incroyable, non ?

—C'est clair, reconnut Styx d'un ton pince-sans-rire.

—Pour l'heure, je pense qu'on devrait se préoccuper de retrouver Darcy.

Viper avait raison, bon sang.

Tout comme il avait vu juste concernant la réaction de Darcy lorsque Styx avait tenté de modifier ses souvenirs.

Son arrogance avait directement engendré la situation catastrophique actuelle.

—Par tous les dieux, c'est ma faute. Si je n'avais pas… (Styx secoua la tête, dégoûté de lui-même.) C'est moi qui l'ai poussée à s'enfuir. Maintenant, elle est seule et à la merci de Salvatore et ses garous.

Viper lui donna une tape sur l'épaule.

—Je doute qu'elle soit totalement sans défense, mon vieux compagnon. Tu as dit toi-même que tu la soupçonnais d'être plus qu'humaine, et elle a effectivement réussi à botter le cul poilu d'au moins un loup-garou.

—C'était une simple bâtarde, à peine assez âgée pour qu'on lui lâche la bride.

Styx dirigea son regard sur l'obscurité qui les enveloppait. Il sentait le souffle et l'énergie de la nuit tournoyer autour de lui. C'était une puissance et un danger ; Darcy devrait le comprendre tôt ou tard.

— Darcy ne ferait pas le poids contre un sang-pur.

— Ne t'énerve pas, Styx.

La main sur l'épaule de Styx s'apparentait plus à un étau qu'à une source de réconfort, comme si Viper percevait le besoin à peine contenu de son ami de se ruer dans les ténèbres pour fouiller la ville à la recherche de son ange.

— Pour l'instant, il semble que Salvatore n'ait aucunement l'intention de faire du mal à cette jeune femme. En fait, je dirais qu'il tient autant que toi à la protéger.

— Ah oui, c'est vrai que je me suis débrouillé comme un chef, déclara Styx d'un ton mordant. J'aurais tout aussi bien pu la jeter dans les bras ouverts de Salvatore.

— Très théâtral, mais guère exact. Tu as juste fait ce que tu estimais être le mieux.

— Le mieux pour moi.

— Et pour tous les vampires ? insista Viper.

Styx fit un geste exaspéré de la main.

— Oui, évidemment.

— Alors, pour quelle raison te sentirais-tu coupable ?

— Merde, Viper…, commença Styx, avant de s'interrompre en percevant l'odeur caractéristique de vampire. Quelqu'un approche.

Viper renifla l'air, et un sourire éclaira son visage.

— Ah, Santiago.

— Que fait-il ici ?

— Il se trouve être le plus fin limier que j'aie jamais connu, expliqua Viper en souriant. Santiago retrouvera Darcy, aussi loin et aussi vite qu'elle ait pu s'enfuir.

Le quartier à la périphérie de Chicago n'aurait pu être plus différent des ruelles étroites et crasseuses que Darcy venait de quitter.

C'était incroyable ce que quelques kilomètres et plusieurs millions de dollars pouvaient faire.

Ici, les rues étaient larges, convenablement nettoyées et bordées de grandes maisons dissimulées derrière de hautes grilles et des arbres centenaires.

Pas une feuille morte ne gâtait cette perfection.

Waouh.

Darcy se tint quand même sur ses gardes en garant la voiture de sport à l'angle de la rue et en rejoignant le gros arbre près duquel Levet lui avait indiqué d'attendre Shay.

En dépit des films d'horreur, elle s'était aperçue qu'un tas de démons préféraient un cadre luxueux aux ruelles sombres et étroites.

On ne la prendrait pas au dépourvu.

Une fois parvenue au niveau de l'arbre, elle serra les bras sur son ventre à cause du froid qui semblait s'infiltrer dans ses os mêmes.

Merde.

Elle vendrait son âme pour un bain chaud.

— Darcy ?

La voix venait de juste à côté de l'arbre, et Darcy s'avança dans l'obscurité pour découvrir Shay qui l'attendait.

— Je suis là.

— Dieu merci. (Contre toute attente, la demi-démone ouvrit les bras pour étreindre Darcy.) Je me suis fait tant de souci pour toi.

Darcy, que cette démonstration d'affection gênait de façon étrange, baissa les yeux sur ses vêtements froissés avec une légère grimace.

— En dépit des apparences, je vais bien.

253

— Nous pouvons aisément nous occuper de ça, lui assura Shay.

— Qu'est-ce qu'on fait ici ?

Shay inclina la tête vers l'immense manoir en bas de la rue.

— En fait, on va là-bas.

— Waouh. (Darcy fut secouée par un rire nerveux.) Ça ressemble à un palais. Qui habite là ?

— Il appartient à… (Shay s'interrompit avant de pousser un gros soupir.) Eh bien, après tout, autant être franche. Il appartient à Dante et Abby.

Darcy roula des yeux. Les démons investissaient-ils dans tous les quartiers de Chicago ?

— Laisse-moi deviner, des vampires ?

— Dante en est un, reconnut Shay. Abby, elle, est une déesse.

Darcy s'étrangla à cette affirmation ridicule. Une déesse qui vivait en banlieue ? Une déesse au foyer ?

— Tu me fais marcher.

— Marcher… ? (Shay éclata soudain de rire.) Non, j'ai bien peur que non, mais je te promets qu'Abby ne se comporte pas comme une divinité toute-puissante. En fait, je suis sûre que tu vas l'adorer.

— Tu es sérieuse ? Une déesse ?

— Pour être plus précise, elle porte l'esprit du Phénix, que beaucoup vénèrent. Elle en est le Calice.

— C'est possible que les choses deviennent encore plus bizarres ? marmonna Darcy.

Shay mit un doigt sur les lèvres de la jeune femme.

— Si j'ai appris un truc au cours des derniers mois, c'est de ne jamais, au grand jamais, prononcer ces mots. C'est comme agiter un chiffon rouge sous le nez du destin.

Darcy ne voyait rien à y redire.

— Sans déc', dit-elle en soupirant.

Avec un sourire encourageant, Shay lui prit la main et l'entraîna plus avant dans l'obscurité.

— Par ici, chuchota-t-elle.

— Pourquoi devons-nous nous cacher ?

— La propriété est surveillée en permanence par des vampires. Ils prétendent ne chercher qu'à protéger Dante et sa femme, mais la vérité, c'est que tous les démons veulent garder l'œil sur Abby et l'esprit qu'elle porte en elle.

— Pourquoi ? demanda Darcy, perplexe. Ils la vénèrent ?

Shay émit un petit rire.

— Pas vraiment. Elle est capable de les réduire en un minuscule tas de cendres rien qu'en les touchant. Raison pour laquelle ils tiennent à connaître l'endroit précis où elle se trouve à tout moment.

Bonne idée. C'était un sacré tour.

— Et elle est mariée à un vampire ? Il est suicidaire ?

— On peut dire de Dante beaucoup de choses, y compris lui attribuer les caractéristiques habituelles des vampires : (Shay se mit à compter sur ses doigts.)… arrogant, autoritaire, possessif et hyperchiant. Mais non, pas suicidaire. Normalement, Abby maîtrise ses pouvoirs, même si ça a senti le roussi une ou deux fois.

Darcy ne put s'empêcher d'envier la déesse. Elle donnerait beaucoup pour pouvoir cramer un ou deux vampires elle aussi.

C'était un talent nécessaire à toute femme.

Elle jeta un coup d'œil vers la propriété apparemment silencieuse, et chercha en vain à apercevoir les démons tapis dans les ténèbres.

— Si cet endroit est surveillé par des vampires, alors comment comptes-tu entrer ? Dieu sait qu'ils peuvent sentir notre odeur à plus d'un kilomètre.

— J'ai prévu une petite diversion. (Shay sourit, ravie par avance.) Ça ne devrait plus tarder.

Darcy s'apprêtait à souligner qu'il n'y avait rien de plus stupide que de rester là à attendre qu'on les découvre lorsque le calme de la nuit fut soudain brisé par une détonation sourde qui fit trembler les fenêtres et la renversa sur son postérieur gelé.

— Ouille, grommela-t-elle en se relevant avec effort. C'était quoi ?

— Levet.

— Il a fait exploser une bombe ?

— Non, c'est ce qui se passe d'habitude quand il essaie de faire de la magie.

Darcy ne put réprimer un rire. Quelque part, elle n'était pas du tout surprise que la minuscule gargouille ait tendance à provoquer des désastres magiques.

— Un truc à ne pas oublier.

— Tout à fait. (Shay contourna un des chênes imposants et, de façon inopinée, se baissa pour enlever la grille de ce que Darcy ne pouvait que supposer être l'entrée d'un tunnel.) Allons-y.

— Par là ?

— Fais-moi confiance, murmura Shay en disparaissant dans l'obscurité. Et tâche de ne pas rester à la traîne. Je n'apprécie pas beaucoup les lieux sombres, et j'aimerais autant en finir aussi vite que possible.

Darcy suivit, les mains tendues devant elle tandis que le noir d'encre l'engloutissait promptement. La barbe. Elle n'avait rien contre les tunnels, mais se jeter tête baissée dans les ténèbres épaisses à toute allure ne lui plaisait pas particulièrement. Avec sa chance, elle risquait de rentrer dans une paroi et de tomber dans les pommes.

Elles progressèrent presque en silence, Shay faisant moins de bruit qu'elle, jusqu'à ce qu'enfin elles sortent de la galerie et accèdent à un vaste sous-sol.

Darcy soupira de soulagement comme un air bien chaud l'enveloppait. À cet instant, elle s'en foutait d'être dans la cave de l'enfer, du moment qu'il y faisait bon.

Cette pensée venait à peine de lui traverser l'esprit lorsque le plafonnier s'alluma et une jolie femme aux cheveux noirs et dotée d'une superbe paire d'yeux bleu clair s'avança vers elles.

—Abby. (Shay vint à la rencontre de la femme svelte pour la serrer dans ses bras, avant de faire un signe dans la direction de Darcy.) C'est Darcy Smith.

—Darcy. (Avec un sourire charmant, Abby prit la main de Darcy.) Sois la bienvenue chez moi.

À son contact, Darcy sentit un petit picotement la parcourir. Une impression de puissance indubitable.

Elle se souviendrait de ne pas la faire chier.

—Merci, murmura-t-elle, résistant à l'envie de frissonner lorsque Abby lui lâcha la main et se tourna vers Shay.

—Dante est parti à la recherche de Darcy, alors rien ne nous empêche de nous rendre à l'étage, où nous serons plus à l'aise.

Shay grimaça.

—En fait, je dois m'assurer que Levet va bien. J'espère vraiment qu'il n'a pas une fois de plus trouvé le moyen de se brûler les ailes. J'ai dû l'écouter se plaindre pendant une semaine, la dernière fois que ça lui est arrivé.

Abby gloussa.

—Demande-lui de revenir ici. Je vais commander à dîner dans son restaurant grec préféré. S'il y a bien une chose qui l'empêchera de se lamenter, c'est un repas de sept plats.

—Bonne idée, murmura Shay en se dirigeant vers l'escalier. Occupe-toi de ça.

La demi-démone se précipita hors de la pièce. Darcy, qui se sentait étrangement bizarre à rester seule avec une vraie déesse, tenta avec maladresse d'épousseter son jean.

—Je suppose que tous les repaires de vampires sont équipés de ces tunnels? demanda-t-elle.

Abby émit un gloussement.

—Disposer d'endroits sombres où se cacher relève un peu de l'obsession chez eux. J'imagine que je ne peux pas le leur reprocher. Ils sont assez inflammables à la lumière du soleil.

Une partie de la gêne qu'éprouvait Darcy se dissipa face à l'attitude désinvolte d'Abby. Elle avait presque l'air… normal.

Quoi que cela veuille bien dire.

—Par ici.

Abby la conduisit vers l'escalier, et elles montèrent ensemble vers les étages supérieurs. Une fois dans le vaste vestibule qui aurait pu contenir tout son appartement, Darcy s'immobilisa brusquement. Avec incrédulité, elle promena son regard sur le lustre de cristal, qui répandait une douce lueur sur les tableaux inestimables et le carrelage de céramique.

Dès qu'elle s'aperçut que son invitée s'était arrêtée, bouche bée, Abby ralentit et jeta un coup d'œil par-dessus son épaule.

—Darcy? Quelque chose ne va pas?

Darcy secoua la tête avec lenteur.

—C'est la première fois que je me trouve dans la maison d'une déesse. C'est incroyablement beau.

Abby émit un petit rire et revint sur ses pas pour lui prendre le bras. En la tirant un peu, elle la fit avancer vers un autre escalier majestueux.

—Eh bien, cette déesse-ci préférerait vivre dans un appartement confortable ayant terriblement besoin d'un bon coup de chiffon, et situé si près du centre commercial qu'elle sentirait le parfum des sacs à main Prada, avoua Abby avec l'un de ces sourires qui invitaient le monde à se joindre à sa joie. Dante, d'un autre côté, est attiré par un style de vie plus luxueux.

—Comment c'est?

Les mots s'échappèrent des lèvres de Darcy avant qu'elle ait pu les retenir.

—Comment c'est quoi? demanda Abby.

—D'être mariée à un vampire?

—Ah.

Les jolis traits de la déesse s'adoucirent soudain pour prendre une expression rêveuse. Exactement comme Shay lorsqu'elle parlait de Viper.

—Je suppose que cela ne conviendrait pas à toutes les femmes, reconnut Abby. La plupart des vampires ont tendance à faire preuve d'une arrogance excessive et aiment beaucoup trop donner des ordres. Et, évidemment, ils n'ont pas vraiment l'habitude d'exprimer ce qu'ils ressentent. Il leur faut pas mal d'entraînement pour devenir des compagnons corrects.

Darcy pouffa à ces propos moqueurs.

—On pourrait en dire autant de tous les hommes.

—Oui, mais avec les vampires ça prend tout de suite des proportions épiques.

Darcy grimaça.

—Je vois exactement où tu veux en venir.

Abby lui tapota la main.

—D'un autre côté, ils sont incroyablement séduisants, et ont le pouvoir de faire qu'une femme se sente la plus belle, la plus aimée du monde. Et surtout, une fois qu'ils se sont unis, ils sont d'une fidélité absolue et entièrement dévoués pour le reste de l'éternité. Je n'aurai jamais à craindre que Dante me quitte pour une autre.

Darcy cligna des yeux, interloquée.

—Tu en es si sûre?

Abby s'arrêta devant une porte fermée.

— Oui, mais pas parce que je suis assez vaine pour me croire irrésistible. (Elle gloussa doucement.) C'est tout le contraire, en fait. Mais une fois qu'un vampire s'est uni, il est incapable de désirer une autre femme. Dante m'aimera toujours autant que la nuit où nous sommes devenus un.

Darcy ressentit un drôle de pincement au cœur.

Un serrement, qu'elle identifia finalement comme étant de la jalousie.

Qu'est-ce que ça ferait d'avoir une confiance absolue en son partenaire ? De savoir sans l'ombre d'un doute qu'il resterait toujours à ses côtés ? Que son affection serait toujours constante, qu'il ne déciderait jamais de l'abandonner pour une autre ?

Pour une femme comme Darcy qui n'avait jamais éprouvé une telle sécurité dans sa vie, cela ressemblait exactement au paradis.

— Tu as beaucoup de chance, dit-elle avec un sourire mélancolique.

— Oui, je sais. (Abby inclina la tête.) Non pas que je veuille te laisser croire que tout s'est passé comme dans un conte de fées. Ça a peut-être été le coup de foudre, mais c'était le désir, pas l'amour. Pour être honnête, au début, la plupart du temps j'avais juste envie de lui coller un coup de poing sur le nez.

Darcy rit.

— Je ne connais que trop ce sentiment.

— Styx ? s'enquit gentiment la déesse.

— Oui. (Darcy poussa un profond soupir.) À certains moments, il se montre l'homme le plus tendre, le plus attentionné que j'aie jamais rencontré. Et puis, la minute d'après, il n'arrête pas de donner des ordres et il se sert de ses pouvoirs de vampire contre moi. Il est très... exaspérant.

— Un vampire typique, je le crains.

Elle croisa son curieux regard bleu sans détourner les yeux.

— J'ai besoin de savoir que je peux lui faire confiance.

— Oui, tu peux. En attendant, je t'accueille chez moi avec le plus grand plaisir. (Abby lui tapota le bras, avant de pousser la porte.) Ce seront tes appartements. La salle de bains se trouve derrière la porte à gauche, et j'ai demandé qu'on t'apporte un repas végétarien. Pourquoi ne prendrais-tu pas un bon bain, et je t'apporterais des vêtements propres.

— Oh, oui, s'exclama Darcy en soupirant. Ce serait super.

— Et ne t'en fais pas, ajouta Abby avec un sourire. Pendant que tu es ici, tu es en sécurité.

Darcy sourit.

— Shay avait raison.

— Ah ?

— Elle m'a dit que je t'apprécierais beaucoup, et c'est le cas.

Abby la serra un bref instant dans ses bras.

— C'est complètement réciproque, ma chère. Maintenant, va savourer ton bain.

CHAPITRE 16

— B ordel. (Styx se tourna pour jeter un regard furieux au vampire qui se tenait près de lui.) Tu es certain qu'elle est ici ?

Santiago inclina la tête avec respect.

— Oui, maître. La femme que vous recherchez se trouve à l'intérieur de cette maison.

— Bon sang.

Avec un petit rire conçu pour être agaçant au possible, Viper lui donna une tape brutale dans le dos.

— Regarde le bon côté, l'ancien : tu craignais que Darcy soit en danger et tu découvres qu'elle s'est réfugiée dans l'endroit le plus sûr au monde.

Styx feula tout bas. Il était certainement soulagé que Darcy soit en sûreté. Profondément soulagé.

Et, évidemment, il était content qu'elle ne se trouve pas en compagnie de ces satanés garous.

Cependant, il n'était pas stupide.

Malgré tous ses pouvoirs, il ne faisait pas le poids contre une déesse.

Si Abby désirait l'empêcher d'approcher Darcy, alors il n'y pouvait foutrement rien.

— Où Dante avait-il sa putain de tête ? (Son regard froid se déplaça sur le manoir qui se dressait, menaçant.) Il était censé partir à la recherche de Darcy, il n'a jamais été question qu'il la cache.

—Je ne doute pas que Dante est en ce moment même en train de battre les rues en quête de ta prisonnière disparue, dit Viper d'une voix apaisante. Ceci ressemble bien plus à Abby et à ma chère compagne.

Styx referma la main sur le médaillon autour de son cou, tout en luttant pour maîtriser son pouvoir qui affluait par vagues.

Cette envie impérieuse de rejoindre Darcy par la force était aussi dangereuse que ridicule.

Elle indiquait à quel point il lui était difficile de contrôler ses émotions indomptées.

—Pourquoi s'immisceraient-elles dans les affaires de vampires ? demanda-t-il d'un ton glacial.

—Parce que ce sont des femmes.

Viper leva les mains, l'air résigné. Rien d'étonnant. Parler de femmes avait tendance à amener cette expression sur le visage de la plupart des hommes.

—Elles se liguent avec bien plus d'acharnement que n'importe quelle autre créature et mettraient un pauvre gars en pièces s'il osait s'en prendre à l'une d'elles.

—Même Shay n'imaginerait pas que je puisse faire du mal à Darcy.

Un silence s'installa avant que Viper s'éclaircisse la voix avec prudence.

—Maître, tu as tout de même kidnappé Darcy dans la seule intention de l'utiliser pour négocier avec les loups-garous. Tu ne peux pas reprocher à Shay de s'interroger sur tes intentions.

Les canines de Styx apparurent dans l'obscurité.

—Salvatore ne l'aura jamais. Jamais.

—Et ton projet de t'en servir comme monnaie d'échange… ?

—Je n'ai pas à m'expliquer, Viper, déclara Styx d'un ton brusque, heureux pour la première fois d'occuper la position d'Anasso.

Il ne voulait pas se pencher – alors, tenter de comprendre, n'en parlons pas – sur son refus farouche d'envisager de livrer Darcy aux garous. Pas quand cela ne manquerait pas de mettre à nu la faiblesse qui grandissait en lui.

Viper l'observait avec un sourire troublant.

—Non, je suppose que non.

Styx secoua la tête avec impatience.

—J'ai besoin de voir Darcy.

—Tu vas la voir. (Viper dirigea son regard vers la maison.) Mais d'abord, laisse-moi m'entretenir avec Shay.

—Viper…

—Non, Styx. (Viper se tourna et lui fit face d'un air résolu.) Si Abby est là, elle peut t'empêcher d'entrer… Tu le sais bien. Il vaut mieux essayer de régler ça, si possible sans effusion de sang. Surtout si c'est le mien.

En cet instant, Styx se fichait de savoir quelle quantité de sang il faudrait faire couler, ou même qui le verserait.

Il devait voir son ange.

Et il devait la voir tout de suite.

—J'*aurai* Darcy, jura-t-il d'une voix grave.

—Génial. On va s'amuser. (Les épaules redressées, Viper s'engagea dans la rue.) Viens.

Darcy, immergée dans son bain moussant avec insouciance, ne s'aperçut pas du combat qui avait fait rage en bas.

Dieu merci, car elle aurait été vivement bouleversée par les éclats de voix, les accusations et les quelques menaces qui avaient embrasé l'air.

Bien sûr, elle aurait apprécié d'être avertie que Styx traversait la maison comme un ouragan, plutôt que de sortir de la salle de bains pour le découvrir qui arpentait sa chambre de long en large.

— Oh, oh, marmonna-t-elle en observant la porte toute proche, essayant de déterminer si elle pouvait ou non prendre ses jambes à son cou.

N'ayant aucun mal à suivre le fil des pensées de Darcy, Styx, d'une démarche souple, vint se placer entre elle et la porte, les traits tendus par une émotion impénétrable.

— Attends, Darcy. S'il te plaît, ne me fuis pas, dit-il doucement, le regard braqué avec avidité sur son visage pâle. J'aimerais juste discuter.

Ce ne fut pas la requête de Styx qui l'empêcha de déguerpir. Après tout, elle lui en voulait toujours à mort. Partir paraissait être la chose à faire.

Cependant, sans rien qui la séparait de la nudité humide à part une petite serviette, ne pas quitter ses appartements semblait plus sage. Styx avait certainement amené tous les vampires de la planète avec lui. Et elle préférait que ses parties intimes demeurent intimes justement.

En plus, si elle restait, elle pourrait le foudroyer du regard à cœur joie.

Ce dont elle rêvait depuis des heures.

— Est-ce que Shay t'a dit que j'étais ici ? demanda-t-elle.

— Non, tes conspiratrices étaient vraiment déterminées à m'empêcher de te voir.

Dans les yeux de Styx, subsistait une lueur de mécontentement. Tant mieux, décida-t-elle. Elle espérait que Shay l'avait mis à l'épreuve et lui avait fait danser la gigue avant de le laisser monter.

— Heureusement, je l'étais bien plus à te rejoindre, ajouta-t-il.

Elle serra la serviette encore plus fort.

— Je suis furieuse contre toi.

Il esquissa un rictus.

—C'est ce que j'en ai conclu quand tu as tenté de réduire mon repaire en cendres.

—C'était un très petit feu.

—Aucun feu n'est petit pour un vampire.

Une pointe de culpabilité transperça le cœur de Darcy.

—Personne n'a été blessé, si?

Avec précaution, Styx enleva sa lourde cape, et la jeta sur une chaise près de lui. Darcy retint son souffle en le voyant en pantalon de cuir moulant et en chemise de soie ample si fine qu'elle laissait deviner le corps parfait qu'elle recouvrait.

Pire encore, ses cheveux étaient détachés et flottaient autour de lui comme une rivière d'ébène.

Merde.

Les hommes n'étaient pas censés être si incroyablement beaux.

Ni être capables de mettre une femme dans tous ses états par leur seule présence dans une pièce.

—Juste la fierté de DeAngelo. (Styx haussa les épaules.) Il n'est pas vraiment ravi qu'une petite gamine se soit montrée plus maligne que lui.

Avec opiniâtreté, Darcy reporta son attention sur le visage hâlé de Styx. Elle se rappela qu'elle était en colère.

Les ébats torrides n'étaient pas au programme.

Pas tout de suite, en tout cas.

—Alors, qu'est-ce qui l'a offensé : que je sois petite ou que je sois une gamine? demanda-t-elle.

—Les deux, je présume.

Elle rit doucement. Les vampires.

—Dans ce cas, je suis heureuse de l'avoir froissé.

Les yeux noirs de Styx s'assombrirent encore quand il s'avança d'un pas.

—C'est vraiment stupide de t'être enfuie. Tu aurais pu avoir des problèmes.

— Et tu as eu peur de perdre ta monnaie d'échange ? répliqua-t-elle.

— Bon sang, Darcy, je me suis fait du souci pour toi, grogna-t-il avec une chaleur qui envoya un frisson courir le long de la colonne vertébrale de la jeune femme.

Darcy se retourna brusquement pour marcher vers la fenêtre. Il était hors de question qu'elle lui laisse voir à quel point exactement son inquiétude comptait pour elle.

Pas quand elle ignorait si c'était vraiment pour elle qu'il s'était fait du mauvais sang, et non pour ses satanés vampires.

— Comme tu peux le constater, je vais bien.

— Ça n'en reste pas moins une action irresponsable. Tu aurais dû réfléchir.

Eh bien, cela étouffa avec efficacité la petite flamme qui avait commencé à naître dans son cœur.

Elle pivota pour se remettre à le foudroyer du regard.

— Et ce truc que tu m'as fait subir, hein ? Je n'aurais pas eu besoin de m'enfuir si tu n'avais pas essayé de me faire un lavage de cerveau, espèce de… de sale type.

Styx se rembrunit. Chez n'importe qui d'autre, elle aurait pu prendre son expression pour de la culpabilité.

Ce vampire, cependant, était largement trop arrogant pour jamais croire qu'il puisse s'être trompé.

— Je l'ai fait pour ton propre bien, répliqua-t-il de manière prévisible.

Darcy roula des yeux.

— Oh, fiche-moi la paix. Tu l'as fait parce que tu ne pouvais pas me contrôler et que c'était tout à fait impensable pour le ô combien puissant chef de tous les vampires.

Les narines du nez fin de Styx se dilatèrent sous l'effet de la pique de la jeune femme.

— Je craignais que ton désir d'une famille te fasse perdre ton bon sens. Et il s'est révélé que j'avais raison.

À la faible lueur de la lampe, il ressemblait trait pour trait au roi vénérable qu'il était. Un roi avec des crocs et un pouvoir tel que les rideaux bougeaient derrière elle.

—Tu étais impatiente de te jeter tête baissée dans le danger, poursuivit-il.

Darcy releva le menton. Elle n'allait pas se laisser intimider.

Stupide, bien sûr.

Toute personne avec un brin de jugeote aurait été intimidée.

—Je ne suis pas partie uniquement parce que je voulais connaître la vérité sur ma famille. (Elle pointa un doigt sur lui.) Je suis partie parce que tu m'as trahie.

—Je…

Il s'interrompit brusquement, son pouvoir jaillissant de nouveau dans la pièce. En dépit de ses meilleures intentions, Darcy se surprit à reculer précipitamment d'un pas. D'accord, peut-être qu'elle était un peu intimidée. Sur le point d'en faire un autre, elle s'arrêta quand Styx hocha la tête avec raideur.

—Tu as raison.

Elle cligna des yeux.

—Vraiment?

—Oui. (Il mit les mains sur ses hanches, son regard sombre, envoûtant, rivé sur elle.) Je voulais que tu restes, et j'étais prêt à tout pour te garder avec moi.

Darcy s'aperçut brusquement qu'elle avait du mal à respirer.

—Parce que tu as besoin de moi pour négocier avec les loups-garous?

—Non.

—Parce que tu crains que je représente un danger pour tes vampires?

—Non.

—Parce que…

Elle poussa un petit cri lorsque Styx se retrouva tout à coup juste devant elle et l'enlaça pour la serrer fermement contre son torse.

Elle ne l'avait même pas vu bouger.

—À cause de ça, chuchota-t-il avant que ses lèvres se referment sur les siennes.

Darcy s'agrippa aux bras de Styx alors que ses genoux se dérobaient sous elle. Bon sang. Comment était-elle censée être furieuse contre lui alors qu'il l'embrassait comme s'il périrait, sans elle ?

Encore et encore il s'empara de la bouche de Darcy avant de couvrir son visage de caresses frénétiques. Elle gémit doucement sous l'effet du plaisir torride qui envahissait son corps. Le contact de Styx avait quelque chose de magique qui était irrésistible. Avec réticence, Styx finit par s'écarter pour la regarder, les yeux emplis d'une vulnérabilité telle qu'elle en eut le cœur presque brisé.

—Darcy, ne me quitte jamais. Je ne supporte pas l'idée que je puisse ne jamais plus te serrer dans mes bras.

Il baissa la tête comme pour la griser de nouveau de ses baisers, mais, avec une force qu'elle ignorait même posséder, Darcy le repoussa.

—Styx, attends.

Elle ne fut pas du tout surprise qu'il s'immobilise aussitôt pour la regarder avec attention. En dépit de toute son arrogance, Styx ne s'était jamais servi de ses muscles pour lui imposer sa volonté. Que de son satané truc mental, se rappela-t-elle. Son courage se raffermit et elle parvint à plisser les yeux d'un air sévère.

—Je veux que tu comprennes bien que je ne me laisserai pas manipuler. Je ne suis pas une poupée stupide dont tu peux disposer quand tu en as envie.

Il posa une main sur sa joue avec douceur.

— Je n'ai que faire d'une poupée stupide, mon ange, mais c'est très dur pour moi. (Une grimace pleine d'ironie déforma son beau visage.) Je me suis habitué à donner des ordres et à ce qu'on y obéisse sans poser de questions.

Non, sans déc' ?

Il faudrait qu'elle soit complètement idiote pour ignorer qu'il avait l'habitude que les autres se précipitent pour satisfaire tous ses caprices.

Néanmoins, qu'il n'y ait pas quelques personnes qui ne le traitent pas comme un demi-dieu était difficile à croire.

— Tu ne peux tout de même pas donner des ordres à tout le monde ? demanda-t-elle.

— En général, si.

Elle rit brièvement.

— Les petites amies que tu choisissais devaient être particulièrement pitoyables, si elles te laissaient toujours faire ce que tu voulais.

— Des petites amies ? (Il fronça les sourcils.) Un vampire ne s'unit qu'une fois, et c'est pour l'éternité.

Le cœur de Darcy fit un bond douloureux.

Qu'est-ce que ça ferait d'être la compagne de ce vampire ?

Qu'il lui voue une dévotion éternelle ? La couvre d'infinies caresses ?

Elle écarta brusquement ces pensées dangereuses.

Merde, Darcy, tu es censée passer un savon à ce petit cul arrogant, pas te lamenter sur des choses qui n'arriveront jamais.

Après avoir interdit à ses doigts de courir sur les muscles durs des bras de Styx, elle inspira profondément et le regretta vite.

Oh ! là, là ! Mais il sentait bon.

Une odeur de mâle et de vampire exotique.

— Tu es déjà sorti avec quelqu'un, tout de même ?

Les doigts de Styx n'étaient soumis à aucune contrainte, tandis qu'ils erraient sur la joue de Darcy, puis sur la ligne irrégulière de sa bouche.

— Pas dans le sens que tu as en tête. J'ai parfois eu des partenaires, mais elles n'étaient que des distractions occasionnelles. Il est rare que les vampires aient des liaisons.

Elle frissonna sous sa douce caresse.

— Ils doivent se sentir seuls.

— Nous sommes des créatures solitaires. Nous n'avons pas ce besoin d'affection que ressentent les humains.

— Alors, je suis une distraction occasionnelle ?

Il ferma les yeux un instant, comme s'il luttait contre une soudaine vague d'émotion.

— Par tous les dieux, il n'y a rien d'occasionnel dans la façon dont tu me distrais, mon ange, répondit-il en la foudroyant d'un regard presque furieux. Tu m'as ensorcelé, enivré et embrouillé au point de me rendre fou. Je n'ai pas eu un moment de répit depuis que je t'ai vue dans ce bar.

— Guère étonnant, marmonna-t-elle. J'aurais pensé que n'importe quel vampire serait ennuyé d'avoir kidnappé une femme.

Il la regarda en fronçant les sourcils d'un air perplexe.

— En fait, les vampires enlèvent assez souvent des mortelles. Je ne l'ai jamais fait mais beaucoup de mes frères apprécient ce jeu.

Darcy grimaça, dégoûtée.

— Bon, non seulement c'est flippant, mais c'est plus d'information que je n'en veux vraiment.

Il secoua la tête avec impatience.

— Ce n'est pas parce que je t'ai kidnappée que je te trouve distrayante.

— Pourquoi alors ?

— Parce que tu…

Elle arqua les sourcils lorsqu'il s'interrompit.

—Je quoi ?

Il demeura silencieux si longtemps que Darcy commençait à craindre qu'il refuse de lui répondre. Puis, avec une réticence manifeste, il se força à terminer son aveu.

—Tu me fais ressentir des choses.

—Quelles choses ?

—Tout.

Elle cligna des yeux, déconcertée.

—J'ai peur que ce ne soit pas assez précis, Styx.

Il feula tout bas, et resserra son étreinte sur la joue de Darcy.

—Tu me rends heureux, furieux, passionné, terrifié. Je n'ai pas l'habitude de ces sensations.

Tant mieux, se dit-elle avec une pointe de satisfaction égoïste. Ce serait incroyablement injuste qu'elle soit la seule à souffrir.

—Et ? l'encouragea-t-elle.

—Je n'aime pas vraiment ça, avoua-t-il entre ses dents. Ça me perturbe.

Elle résista à l'envie de rouler des yeux. De toute évidence, Styx avait passé beaucoup de temps, soit à ne pas tenir compte de ses sentiments, soit à réussir à n'en avoir aucun.

Un joli tour, si c'était possible.

—Styx, les émotions ne sont pas là pour nous plaire, dit-elle doucement. Elles sont juste là.

—C'est ce que je découvre, murmura-t-il tandis que ses yeux s'assombrissaient peu à peu en parcourant son visage levé vers lui. Je m'aperçois aussi que j'en préfère certaines à d'autres.

La bouche de Darcy était sèche et son cœur se serra soudain. Oh ! seigneur, elle savait exactement à quelles émotions il faisait allusion. Celles qui contractaient déjà son bas-ventre et la faisaient brûler du désir qu'il pénètre profondément en elle.

Elle articula un son doux. Quelque chose entre un gémissement et un soupir. Elle n'était pas vraiment sûre de ce que cela signifiait, mais, quoi que ce soit, cela suffit à encourager Styx.

Il déplaça sa main pour lui tenir délicatement la tête pendant qu'il posait doucement sa bouche sur ses lèvres.

Il l'avait simplement effleurée, mais un éclair d'émoi la transperça malgré tout. Oh… seigneur. Il était une tentation sexuelle ambulante douée de parole, et elle y était bien trop sensible.

Darcy referma les doigts sur les muscles saillants des bras de Styx tandis qu'elle se cambrait d'instinct pour se rapprocher de lui. Elle avait besoin de sentir sa puissance froide pressée contre elle, de coller ses rondeurs si étroitement contre lui qu'il serait impossible de dire où l'un finissait et l'autre commençait.

C'était un besoin qui allait bien au-delà du simple désir sexuel, comprit-elle avec un léger accès de panique. Même lorsqu'elle s'était enfuie loin de Styx, elle savait qu'une partie d'elle-même, une partie essentielle, viscérale, lui appartiendrait toujours.

Elle ignorait comment ou quand cela était arrivé, mais elle ne pouvait nier cette vérité.

Lorsque Styx n'était pas près d'elle, elle avait l'impression d'être incomplète.

Sentant que Darcy réagissait favorablement à ses caresses, Styx l'enlaça pour poursuivre son baiser. Avec une insistance de plus en plus grande, sa langue se glissait entre les lèvres de la jeune femme, goûtant sa chaleur humide avec une avidité qu'il ne prit pas la peine de cacher.

La tête de Darcy lui tournait et son cœur battait la chamade tandis qu'elle caressait les bras et les épaules larges et puissantes de Styx. Elle sentait son désir farouche dans son corps dur et noué, dans les mouvements impétueux de ses mains qui descendaient le long de son dos et remontaient sur les rondeurs de ses hanches.

Il poussa un grognement bas tout en lui mordillant la commissure des lèvres, avant de faire glisser sa langue sur la ligne de sa mâchoire.

—Je te veux, mon ange, marmonna-t-il en enfouissant le visage dans la courbe de son cou.

Tout le corps de Darcy fut agité par une violente vague d'émoi. Peu importait combien de fois Styx lui ferait l'amour, ce ne serait jamais, jamais assez.

Luttant pour se souvenir des raisons pour lesquelles elle ne devait pas juste lui arracher ses habits et en faire ce qu'elle désirait, Darcy secoua légèrement la tête.

—Attends, protesta-t-elle d'une voix essoufflée. Je ne peux pas réfléchir quand tu m'embrasses.

Il frotta ses canines contre sa peau sensible.

—Alors ne le fais pas.

Darcy resserra son étreinte sur les épaules de Styx. Un plaisir intense et brûlant la transperça soudain du cou au creux du ventre.

—C'est loin d'être réglé, Styx, le prévint-elle.

—Chut. Je ne peux pas réfléchir quand je t'embrasse, moi non plus, affirma-t-il comme ses lèvres se refermaient sur les siennes.

Les paupières de Darcy s'abaissèrent malgré la voix dans sa tête qui l'avertissait que ce n'était pas la meilleure façon de s'expliquer avec Styx.

Elle était une femme ayant le sens des réalités. Elle reconnaissait une bataille perdue d'avance quand celle-ci lui sautait aux yeux.

Elle pourrait s'expliquer plus tard.

Laissant échapper un gémissement sourd, Darcy écarta les lèvres et passa les mains dans les cheveux détachés de Styx. Les mèches épaisses semblaient de la soie sous ses doigts. Froide, lisse, parfaite, comme tout le reste chez lui.

Oh, oui. Elle pourrait s'expliquer beaucoup, beaucoup plus tard.

Une chaleur l'envahit lorsque Styx lui empoigna les hanches et la souleva du sol avec facilité pour la porter vers l'immense lit.

Un sentiment de sérénité absolue s'installa dans son cœur alors même qu'un désir grandissant couvait dans son corps.

Peu importait à quel point Styx pouvait parfois être agaçant et arrogant, elle se trouvait exactement à sa place.

Dans ses bras.

Elle sentit le satin lisse lui effleurer le dos lorsque Styx la posa avec délicatesse sur le lit. Elle s'attendait à ce qu'il la suive sur le matelas, mais, levant les yeux à contrecœur, elle s'aperçut qu'il était resté debout et parcourait d'un œil avide ses formes svelte.

—Tu es si belle, dit-il d'une voix rauque.

Il tendit le bras pour tirer doucement sur la serviette qui enveloppait son corps.

Darcy frissonna sous le feu de son regard. Un besoin à l'état brut qu'elle ne lui avait jamais vu jusque-là était imprimé sur ses traits fins. Comme s'ils avaient été séparés pendant des années au lieu de quelques heures.

Après avoir dégluti pour chasser l'étrange boule dans sa gorge, elle demeura immobile pendant qu'il faisait courir sa main sur la courbe de son cou avec une vénération déchirante.

—Styx?

—Si douce… si chaude, chuchota-t-il. (À dessein, il fit courir sa main jusqu'à son sein.) Je pourrais me noyer dans une telle douceur.

Darcy laissa ses yeux se fermer lorsque Styx effleura du pouce son téton durci. Oui, oui, oui. C'était le genre de truc auquel une femme pouvait devenir accro.

Les mains fébriles de Styx continuèrent leur chemin brûlant sur le corps de la jeune femme, suivant la courbe de sa taille et descendant le long de ses hanches. Elle eut le souffle coupé et gémit faiblement.

Magique.

Toujours plus bas, il explora ses cuisses, ses mollets et, finalement, le bout de ses orteils. Il s'attardait, la caressait, l'examinait. Il la touchait comme s'il mémorisait chaque centimètre de sa peau.

Elle empoigna les draps sous l'effet du plaisir que lui procuraient ses caresses.

Même les yeux fermés, Darcy reconnaîtrait le contact des mains de Styx, son odeur. Ils étaient gravés dans son cœur, et aucun homme ne serait jamais capable d'éveiller en elle un tel désir.

— S'il te plaît, l'implora-t-elle doucement. J'ai besoin de toi, Styx.

— Comme moi de toi, mon ange. (Il y eut un léger bruissement pendant qu'il s'occupait de ses vêtements, puis son corps dur, froid et puissant fut allongé sur le lit à côté d'elle.) Comme j'aurai toujours besoin de toi. Pour l'éternité.

La voix de Styx était empreinte d'une douce insistance qui transforma ces mots en un engagement solennel, et Darcy ouvrit brusquement les yeux pour les plonger dans l'éclat sombre de son regard.

— Styx, ne parlons pas de l'avenir, supplia-t-elle. Je veux juste vivre cet instant.

Il la dévisagea comme pour protester, mais il hocha finalement la tête avec lenteur.

—Alors, rendons cet instant mémorable, dit-il d'une voix rauque.

Sans prévenir, Styx prit possession de sa bouche avec une passion pure, et un frisson d'émoi la traversa aussitôt.

Les bras passés autour de son cou, elle répondit à son désir avec ardeur. Les lèvres de Styx étaient froides et exigeantes tandis qu'il savourait sa réponse. Il poussa un profond grognement guttural tout en parcourant des mains, avec voracité, le corps nu de la jeune femme, laissant un sillage de picotements brûlants sur sa peau.

Styx introduisit sa langue dans la bouche de Darcy et appuya ses canines sur ses lèvres. Elle entortilla sa langue à la sienne, relevant la tête pour mieux le goûter. La réponse farouche de Darcy le prit au dépourvu, et elle sentit soudain la saveur cuivrée du sang dans sa bouche.

D'abord, elle crut qu'il l'avait égratignée avec ses canines, mais, alors qu'il s'écartait, elle comprit que c'était sa lèvre à lui qui avait été coupée. D'instinct, elle se rapprocha pour lécher la goutte de sang qui perlait.

Surpris, il gémit de plaisir et le feu qui couvait dans ses yeux les fit briller.

—Oui, souffla-t-il en baissant la tête. S'il te plaît, mon ange…

N'ayant pas de mal à percevoir ce qu'il souhaitait, Darcy prit sa lèvre dans sa bouche et suça doucement la petite blessure. De toute évidence, les vampires aimaient autant donner leur sang qu'en prendre.

Saisissant les hanches de la jeune femme, il l'attira brusquement contre sa puissante érection.

Darcy eut le souffle coupé par son tendre assaut. Il y avait quelque chose de plus entre eux, cette nuit-là. Comme si leurs passions étaient inextricablement liées, chacune alimentant celle de l'autre jusqu'à ce que l'air même vibre de désir.

Styx s'écarta pour mordiller Darcy de la joue au menton. Il attendit qu'elle incline instinctivement la tête en arrière pour suivre de la langue sa veine qui palpitait. À ce moment-là, il tira sur ses jambes avec douceur, et glissa la main entre elles.

Darcy enfonça ses ongles dans les épaules de Styx quand il se mit à la titiller avec une expertise implacable.

Oh… purée. Cette magie allait s'arrêter bien trop vite.

— Pas encore, chuchota-t-elle alors qu'il effleurait du nez sa poitrine avide de caresses.

Il rit d'un rire bas et extrêmement viril. Et tout à coup, elle se retrouva sur le dos, Styx penché sur elle.

— Maintenant, mon ange adorable, la prévint-il. Sans hésiter, maintenant.

Elle écarquilla les yeux en le voyant baisser la tête pour la couvrir de baisers brûlants.

Plus que des baisers, comprit-elle en sentant ses canines et sa langue laisser un sillage ardent sur sa peau. Même ses cheveux étaient une caresse.

Darcy s'agrippa de nouveaux aux draps tandis qu'il parcourait lentement, méthodiquement son corps agité de frémissements. Le plaisir menaçait de la submerger, l'acuité de ses sens presque douloureuse.

— Styx, souffla-t-elle, résistant avec peine à l'envie de l'empoigner par les cheveux pour qu'il s'allonge sur elle.

— Oui, mon ange ? demanda-t-il pendant qu'il plantait ces baisers affolants sur l'infime renflement de son ventre.

— Tu as dit maintenant.

Avec un petit rire, il se positionna entre ses jambes et enfouit le visage contre la peau douce de ses cuisses.

— En effet. (Il lui donna un petit coup de langue.) Et je suis toujours un homme de parole.

S'attendant à ce qu'il s'allonge sur elle, Darcy fut prise au dépourvu lorsqu'elle sentit une légère pression, puis les canines de Styx qui s'enfonçaient profondément dans sa cuisse.

Elle poussa un petit cri et bondit presque hors du lit. Pas de douleur, ou même de peur. Mais juste d'extase à l'état pur.

Rien, absolument rien, ne pouvait se comparer à la sensation d'un vampire qui se nourrissait de manière si intime.

À chaque succion, tout le corps de Darcy se contractait, s'élevait en tournoyant toujours plus haut. Son cœur battait la chamade et l'air était emprisonné dans ses poumons.

C'était trop.

Un gémissement étranglé sortit de ses lèvres et, comme s'il attendait ce son-là, Styx commença à bouger avec une rapidité pleine d'aisance. Il s'agenouilla entre ses jambes écartées et passa les mains sous ses fesses pour les soulever au-dessus du matelas.

Un bref instant, Darcy fut surprise, se sentant étrangement vulnérable sous son regard brûlant de désir. Puis, toute pensée cohérente fut annihilée lorsque, d'un coup de reins ferme, il la pénétra.

Elle le sentit dans toutes les parties de son corps, comme si son essence se répandait dans son sang même.

Un moment, il demeura immobile, comme s'il savourait la sensation d'être si profondément enfoui en elle. Ce fut seulement lorsqu'elle fut sûre de ne plus pouvoir le supporter qu'il commença à onduler des hanches avec lenteur, s'enfonçant et se retirant à un rythme régulier.

Darcy enroula ses jambes autour de la taille de Styx, l'accueillant dans son corps, soulevant le bassin à sa rencontre à chacun de ses coups.

Il poussa un gémissement guttural et inclina la tête en arrière, une expression sensuelle sur le visage. Ses cheveux retombèrent dans son dos et le petit médaillon glissa sur la peau lisse et hâlée de son torse.

Darcy était absolument certaine de n'avoir jamais rien vu de si beau.

Son ténébreux et puissant Aztèque.

Styx accéléra son rythme, s'enfonçant de plus en plus loin en elle, et Darcy ferma les yeux alors que le bas de son corps se contractait sous l'effet d'une délicieuse tension. Une joie rayonnante vibra en elle, de plus en plus vive et canalisée jusqu'à ce que, finalement, sa délivrance éclate avec une force bouleversante.

Elle cria au moment même où Styx poussait un grognement étouffé, et, d'un dernier et divin coup de reins, il s'enfouit profondément en elle.

CHAPITRE 17

S alvatore retourna à son repaire délabré et s'enferma dans son bureau exigu.

Certains auraient pu prétendre qu'il était venu là pour broyer du noir. Jamais devant lui, bien sûr. Mais Salvatore se disait simplement qu'il ne faisait qu'envisager les possibilités qui s'offraient à lui.

Presque sans y penser, il regarda fixement par la fenêtre obscurcie tout en se rappelant sa brève rencontre avec Darcy.

C'était une belle femme. Incontestablement. Et il ne doutait pas qu'il n'aurait aucun mal à coucher avec elle. Ce qui, évidemment, était la raison pour laquelle il la recherchait.

Pourtant, il ne pouvait nier qu'elle n'était pas vraiment son genre.

Chez elle, aucune trace du feu dangereux qui pouvait se déchaîner avec une force mortelle. Aucune trace de la sensualité torride, brute, qui attirait tous les mâles aux alentours. Aucune trace de l'énergie impétueuse qui caractérisait la plupart des garous.

Elle était végétarienne, pour l'amour de Dieu.

Il secoua la tête sans entrain, puis prit l'arbalète sur son bureau. Elle était dirigée droit sur la porte, qui s'ouvrit sur la silhouette massive de Hess.

L'arme demeura fermement pointée sur la poitrine de l'intrus pendant que Salvatore le foudroyait du regard.

—Je vous ai prévenu, Hess, je ne suis pas d'humeur à être dérangé, dit-il avec hargne.

Le bâtard esquissa une révérence, les yeux rivés sur la flèche mortelle.

—Une voiture arrive, mon roi, l'avertit-il.

Les sourcils froncés, Salvatore jeta un coup d'œil par-dessus son épaule. Effectivement, une longue limousine rutilante s'arrêtait devant le bâtiment. Ses muscles se contractèrent. Une seule personne oserait attirer l'attention de façon si inutilement tapageuse.

La dernière personne qu'il désirait voir en ce moment.

—Bon sang, grommela-t-il, sans prendre la peine de regarder la femme sortir de l'arrière de l'énorme véhicule.

Les yeux de nouveau braqués sur Hess, il lança l'arbalète sur le bureau et la remplaça par deux poignards en argent qu'il glissa dans des fourreaux dissimulés sous sa veste. Contrairement à Darcy, cette femme était toujours prête à laisser libre cours à sa nature plus sauvage.

—Emmenez les bâtards dans la rue et ne revenez pas avant que je vous le dise, ordonna-t-il en repoussant les cheveux qui lui retombaient sur le visage.

—Vous voulez que nous nous cachions ?

L'orgueil froissé de Hess fit sourire Salvatore.

—Le caractère de Sophia est encore pire que le mien, et la nouvelle que je vais lui annoncer ne va pas lui plaire. Je préfère éviter toute mort accidentelle, le temps qu'elle se calme.

—Oh. (Hess déglutit bruyamment.) Bien vu.

—Oui.

Salvatore regarda le bâtard se précipiter hors de la pièce. Il faisait confiance à Hess pour rassembler le reste de la meute et les faire sortir du bâtiment sans encombre.

Bien sûr, cela signifiait qu'il serait seul pour affronter le courroux de la reine.

Il ne pouvait rien faire de plus pour se préparer à sa venue, alors il s'appuya avec désinvolture contre le bord du bureau et attendit que la puissante sang-pur franchisse le seuil avec majesté et se place juste devant lui.

N'importe quel autre homme serait tombé à genoux à sa vue. Non seulement elle était magnifique dans son pantalon en cuir moulant et son minuscule dos-nu, mais l'air autour d'elle semblait brûler d'une invitation sexuelle.

Il fallait également être un garou pour percevoir le désir vorace qui brillait dans ses yeux verts et son goût pour la violence qui transparaissait dans l'expression dure de son sourire.

—Ah, Salvatore, toujours aussi irrésistible, roucoula-t-elle en se collant contre lui avec assurance. Mmm… tu vas certainement embrasser ta reine ?

Salvatore l'empoigna par les épaules.

—Pas maintenant.

Elle éclata d'un rire sarcastique tandis qu'elle faisait glisser sa main le long du corps de Salvatore et qu'elle se saisissait de son sexe. Il serra les dents lorsqu'elle referma ses doigts de façon aguichante.

—C'est vraiment vilain de ne pas me faire profiter de toutes ces choses délicieuses.

Salvatore la repoussa sans ménagement. Il n'avait rien contre les allumeuses, mais il se refusait à offrir sa semence à une femme qui partageait son lit avec une dizaine d'hommes. Tous en même temps.

Il était roi, pas un humble membre de la meute.

Il choisirait sa reine, et cette dernière n'appartiendrait qu'à lui.

—Le moment ne s'y prête pas, gronda-t-il.

Les traits magnifiques de Sophia, qui paraissaient aussi jeunes que ceux d'une adolescente, même si elle avait bien plus de trois cents ans, se durcirent un instant, puis elle se força à esquisser un sourire pincé.

— Tu boudes encore parce que je n'ai pas accepté de t'accorder l'usage exclusif de mon corps ?

Il haussa les sourcils.

— Même cette exclusivité ne pourrait me pousser à goûter à ce qui a été partagé par tous les garous et bâtards de cinq continents.

D'un mouvement confus, Sophia tendit le bras pour le gifler. Salvatore encaissa ce coup avec un léger sourire destiné à l'irriter.

— Espèce de salaud. Tu es peut-être roi, mais tu ne me domines pas encore, cracha-t-elle.

C'était parfaitement vrai. En tant que sang-pur ayant réussi à tomber enceinte régulièrement et même à mettre bas à terme, cette femme était vénérée par tous les loups-garous.

Jusqu'à ce qu'il parvienne à engendrer sa propre portée, il était obligé de lui témoigner un minimum de respect.

— Alors, ne pose pas les mains sur moi à moins d'y être invitée.

Elle fit claquer ses dents vers lui avant de se retourner pour flâner dans la pièce exiguë. L'expression de son visage se fit méprisante en découvrant ce cadre miteux.

Pas étonnant.

Sophia était plus du genre à séjourner au Ritz-Carlton qu'à manger de la vache enragée.

— Où est ta meute ? demanda-t-elle finalement quand elle s'arrêta.

— En patrouille dans les rues.

Elle fit la moue.

— Tu crains d'être attaqué ici ?

Salvatore s'écarta du bureau et se redressa.

—J'ai l'air stupide ? Évidemment que je redoute une attaque. Les vamps adoreraient nous exterminer une bonne fois pour toutes.

—Parle-moi de ce Styx.

—Froid, mort et trop arrogant pour savoir que sa place est dans sa tombe, dit-il avec brusquerie.

Au mieux, il détestait les vampires, et il en avait plein le dos de Styx, ce putain de maître de l'univers.

Sophia rit à son ton cassant.

—Ah, tu empestes la jalousie, Salvatore. Ce vampire a vraiment réussi à te taper sur les nerfs. Il faut que je le rencontre.

Il se força à esquisser un sourire.

—Je t'organise une entrevue, si tu veux, même si je dois absolument t'avertir qu'il préfère manifestement une… réplique plus jeune de toi.

Une chaleur soudaine crépita dans la pièce, comme si la foudre s'apprêtait à frapper. Sophia n'était pas dénuée de pouvoir, ni d'un tempérament qui pouvait rivaliser avec celui de Salvatore.

Au prix d'un grand effort, elle maîtrisa sa colère brutale et fusilla Salvatore du regard.

—Où est la fille ?

—Darcy ?

Il employa son nom à dessein. Même si Sophia avait donné naissance aux quatre petites filles, elle n'éprouvait aucun amour maternel. Pour elle, son devoir s'achevait dès que les bébés quittaient son corps. Les élever relevait de la responsabilité de la meute. Évidemment, ces nourrissons étaient si importants qu'elle avait été obligée de participer aux recherches lorsqu'ils avaient disparu. Ce qui n'avait rien fait pour améliorer son caractère.

—Elle n'est pas ici en ce moment, ajouta-t-il.

Sans surprise, ses yeux verts brillèrent de rage.

— Et qu'est-ce que ça peut bien vouloir dire ? Pas ici en ce moment ? Tu m'as assuré qu'elle se trouvait entre tes mains.

Il haussa les épaules.

— Ne t'inquiète pas. Je lui ai parlé. Ce n'est qu'une question de temps avant qu'elle prenne de nouveau contact avec moi.

Le grondement sourd de Sophia s'éleva progressivement à travers la pièce.

— Qu'est-ce que tu lui as dit ?

— Je lui ai dit qu'elle avait une famille qui tenait énormément à la rencontrer. (Il esquissa un rictus sardonique.) Surtout sa très dévouée mère.

Sophia ne prêta pas attention à son sarcasme et recommença à faire les cent pas.

— Elle sait ce qu'elle est ?

Salvatore frissonna en sentant la chaleur qui tournoyait dans la pièce. Cela faisait trop longtemps qu'il n'avait pas mis une sang-pur dans son lit.

Il avait besoin de Darcy, et vite.

— J'ai essayé de le lui expliquer. (La contrariété contracta soudain son visage.) Sans surprise, elle n'a guère été convaincue. Elle ne croyait même pas aux loups-garous jusqu'à il y a quelques jours.

— J'aurais dû me douter que tu bâclerais ça.

— Bâcler ?

Ses mains le démangeaient tant il avait envie de l'étrangler. Il était roi. Ses décisions n'avaient pas à être contestées.

— Je constate qu'aucune de tes charmantes filles n'est pendue à tes jupes, ajouta-t-il. Moi, au moins, j'ai réussi à retrouver Darcy et à l'approcher. C'est bien plus que ce dont tu as été capable.

Sophia s'avança avec grâce pour se placer devant lui.

— Et où est-elle maintenant ? Aux mains des vampires ? répliqua-t-elle d'un air méprisant. Ah oui, tu as fait du très bon boulot.

Il réprima l'envie de la repousser encore. Il ne lui donnerait pas la satisfaction de savoir que sa proximité le troublait.

— Comme je te l'ai dit, elle ne va pas tarder à venir me trouver. Je possède les réponses qu'elle désire si désespérément.

— Espèce d'imbécile. Nous ne pouvons pas rester les bras croisés à espérer qu'elle décide de prendre contact avec nous.

— Qu'est-ce que tu comptes faire ?

— J'ai l'intention de ramener ma fille à la maison.

Il plissa les yeux.

— Ou, plus vraisemblablement, de la terroriser et de la faire fuir, précisa-t-il.

— Et qu'est-ce que tu entends par là ?

— Darcy a été élevée par des humains, lui rappela-t-il d'un ton railleur. Tu crois sincèrement que tu peux jouer le rôle de Caroline Ingalls ?

Elle afficha un rictus.

— Oui, le temps de l'attirer loin des bras des vampires. Après quoi, tu devras te charger de la partie sentimentale.

Sentimentale ?

Salvatore se secoua mentalement. Il n'avait jamais essayé de se montrer sentimental, mais s'il fallait en passer par là pour mettre Darcy dans son lit, alors il le ferait.

Il avait besoin d'héritiers. Des héritiers forts qui revigoreraient les garous qui dépérissaient.

Il ferait tout le nécessaire pour y parvenir.

Styx comprit qu'il avait complètement perdu l'esprit.

Rien d'autre ne pouvait expliquer pourquoi il arpentait la pièce avec impatience pendant que Darcy s'habillait dans la salle de bains attenante.

Par tous les dieux, cette femme se trouvait à huit mètres de lui. Si proche qu'il entendait chacun de ses mouvements et sentait le parfum chaud de sa peau. Il pouvait être auprès d'elle en moins d'un clin d'œil.

Mais la simple présence d'une porte mince qui les séparait suffisait à lui donner envie de gronder et de mordre tant il était contrarié.

C'était plus que ridicule.

Styx tirait sur ses habits avec une vive impatience et se reprochait encore son étrange malaise lorsqu'un cri faible et étouffé retentit dans la pièce.

Assailli par la peur, il traversa la chambre et enfonça la porte. Il parcourut la salle de bains du regard, à la recherche de ce qui avait fait crier Darcy.

Ce qu'il découvrit, ce fut Darcy assise sur le rebord de l'immense baignoire, vêtue seulement de son jean et d'un soutien-gorge en dentelle, qui examinait son bras avec horreur.

Pensant qu'elle avait dû se blesser, il vola à son côté et s'agenouilla devant elle.

— Darcy, dit-il doucement, patientant jusqu'à ce qu'elle lève enfin les yeux pour rencontrer son regard inquiet. Mon ange, que se passe-t-il ?

— Mon bras. (L'air bizarrement hébété, elle le tendit vers lui.) Il a un problème.

Il le prit avec précaution, et resserra instinctivement ses doigts en apercevant les volutes cramoisies qui couraient sur son avant-bras.

Un instant, il se figea, tentant d'admettre ce qu'il voyait. Non pas qu'il ignore ce que c'était. Tous les vampires étaient capables de reconnaître un symbole si ancien.

Et non pas qu'une partie de lui-même ne se soit pas attendue à l'apparition de cette marque. Dès le début, il avait su que cette femme lui faisait un effet bien plus puissant qu'elle ne l'aurait dû. Et lorsqu'elle avait bu son sang, la question avait été réglée.

Malgré tout, il lui fallut une longue minute pour saisir réellement ce qui était arrivé.

Une prise de conscience qui fut vite suivie par une vague d'immense satisfaction.

La virile et violente satisfaction d'un sentiment de possession.

C'était sa réaction qui le bouleversait plus qu'autre chose.

— Bordel, souffla-t-il enfin.

— Quoi ? (Darcy serra le poing tandis qu'elle luttait pour maîtriser sa panique.) Je suis malade ? J'ai attrapé un virus ?

Avec opiniâtreté, Styx surmonta son choc et s'obligea à se concentrer sur la femme assise en face de lui.

Elle n'avait pas la moindre idée de ce qui lui arrivait. Il s'agissait de déterminer ce qui la terrifierait le plus : le savoir ou l'ignorer.

— Non. (Il fit un effort pour relâcher ses doigts, tout en étant suffisamment sage pour continuer à la tenir.) Tu te portes comme un charme, Darcy, je te le promets.

— Tu sais ce que c'est ?

Il hésita avant d'acquiescer avec lenteur.

— Oui.

— Dis-le-moi, demanda-t-elle.

— Tu me jures de ne pas t'enfuir si je te dis la vérité ?

Elle prit une petite inspiration.

— Bon sang, Styx, tu me fais peur.

Il se pencha tout près d'elle, et plongea son regard dans le sien.

—Il n'y a aucune raison d'être effrayée, mon ange, mais je veux que tu me promettes de m'écouter jusqu'au bout avant de commettre une imprudence.

Bizarrement, une partie de l'angoisse de Darcy sembla s'évanouir comme sa méfiance augmentait. À l'évidence, elle commençait à soupçonner que le cramoisi qui miroitait sous sa peau n'avait rien à voir avec une maladie mortelle.

—C'est toi qui m'as fait ça? s'enquit-elle.

—Tu ne m'as pas encore donné ta promesse, Darcy.

—Nom d'un chien, dis-le-moi, c'est tout! s'exclama-t-elle d'une voix rauque et impatiente.

Comprenant qu'il n'obtiendrait aucune promesse, Styx resserra son étreinte. Manifestement, il devrait prendre des mesures directes pour s'assurer qu'elle ne parviendrait pas à s'éclipser.

—C'est la marque de notre union, avoua-t-il doucement.

Darcy baissa ses yeux écarquillés sur son bras.

—J'ai un tatouage parce qu'on a couché ensemble? Putain. C'est un truc que tu aurais pu mentionner. C'est vrai… merde, qu'est-ce qu'il dit? J'ai fait l'amour avec Styx?

Il dissimula la soudaine envie de rire que lui inspirait l'indignation de Darcy. Ah, si seulement c'était aussi simple.

—C'est un symbole, Darcy, pas des mots, et tu ne l'as pas parce qu'on a fait l'amour. C'est la représentation physique d'un lien ancien.

—Tu pourrais le formuler autrement? demanda-t-elle.

Il réprima un soupir. Elle n'était pas une vampire et ignorait tout du monde des démons, se rappela-t-il avec sévérité. Elle ne pouvait manquer d'être déconcertée.

—C'est la marque de l'union véritable.

—L'union véritable? (Elle pâlit.) Comme dans… «et ils vécurent heureux jusqu'à la fin de leurs jours»?

—En partie.

—Comment ça, en partie ?

—Cette marque indique que tu es ma compagne véritable, mais, pour compléter cette union, tu devras t'ouvrir à moi entièrement et sans hésitation.

Il sentit qu'elle se raidissait, puis elle dégagea son bras et se leva. À contrecœur, il lui accorda cette petite liberté. Il n'aurait aucun mal à la retenir si elle se précipitait vers la porte.

Les bras serrés sur le ventre, elle le dévisagea de ses yeux verts emplis d'inquiétude.

—Bon, laisse-moi tirer ça au clair. J'ai ce… truc sur la peau et maintenant nous sommes unis ?

—Je suis lié à toi, expliqua-t-il avec prudence.

—Ce qui veut dire ?

—Ça signifie que je t'appartiens, et à toi seule, pour l'éternité. Il n'y aura jamais personne d'autre pour moi.

Elle cligna des yeux, comme abasourdie par son aveu sincère.

—Ouille.

Il esquissa un rictus.

—C'est une façon de le dire.

—Et moi ? Je t'appartiens ?

Une sinistre émotion s'éveilla en Styx.

Évidemment qu'elle lui appartenait. Il tuerait quiconque tenterait de la lui enlever.

Il s'efforça de maîtriser le désir violent de la soulever dans ses bras pour la prévenir qu'il ne la laisserait jamais partir.

Il avait commis suffisamment d'erreurs avec Darcy. Il ne la forcerait ni ne la manipulerait pour qu'elle devienne sa compagne, peu importait à quel point il la voulait.

—Tu dois t'offrir sans aucune contrainte, de la même façon dont j'ai pris ton sang pour être ton compagnon.

—Mais… je me suis offerte avec plaisir plus d'une fois.

— Pas ton corps, Darcy. (Il chercha les mots qui expliqueraient cette union mystique.) Tu dois offrir ton cœur et ton âme. Ton essence même.

Elle réfléchit un long moment.

— Qu'est-ce qui se passe si je ne le fais pas ?

Il grinça des dents.

— Tu restes sans attachement.

— Je pourrais partir comme ça et tu serais toujours lié à moi ?

— Oui, grogna-t-il. (Il fronça brusquement les sourcils lorsqu'elle se couvrit le visage des mains et qu'il entendit le bruit caractéristique du rire.) Tu trouves ça drôle ?

Darcy baissa lentement les mains, et la colère de Styx fondit lorsqu'il prit conscience que des larmes avaient mouillé ses joues. Bon sang.

— Eh bien, même *toi*, tu dois reconnaître qu'il y a une certaine ironie dans cette situation, souligna-t-elle en saisissant d'une main tremblante un mouchoir pour sécher ses yeux. C'est toi qui m'as enlevée et m'as retenue contre ma volonté. Maintenant, on dirait que c'est toi qui es prisonnier.

— C'est ce qu'il semble, en effet, murmura-t-il en s'avançant pour se placer juste devant elle.

Avec des gestes délibérément lents, il tendit les bras pour lui prendre le visage dans les mains ; des pouces, il suivit avec douceur les traces humides qui subsistaient sur ses joues.

— À quoi tu penses ? demanda-t-il.

Elle ne fit pas mine de s'écarter à son contact mais le dévisagea avec une vulnérabilité douloureuse dans le regard.

— Tu savais que ça pouvait arriver ?

D'un mouvement impulsif, il appuya son front contre le sien, ne sachant pas très bien comment lui apporter le réconfort dont elle avait besoin.

— Que tu puisses être ma compagne véritable ?

— Oui.

Il lui effleura le front du bout des lèvres.

— Je crois que je l'ai su dès l'instant où je t'ai enlevée. Je n'ai jamais été si... sensible à une femme de ma très longue vie.

Elle recula pour l'observer d'un air narquois.

— Tu veux dire que tu me désirais dans ton lit ?

— Dans mon lit, par terre, sur la table de la cuisine, dans le solarium...

Elle lui donna une tape sur le torse.

— Styx.

Il resserra son étreinte. Comment pouvait-elle ne pas sentir les émotions qui brûlaient en lui ? Comment pouvait-elle douter ne serait-ce qu'une seconde qu'il consacrerait désormais toute son existence à la rendre heureuse ?

— Tu n'as pas à poser une question si ridicule, mon ange, fit-il remarquer farouchement. Tu sais parfaitement que tu m'as ensorcelé bien au-delà de la chambre. Il ne semble pas y avoir un instant où tu ne sois pas dans mes pensées, même quand je voudrais qu'il en soit autrement. Tu es devenue une partie nécessaire de moi-même.

Une rougeur charmante apparut sur les joues pâles de Darcy, et Styx sourit en constatant que ses mains tremblaient, tant elle était troublée.

Elle ne perdrait jamais tout à fait cette adorable innocence qu'il trouvait si fascinante.

Après avoir inspiré un bon coup, elle choisit avec soin ses mots.

— Tu n'as pas l'air...

— Quoi ? l'encouragea-t-il.

— Aussi contrarié que tu le devrais.

— C'est vrai.

Sa réponse immédiate la fit hésiter.

— Vraiment ?

—Bien sûr. Un vampire ne s'unit qu'une fois dans sa vie. C'est un moment qui lie son existence à celle d'une autre pour l'éternité, et c'est considéré comme l'une de nos cérémonies les plus sacrées. (Sans qu'il en ait conscience, le sourire de Styx contenait une légère touche de nostalgie.) Désormais, je suis uni à une femme qui pourrait très bien me quitter. Au minimum, je devrais être inquiet.

—Mais tu ne l'es pas?

—Je dois avouer qu'une partie de mon être souhaite désespérément te lier à moi, mais, à part ça, je ressens une certaine... (Styx chercha le nom de la sensation qui l'emplissait.) une certaine sérénité.

—Styx...

Il posa un doigt sur sa bouche. Il percevait la panique qui couvait toujours tout au fond d'elle.

Pas précisément flatteur, mais guère surprenant.

—On parlera de ça plus tard, annonça-t-il avec fermeté. (Il suivit distraitement du doigt le contour de ses lèvres pulpeuses.) D'abord, j'aimerais savoir ce que Salvatore t'a dit.

—Comment sais-tu..., commença-t-elle, avant de s'interrompre en poussant un profond soupir. Peu importe.

—Tu vas me le dire?

Elle leva le bras pour lui prendre la main, comme si sa caresse légère la troublait. Il dissimula un sourire soudain. L'idée de troubler cette femme lui plaisait. En fait, il avait l'intention de la troubler bien plus encore avant la fin de cette nuit.

—Il a dit que la personne sur la photo était ma mère.

Styx l'observa attentivement.

—Et tu l'as cru?

Elle recula d'un pas, sur la défensive.

—Styx, tu as vu ce cliché. Tu dois admettre, toi aussi, qu'on se ressemble trop pour qu'il s'agisse d'une coïncidence.

Il réprima l'envie de protester. Il apprenait véritablement de ses erreurs, à l'occasion.

Miracle des miracles.

— Je suis sûr qu'il ne s'est pas contenté de te dire que la femme sur la photo était ta mère, déclara-t-il plutôt.

L'expression de Darcy se fit plus grave.

— En effet.

— Et ?

— Il prétend que ma mère est une sang-pur.

— Non ! s'exclama-t-il avec plus de brusquerie qu'il n'en avait eu l'intention. Il doit mentir. Tu n'es pas une garou.

Darcy serra les lèvres au ton qu'il avait employé.

— Eh bien, je ne suis certainement pas une simple humaine. Tu as dit toi-même que je devais avoir du sang de démon.

— Du sang de démon, oui, reconnut-il à contrecœur. Pas de garou.

— Tu en es sûr ?

L'était-il ? Styx se retourna brusquement pour arpenter la pièce. En vérité, être incapable de déterminer précisément ce qu'elle était le déconcertait. En revanche, ce qu'il savait, c'était qu'il ne pouvait pas se permettre d'envisager la possibilité qu'elle puisse être même partiellement une garou.

Cela n'avait rien à voir avec un préjugé. Les vampires pouvaient se montrer arrogants avec tout le monde, mais ils choisissaient souvent des maîtresses d'une autre espèce.

Non, sa réticence était directement due à sa peur de perdre cette femme.

Devoir lutter contre une mère qui réapparaissait dans la vie de Darcy après une longue absence n'était déjà pas un cadeau.

Quelle chance aurait-il contre l'appel de toute une meute ?

Avec lenteur, il se retourna pour rencontrer le regard préoccupé de Darcy.

—Je ne peux pas dire exactement ce que tu es, mais je sais en revanche qu'à l'âge que tu as, tu aurais commencé à te transformer.

Elle baissa les yeux et prit le sweat-shirt qu'elle avait laissé près du lavabo.

—À ce qu'il paraît, il y aurait une raison qui expliquerait que je n'aie jamais… changé.

—Ridicule.

Il serra les poings. Par tous les dieux, il aurait dû tuer Salvatore dès son arrivée à Chicago.

—Il doit s'agir d'une sorte de ruse.

—Peut-être. (Darcy enfila le sweat-shirt et le fit descendre sur ses hanches d'un coup sec.) J'ai l'intention de découvrir la vérité, quelle qu'elle soit.

—Darcy…

Ses vaines paroles de mise en garde s'interrompirent quand il se tourna vers la porte.

En un clin d'œil, elle était près de lui.

—Que se passe-t-il?

—Viper arrive.

—Tu devrais peut-être aller voir ce qu'il veut.

Il lui effleura la joue d'un doigt.

—Il faut qu'on finisse cette conversation.

Elle afficha un sourire narquois avant de le pousser doucement.

—Vas-y. Je serai là quand tu en auras terminé.

—Promis?

Darcy roula des yeux.

—Contente-toi d'y aller.

CHAPITRE 18

À pas feutrés, Styx sortit de la salle de bains, traversa la chambre plongée dans l'obscurité et ouvrit la porte au moment où le vampire aux cheveux argentés arrivait.

Il s'avança dans le couloir sans refermer derrière lui. Peu importait à quel point c'était stupide, il ne voulait pas de barrière entre lui et Darcy.

— Viper, sauf si la maison est en flammes, je ne souhaite pas être dérangé, dit-il en fronçant les sourcils d'un air menaçant.

— Je dois te parler.

— Pas maintenant.

— Tu sais que je ne serais pas là s'il ne s'agissait pas d'un problème d'importance.

— Je m'en fous si c'est la fin du monde, je…

Il s'interrompit en feulant lorsque Viper le poussa sans ménagement pour s'approcher de la porte, ses yeux sombres plissés pendant qu'il reniflait l'air.

— Bordel. Tu t'es uni à elle ? grogna Viper.

Avec une rapidité vertigineuse, il claqua la porte et vint se placer juste devant Styx.

— Tu as perdu la tête ?

Le sourire de Styx était totalement dénué d'humour.

— Je suppose que c'est possible.

— Plus que ça, grinça Viper entre ses dents. Tu ne sais même pas ce qu'elle est, bon sang.

Styx grimaça : il avait pleinement conscience que ses paroles ne rassureraient pas son compagnon.

— En fait, Salvatore a prétendu qu'elle était la fille d'une sang-pur.

— C'est une garou ? (S'attendant à une franche incrédulité, Styx fut pris au dépourvu quand Viper hocha la tête avec lenteur.) Shay avait bien dit que Darcy sentait le loup, même si elle n'aurait pas pu l'affirmer.

Styx tiqua. Shay soupçonnait que Darcy était une garou ?

Merde, merde, merde.

Il résista à l'envie de grogner et foudroya Viper d'un regard sévère.

— Ce qu'elle est n'a plus d'importance.

— Par les couilles du diable, grommela Viper. Putain, évidemment que c'est important.

— Ce n'est pas ton problème, Viper.

— Tu es notre Anasso. Ça nous concerne tous.

Avec une aisance délibérée, Styx laissa son pouvoir envahir le couloir. Viper était son ami, mais il n'était pas d'humeur à se faire sermonner comme s'il était un jeune démon.

— Souhaites-tu me défier ? Penses-tu que ma place te revienne ?

Viper plissa les yeux. Si ça devait arriver, tous deux savaient que Styx était le plus fort, mais son cadet était loin d'être intimidé.

Viper était comme n'importe quel vampire.

Il était sacrément trop arrogant pour être intimidé.

Même quand il aurait dû l'être.

— Ne dis pas de bêtises, Styx, dit-il d'un ton brusque. Je ne prendrais pas ta position si on me l'apportait sur un plateau d'argent. Néanmoins, je ne peux pas rester les bras croisés pendant que tu te mets en danger avec une femme liée de toute évidence aux garous. Et si elle était un piège ?

—Un piège?

—Rien ne dit que Salvatore ne t'ait pas fait croire à dessein qu'il pourchassait Darcy pour que tu la captures toi-même.

Styx feula doucement, une expression menaçante durcissant ses traits.

—Pourquoi voudrait-il que je l'enlève?

—Elle n'est peut-être qu'une espionne. (Avec courage – certains pourraient y voir de la bêtise –, Viper refusa de tenir compte du danger qui tournoyait dans l'air.) Ou, plus vraisemblablement, elle a été envoyée pour t'amener à baisser ta garde et détourner ton attention du fait que les garous rompent leur traité. Un stratagème qui s'est révélé ne réussir que trop bien.

Styx serra les dents et s'obligea à reculer. Des siècles s'étaient écoulés depuis qu'il avait arrêté de distribuer des coups sous l'emprise d'une rage folle, mais, en cet instant, il ne pouvait garantir que cela ne se reproduirait pas.

—Ce que tu dis ne se tient pas, Viper, affirma-t-il avec un calme mesuré. (C'était ça, ou un ton hargneux.) À un moment, tu laisses entendre que je ne traite pas Darcy avec le respect qui convient, et le suivant tu l'accuses d'être une sirène sournoise destinée à provoquer la chute des vampires.

—C'est exactement ça, Styx. Nous n'en savons pas suffisamment sur elle pour déterminer si c'est une amie ou une ennemie. (Viper secoua la tête, énervé.) Certainement pas assez pour que tu en fasses ta compagne.

Trop c'était trop.

Il n'avait jamais voulu endosser la charge d'Anasso mais, sans l'ombre d'un doute, il était le chef de tous les vampires.

Il n'avait pas à s'expliquer ni à s'excuser pour les décisions qu'il prenait, quelles qu'elles soient.

Surtout en ce qui concernait sa compagne.

301

— Nous ne parlerons plus de cela. C'est fait et on ne peut plus rien y changer. (Sans conteste, son ton était celui du commandement.) Alors, pourquoi as-tu insisté pour me déranger ?

Pendant quelques secondes, Viper lutta contre sa propre nature dominatrice. C'était un chef de clan, habitué à donner des ordres, pas à en recevoir.

Il parvint enfin à maîtriser l'instinct qui le poussait à poursuivre ce vain affrontement, et hocha la tête avec raideur.

Il obtempérerait, mais n'avait pas l'intention de le faire de bon cœur.

Styx devrait s'en accommoder.

— Desmond est arrivé à Chicago pour réclamer le retour des membres de son clan.

Il fallut du temps à Styx pour se rappeler précisément à qui Viper faisait référence. Bien sûr, en cet instant, il lui était difficile de se souvenir d'autre chose que de son besoin de rejoindre Darcy.

Une prise de conscience dangereuse.

Finalement, il réussit à déterrer le souvenir des deux vampires désespérés qui avaient si récemment imploré sa protection.

Desmond devait être le chef de clan qu'ils craignaient.

— Il s'est introduit sur ton territoire ? demanda Styx avec une pointe de surprise.

C'était un suicide que de pénétrer sur les terres d'un autre vampire sans autorisation formelle.

— Il revendique le droit de Réparation, dans la mesure où nous détenons deux membres de son clan contre leur volonté.

— Il est de notoriété publique qu'ils sont venus me solliciter et sont actuellement sous ma protection. Te défier, c'est me défier, moi.

Viper haussa les épaules.

— Je suppose que c'est le but.

Par tous les dieux, il y avait des moments où il ne souhaiterait pas la position d'Anasso à ses pires ennemis.

— Quelles sont les pertes ?

— Jusqu'ici, il a tué trois chiens de l'enfer, un sidhe et cinq Scibies. (Viper grimaça.) Suffisamment pour que je réagisse, mais pas assez pour provoquer une guerre totale entre clans.

— Pas de vampires ?

— Pas encore, mais ce n'est qu'une question de temps. Je dois régler cette affaire, mais je préférerais éviter d'éliminer ce chef.

Styx résista à l'envie de soupirer. Il savait ce qui viendrait ensuite, et ce ne serait pas à son goût.

— Tu souhaites que je t'accompagne ?

— Oui. (Viper leva les mains.) Bien sûr, si ce n'est pas possible…

— Tu peux compter sur moi.

En dépit de ses réticences, Styx comprenait qu'il n'avait pas le choix. Il avait décidé d'accorder sa protection à ces deux vampires. À présent, il était de sa responsabilité d'affronter le chef qui était venu les chercher.

— Laisse-moi quelques instants seul avec Darcy, ajouta-t-il.

L'expression de Viper se durcit, mais heureusement il ne céda pas à l'envie de poursuivre ses protestations.

Un vampire très, très intelligent.

— Comme tu veux, murmura-t-il avec une profonde révérence. Je t'attends en bas.

Darcy se tenait près de la fenêtre lorsqu'elle sentit Styx entrer dans la chambre. Durant quelques instants, elle continua à regarder fixement l'épaisse obscurité, savourant en silence le pouvoir froid qui avait envahi la pièce et lui frôlait la peau.

L'idée d'être unie à un vampire la perturbait peut-être, mais cela ne changeait en rien la passion farouche qu'elle ressentait chaque fois qu'il était près d'elle, ni l'étrange sensation de bien-être qui s'installait tout au fond de son cœur.

Comme si sa seule présence suffisait à parfaire son monde.

Purée.

Elle se retourna avec lenteur, les bras serrés sur son ventre. Elle ignorait si cette union l'avait rendue plus sensible aux humeurs de Styx, mais elle sut avant même de rencontrer ses yeux noirs réservés que quelque chose n'allait pas.

—Que s'est-il passé?

Il s'avança. Suffisamment près pour poser la main sur sa joue. Il la tenait avec douceur, et pourtant elle sentit que tout son corps était tendu. Il la touchait comme s'il *devait* le faire.

—Un chef de clan est entré sur le territoire de Viper. Il faut s'en occuper avant qu'il fasse couler du sang de vampires.

Elle leva la main pour toucher les doigts qui lui étreignaient le visage.

—Ça ne me dit rien qui vaille. (Elle fronça les sourcils sous l'effet de la peur qui lui serrait vivement le cœur.) Tu vas te mettre en danger?

Il haussa les épaules, apparemment plus intéressé par la forme des lèvres de la jeune femme que par le fait qu'il s'apprêtait à affronter un dangereux vampire.

—À peine. Desmond a surtout besoin qu'on lui rappelle le risque encouru à mépriser nos lois.

Elle plissa les yeux à son ton désinvolte.

—Je n'aime toujours pas ça. Et si ce vampire ne veut pas qu'on lui rappelle vos lois? S'il décide de t'attaquer?

—Viper sera avec moi. Peu de choses font le poids contre nous deux. (Il s'interrompit et son regard vint se river sur celui de Darcy.) Tu te fais du souci pour moi?

Eh bien, sans déc'?

En dépit de toutes leurs troublantes facultés de perception, les vampires étaient parfois incroyablement bouchés.

— Évidemment que je suis inquiète. Tu me rends peut-être folle, mais je ne souhaiterai jamais qu'il t'arrive quoi que ce soit.

L'expression de Styx se radoucit.

— Parce que tu tiens à moi ?

Elle se raidit à ses mots doux. Non pas parce que ce dont il l'accusait l'ennuyait, mais parce que c'était si vrai que cela en était douloureux.

Elle tenait tellement, tellement à lui.

Néanmoins, elle s'aperçut qu'elle éprouvait une réticence ridicule à admettre les émotions confuses qui lui serraient le cœur. Elles étaient trop brutes et tendres pour être livrées à discussion.

Du moins, pour le moment.

Darcy baissa le regard pour dissimuler ses yeux derrière le drapé de ses cils.

— Je ne souhaiterais du mal à personne.

Les doigts de Styx se resserrèrent sur sa joue.

— Tu ne peux pas juste le dire, mon ange ? Tu ne peux pas reconnaître que tu tiens peut-être un peu à moi ?

— Tu sais que je tiens à toi, soupira-t-elle finalement.

— Cela n'a pas l'air de te faire plaisir. Est-ce que ça te gêne que je sois un vampire ?

— Bien sûr que non. (Elle releva les yeux.) En fait, je suis contente que tu ne sois pas humain. J'ai toujours su que je ne pouvais pas être avec… un homme normal.

Styx cligna des paupières à son aveu brutal avant de rire sans enthousiasme.

— Je viens juste de me faire insulter ?

Pour toute réponse, un sourire se dessina sur les lèvres de Darcy. Elle ne s'était pas exprimée exactement comme elle en avait eu l'intention.

— Tu sais ce que je veux dire.

Sans réfléchir, elle effleura des doigts la ligne résolue de la mâchoire de Styx. Comment pouvait-elle ne pas le toucher ? Son contact était si terriblement délicieux.

— J'ai passé des années à éviter toute relation car la plupart des gens pensent que je suis soit cinglée, soit un monstre complet. Je n'ai jamais pu être simplement moi-même. C'est merveilleux de ne pas devoir faire semblant d'être quelque chose que je ne suis pas.

Il tourna la tête pour frôler des lèvres la paume de sa main.

— Tu ne dois jamais faire semblant avec moi, mon ange. À mes yeux, tu es parfaite.

— Loin de là.

Les yeux sombres lancèrent des éclairs.

— Si je trouve que tu es parfaite, alors tu l'*es*.

— Et ta parole fait loi ?

— À vrai dire, oui.

Incapable de protester, elle roula des yeux.

— Quelle arrogance.

— Peut-être, mais tu tentes de me distraire, mon ange. Je sens ce que tu as dans le cœur. Je le renifle sur ta peau. L'air même qui t'entoure en est parfumé. Pourquoi ne peux-tu pas prononcer ces mots ?

Darcy fit un effort pour verbaliser ses réticences.

— Il se passe trop de choses trop vite, Styx. J'ai juste besoin de temps pour mettre de l'ordre dans tout ça.

Une émotion farouche fit briller ses yeux sombres pendant qu'il luttait pour recouvrer la maîtrise froide qui faisait tant partie de lui.

Une partie qui lui faisait défaut plus souvent qu'à son tour lorsque Darcy était près de lui.

Humm. Était-ce une bonne ou une mauvaise chose ?

Se souvenant brusquement de la passion brute et de la tendresse déchirante de Styx, Darcy décida que c'était bien.

Très bien.

— Tu as raison, mais ce n'est pas facile, grogna-t-il en secouant la tête. Étrange, vu que, pendant des siècles, j'ai souvent élaboré des plans et intrigué sans jamais perdre patience. Tu me fais me sentir comme si j'étais de nouveau un novice.

— Un novice ?

— Un vampire qui vient de naître, expliqua-t-il.

— Grands dieux. (Elle résista à l'envie de glousser, tentant d'imaginer ce fier guerrier comme le pauvre Oliver mendiant pour un bol de porridge.) Tu donnes l'impression de n'être qu'un orphelin sans défense.

Il haussa les épaules.

— Ce n'est pas une mauvaise analogie.

Délibérément, elle laissa son regard errer sur son imposant corps viril avant de s'attarder sur ses dents ô combien blanches.

Sans l'ombre d'un doute, jamais il n'y avait eu prédateur plus dangereux.

— Un orphelin avec des crocs ? demanda-t-elle.

Il ne broncha même pas ; pourtant Darcy perçut physiquement qu'il se repliait un peu sur lui-même. Comme si elle avait remué des souvenirs qu'il gardait profondément enfouis.

— Ils ne servent pas à grand-chose si tu ne sais pas pourquoi tu les as ni quoi en faire, répliqua-t-il finalement d'une voix monocorde.

Eh bien, elle ne s'était pas attendue à ça.

Avec douceur, Darcy effleura des doigts les lèvres finement ciselées de Styx. Elle ne manquait jamais d'être émue quand elle entrevoyait sa vulnérabilité.

— Que veux-tu dire ?

— Lorsque les vampires s'éveillent, ils n'ont aucun souvenir de leur vie antérieure et ignorent qui ils sont, ou ce qu'ils sont. Beaucoup meurent à la première aube, et même ceux qui y survivent tiennent rarement plus de quelques semaines. Pas sans la protection d'un aîné.

Darcy frissonna à la pensée de Styx, obligé d'endurer seul une transformation si traumatisante.

—Tu as eu un aîné pour veiller sur toi?

Les beaux traits de Styx se contractèrent.

—Non.

—Mais tu as survécu.

—Uniquement par le plus grand des hasards, et même alors j'étais trop faible pour lutter contre ces guerriers qui voulaient faire de moi un esclave.

Elle grimaça avant d'avoir pu empêcher cette réaction instinctive.

—Je ne savais pas que les vampires avaient des esclaves. C'est... horrible.

—Ça l'était. Plus horrible encore que tu ne peux l'imaginer. (Son ton monotone suggérait à Darcy qu'elle ne souhaitait pas essayer.) C'est pour cette raison que je me suis allié à l'Anasso précédent. Il était déterminé à rassembler les vampires en tant qu'espèce et à mettre un terme à leur habitude de se massacrer et se brutaliser les uns les autres.

Darcy refoula des larmes ridicules. Sa propre enfance n'avait guère été une partie de plaisir, mais elle commençait à soupçonner que ce n'était rien comparé au passé de Styx.

Et pourtant, il n'était ni amer ni envahi d'un sinistre besoin de vengeance. Au lieu de ressasser les péchés des autres, il avait pris la situation en main et s'était battu pour rendre le monde meilleur pour tous les vampires.

Comment une femme pouvait-elle ne pas tomber amoureuse d'un tel homme?

—Et vous y êtes parvenus? demanda-t-elle doucement.

— Partiellement, mais il reste encore beaucoup à accomplir. (La souffrance qui le hantait fut remplacée par une détermination inflexible.) À commencer par nos frères les plus jeunes et les plus vulnérables.

Elle l'observa avec une curiosité sincère.

— Qu'est-ce que tu vas faire ?

— Je ne permettrai pas que les novices soient abandonnés par leurs créateurs. À l'avenir, ils seront recueillis par les clans et n'auront pas à se battre pour survivre.

— Tu es un très bon chef, Styx, affirma-t-elle doucement.

Il inclina la tête pour caresser ses lèvres d'un baiser insistant. Darcy ressentit la chaleur familière, mais avant qu'elle ait pu vraiment passer aux choses sérieuses, Styx s'écarta avec un soupir de regret.

— Un chef qui doit s'occuper de Desmond, reconnut-il en reculant pour prendre sa lourde cape. Je ne veux pas te quitter, mon ange, mais il le faut.

— Je sais. (Darcy, qui n'appréciait pas l'étrange frisson d'appréhension qui lui descendait lentement le long de la colonne vertébrale, serra les bras sur son ventre.) Promets-moi juste que tu seras prudent.

— Tu peux compter sur moi.

Il lui sourit, avant de la surprendre en enlevant son amulette pour, avec douceur, en passer la lanière de cuir autour du cou de Darcy. Vibrant de pouvoir, le magnifique médaillon s'immobilisa entre ses seins. Styx lui encadra le visage des mains et lui accorda un dernier baiser.

— Je reviendrai, lui promit-il contre ses lèvres. Je reviendrai toujours auprès de toi.

— Styx…

En secouant la tête, il s'éloigna et glissa silencieusement hors de la pièce.

Une fois seule, Darcy toucha l'amulette à son cou. Elle ressentit des picotements dans ses doigts au contact de la pierre lisse.

Peut-être était-ce son imagination, mais elle avait presque l'impression de sentir la présence de Styx dans ce bijou. La vague froide de son pouvoir. L'assurance farouche, implacable qui dissimulait une vulnérabilité que seuls quelques-uns voyaient. La loyauté inébranlable à ses frères vampires.

Elle poussa un soupir, et elle alla s'étendre sur le lit. Elle était lasse au-delà de toute mesure, mais avec un vide douloureux tout au fond d'elle-même.

C'était un vide, devait-elle reconnaître, qui était directement dû à l'absence de Styx.

Merde.

Il pouvait prétendre être le seul lié par leur union inopinée, mais elle connaissait la vérité.

Elle n'avait pas besoin de tatouages pour savoir qu'elle appartenait déjà, corps et âme, à un foutu vampire.

CHAPITRE 19

C e fut l'arôme délicieux de nourriture qui tira Darcy de son léger sommeil.

En se frottant le visage, elle s'assit sur le lit pour découvrir Levet qui hésitait sur le pas de la porte, un plateau dans les mains.

— Levet. (Vacillante, elle jeta un coup d'œil vers la fenêtre toujours sombre.) Quelle heure est-il ?

— Un peu plus de 3 heures.

Elle n'avait donc dormi que deux heures. Pas étonnant que son cerveau lui donne l'impression de tourner au ralenti et que ses yeux lui semblent assez secs pour servir de papier de verre.

Elle secoua la tête et s'efforça de former une pensée cohérente.

Elle ne fut absolument pas surprise par la première qui s'imposa à elle.

— Styx est revenu ?

La minuscule gargouille agita ses ailes délicates.

— Pas encore, mais Viper a appelé juste quelques minutes plus tôt pour dire qu'ils avaient réussi à traquer le chef de clan jusqu'à une petite maison, à l'ouest de la ville. Ils devraient être de retour bien avant l'aube.

— Oh.

Elle chassa cette stupide pointe de malaise. Putain, Styx ne pouvait pas partir quelques heures sans qu'elle déraille ?

C'était plus que ridicule. Avec opiniâtreté, elle tourna son attention vers son visiteur inattendu.

— Ce plateau est pour moi ?

— Oui.

Darcy sourit en glissant au bas du lit et étira ses muscles raides.

— Merci. Ça sent délicieusement bon.

Bizarrement, le démon hésita.

— Puis-je entrer ?

— Bien sûr. (Darcy fronça les sourcils, perplexe.) Tu sais que tu n'as pas à le demander.

Levet grimaça. Un sacré spectacle, du fait de son visage plein de bourrelets.

— En fait, non.

— Non ?

— Je ne suis pas censé t'ennuyer.

Darcy secoua la tête. Qu'est-ce qui ne tournait pas rond chez ce minuscule démon ? Dieu savait qu'il n'était guère du genre à se faire prier pour faire irruption partout où il le souhaitait.

Il était indifférent aux insultes, complètement dépourvu de manières et avait une peau aussi épaisse que celle d'une… eh bien, d'une gargouille.

— Tu ne m'importunes jamais, Levet, dit-elle, confuse.

— Va le dire à M. Tout-Puissant.

— Styx ?

— *Sacrebleu**. Je n'ai jamais rencontré un petit tyran pareil. (La gargouille roula des yeux, et parvint à faire une imitation crédible de Styx.) Darcy a faim. Darcy est fatiguée. Darcy ne doit pas être dérangée. Darcy doit être protégée. Darcy doit…

Avec un petit rire, Darcy leva la main.

— Je crois que j'ai compris.

— Ce n'était que le début de la liste. Il a même insisté pour que la gouvernante de Viper soit conduite ici afin de te préparer ton plat préféré.

Un léger sourire effleura ses lèvres lorsqu'elle jeta un coup d'œil au plateau qui l'attendait. Être indépendante, c'était bien joli, mais elle ne pouvait nier que la sollicitude manifeste de Styx lui procurait une certaine satisfaction.

On n'avait jamais été aux petits soins pour elle avant, alors pourquoi n'en profiterait-elle pas juste un petit peu ?

— Je suppose que Styx a tendance en effet à se montrer tyrannique, mais tu ne peux pas vraiment le lui reprocher. Il est habitué à donner des ordres.

— Je le lui reproche, la corrigea aussitôt Levet. Et je croyais qu'il en était de même pour toi. Tu t'es bien enfuie loin de lui, non ?

Darcy haussa les épaules.

— Oui, eh bien, à l'instar de tous les hommes, il est tellement bouché qu'une femme doit parfois prendre des mesures radicales pour se faire entendre.

— Je dirais que tu y es arrivée. D'après Viper…

Levet s'interrompit en pleine phrase et inclina la tête pour renifler l'air. Puis, sans transition, il fit un mouvement brusque en avant.

— *Sacrebleu*[*].

Plus étonnée qu'effrayée, Darcy recula instinctivement, et écarquilla les yeux lorsque la petite gargouille lui empoigna le bras avec fermeté.

— Que fais-tu ? demanda-t-elle.

— Vous êtes unis ! (Levet fit remonter la manche de son sweat-shirt pour découvrir le tatouage cramoisi qui lui tachait l'avant-bras. Il renifla de nouveau l'air.) Ou, plus précisément, Styx l'est. La cérémonie n'est pas encore achevée.

Putain. Pouvait-il se passer un jour sans qu'elle se fasse renifler ?

— C'est ce qui semblerait, marmonna-t-elle.

Après avoir fait un pas en arrière, Levet l'observa avec une curieuse expression.

— Tu prends cela avec beaucoup de calme. Tu comprends bien ce qui s'est produit ?

Darcy lutta contre l'envie d'éclater d'un rire hystérique.

Comprendre ce qui s'était passé ?

Putain, non.

Sa vie n'avait été que confusion dès l'instant où Salvatore était entré dans le bar.

Des vampires, des loups-garous, des démons…

Oh ! là, là !

— Pas complètement, reconnut-elle, avec un sourire contrit. Styx prétend que cela signifie qu'il est, d'une certaine façon, lié à moi.

— D'une certaine façon ? Il n'y a pas de « certaine façon », là. Il s'est très certainement uni à toi pour l'éternité. (Levet secoua la tête avec lenteur.) *Mon Dieu**. Qui aurait cru que ce salaud sans pitié était même capable de s'unir à une femme ?

Darcy jeta à son compagnon un regard noir. Ou ce qu'elle supposait en être un. Elle n'en avait jamais été vraiment sûre, mais ce regard semblait toujours fonctionner dans les romans d'amour.

— Il n'est pas sans pitié. En fait, il possède le cœur le plus généreux, le plus loyal de toutes les personnes que j'aie jamais rencontrées.

Levet cligna des yeux, surpris par son ton virulent.

— Je devrai te croire sur parole, vu qu'il n'en laisse certainement rien paraître au reste d'entre nous, les misérables.

— C'est seulement parce qu'il n'a pas l'habitude de montrer ses sentiments.

— Sans blague, marmonna-t-il.

Pourquoi tout le monde s'obstinait-il à traiter Styx comme le Dark Vador de l'univers des démons ?

Il consacrait sa vie entière à protéger ces créatures qu'il estimait relever de sa responsabilité, sans rien demander en retour. Elles devraient l'accabler de témoignages de reconnaissance, pour l'amour de Dieu.

— Ce qui ne signifie pas qu'il soit insensible. Ni qu'il ne souffre pas d'être constamment incompris.

— Peut-être.

Levet semblait loin d'être convaincu, mais il écarta les arguments de Darcy de son esprit pour se concentrer de nouveau sur son bras. Tout à coup, il éclata de rire.

Darcy fronça les sourcils.

— Qu'y a-t-il de si drôle?

— Je viens juste de prendre conscience que tu as mis la corde au cou au démon le plus puissant du monde entier. J'ignore si je dois te féliciter ou te présenter mes condoléances.

Ah.

En fait, elle ne le savait pas non plus.

Jusque-là, elle passait de la terreur pure à une paisible félicité.

Des sautes d'humeur qui n'étaient pas des plus rassurantes.

— Styx n'a pas vraiment la corde au cou, protesta-t-elle.

— Oh, mais si. (Le sourire de Levet se fit carrément malicieux.) Et c'est d'une ironie si délicieuse. Depuis des siècles, les femmes vampires font du charme à Styx pour tenter de l'amener à sortir du célibat qu'il s'est lui-même imposé. Elles vont grincer des crocs de rage quand elles découvriront qu'il s'est uni.

— Super.

Darcy roula des yeux. Si Levet était venu la voir pour la réconforter, c'était un fiasco complet.

— C'est exactement ce qu'il me faut. Une meute de vampires en colère qui en a après moi.

—Oh non. (Le brusque battement des ailes délicates fit chatoyer leurs magnifiques couleurs à la faible lumière.) Pas un vampire vivant ou mort n'oserait s'en prendre à la compagne de leur Anasso. Même s'ils souhaitaient te voir en enfer, ils lutteraient jusqu'à la mort pour te protéger.

D'accord. Elle préférait ça.

Du moins, un tout petit peu.

—Peut-être, mais, comme tu l'as dit, la… cérémonie n'est pas achevée, se sentit-elle obligée de rappeler. Rien n'a été décidé.

Levet grimaça.

—Peut-être pas pour toi, mais c'est très certainement le cas pour Styx. Cette marque sur ton bras prouve qu'il est lié à toi pour la vie. Pour les vampires, tu es désormais leur reine.

Elle serra les bras sur son ventre alors qu'un frisson descendait à toute vitesse le long de sa colonne vertébrale.

Reine? Elle?

Eh bien, c'était juste… navrant. Pour toute l'espèce des vampires.

Elle secoua la tête et se mit à arpenter la pièce avec agitation.

—Tout va trop vite, marmonna-t-elle. Beaucoup, beaucoup trop vite.

—Tu ne crois pas au coup de foudre?

Elle garda son visage détourné de la minuscule gargouille avec détermination, pour dissimuler sa mine contrite. À une époque, elle n'aurait accordé aucun crédit à une telle ineptie. Elle n'était même pas convaincue que le grand amour existait.

Pour elle, c'était un mythe, tout comme les vampires et les loups-garous. Comment pouvait-elle admettre quelque chose qu'elle n'avait jamais vu par elle-même?

À présent, elle y croyait.

À la fois aux démons et à l'amour.

Mais au coup de foudre?

Oh oui.

Malheureusement, il lui restait encore à se convaincre du bien-fondé du « et ils vécurent heureux jusqu'à la fin de leurs jours ».

Elle se retourna lentement vers Levet avec un pâle sourire.

— Je suppose que si. Et toi, Levet? Les gargouilles tombent-elles amoureuses?

À sa grande surprise, Darcy vit une expression mélancolique s'installer sur ses traits ingrats.

— Oh oui. Nous sommes comme la plupart des démons. Nous avons une compagne et c'est pour l'éternité.

Darcy se réprimanda en silence en s'apercevant qu'elle avait touché un point sensible. Zut alors. Jamais elle ne voudrait blesser ce petit démon. Pas quand elle était convaincue qu'il avait passé toute une vie à endurer les insultes et les railleries.

— Tu as parlé de *la plupart* des démons, dit-elle doucement, dans l'espoir de détourner les pensées de Levet tout en en apprenant davantage sur le monde dans lequel elle s'était retrouvée. Qu'en est-il des loups-garous?

Comme elle l'escomptait, son visage minuscule s'éclaira et un sourire revint sur ses lèvres.

— Ah. Je dois reconnaître que tu me poses une colle, là.

— Pas de « jusqu'à ce que la mort nous sépare »?

— Des siècles plus tôt, les sang-pur entretenaient parfois une relation monogame, mais, pour être franc, ils ont fini par vouloir désespérément des enfants. (Il tricota des sourcils comme un fou.) De nos jours, la plupart des garous sont célèbres pour leurs appétits sexuels. Surtout les femmes, qui peuvent avoir au moins une dizaine d'amants en même temps.

— Beurk.

Levet haussa les épaules en la voyant frémir de dégoût.

— La crainte de l'extinction est un aphrodisiaque puissant, *ma mignonne**, et donner naissance à une portée est bien plus important que le grand amour.

Darcy grimaça. Dégueu. Elle n'était pas une sainte-nitouche, mais qu'on s'attende à ce qu'elle prenne une dizaine d'amants ne correspondait pas du tout à ce qu'elle souhaitait entendre.

D'autant plus qu'elle ne pouvait pas s'imaginer permettre à *n'importe quel* autre homme que Styx de la toucher.

— Alors, quand Salvatore a prétendu vouloir faire de moi sa reine, ce n'était que des foutaises ?

Levet écarquilla les yeux.

— Il a dit ça ?

— Oui.

Après un court silence, Levet se mit à rire avec un plaisir manifeste.

— *Sacrebleu**. Pas étonnant que Dent Longue ait été dans tous ses états. Si les vampires sont de vrais emmerdeurs dans le meilleur des cas, ils deviennent des fous furieux lorsqu'ils s'unissent. Et, avoir un autre mâle à renifler autour… (Il frissonna de façon théâtrale.) Que Dieu vienne en aide à tout ce qui croisera son chemin. Il tuera d'abord, et posera des questions ensuite.

Instinctivement, Darcy jeta un coup d'œil vers la fenêtre. Cet étrange malaise s'installait de nouveau dans le creux de son ventre.

— Peu importe son humeur. Je n'aime pas le savoir dehors, à traquer un vampire rebelle.

Levet s'avança pour lui tapoter la main avec douceur. Même s'il avait la peau rêche et tannée, son contact lui apporta un agréable réconfort.

— Il faudrait plus qu'un simple vampire, rebelle ou non, pour atteindre Styx. (Il battit des ailes.) Fais-moi confiance. Je l'ai vu à l'œuvre.

Darcy s'efforça de se rappeler quand elle avait regardé Styx s'entraîner à l'épée. Elle ne pouvait nier qu'il ressemblait alors à la mort subite en pantalon de cuir.

Cette vision, cependant, ne fit rien pour apaiser son inquiétude.

— Peut-être, mais j'ai un mauvais pressentiment.

Levet fronça les sourcils.

— Tu as des prémonitions ?

Darcy se retrouva près de la fenêtre, la main appuyée contre les carreaux froids.

— Comme je te l'ai dit… j'ai un mauvais pressentiment.

Suivre le vampire rebelle à travers les rues sombres de Chicago s'était révélé une affaire aisée. Desmond avait laissé derrière lui un sillage de cadavres de chiens de l'enfer, de faes et de sidhes. Ne pas perdre sa piste dans la banlieue, puis hors de la ville jusqu'à la ferme, incroyablement proche du repaire de Viper où Styx avait séjourné si récemment avec Darcy, avait été légèrement plus difficile.

D'une difficulté supérieure, mais pas suffisante, reconnut Styx en s'agenouillant derrière la haie qui encerclait la maison miteuse et qui avait grand besoin d'être taillée.

Il scruta l'épaisse obscurité, et observa le bâtiment à un étage qui avait certainement connu des jours meilleurs. La peinture blanche s'écaillait, le toit s'affaissait et il manquait plus de volets qu'il n'en restait. Même les vitres étaient fêlées et sortaient de leurs châssis.

Cependant, l'état loin d'être parfait de la maison n'était pas ce qui l'inquiétait. Son propre repaire, près des berges du Mississippi, n'apparaîtrait jamais dans les pages de *Home Magazine*. Par l'enfer, il ne figurerait probablement pas dans « Tout juste vivoter ».

Ce qui le perturbait, c'était que Viper et lui avaient non seulement réussi à suivre ce chef de clan sans mal, mais qu'ils s'étaient à présent glissés suffisamment près de la bâtisse pour la toucher, sans rencontrer un seul garde.

Alors qu'il ruminait son malaise grandissant, Styx regarda Viper traverser avec aisance l'obscurité la plus profonde pour le rejoindre au niveau de la haie.

Styx attendit que son compagnon s'accroupisse à côté de lui avant de briser le lourd silence.

— Le chef de clan est à l'intérieur ?

— Oui.

Viper haussa les épaules, la promesse de la violence à venir faisant briller ses yeux. Guerrier un jour, guerrier toujours.

— Il s'est barricadé au sous-sol avec deux autres vampires, ajouta-t-il.

Styx fronça les sourcils, l'impression que quelque chose n'allait pas étouffant sa propre soif de sang.

— Seulement deux ? demanda-t-il.

— Oui, et aucun d'eux n'est puissant, lui confirma Viper.

Styx serra les poings en jetant un regard furieux à la maison.

— Je n'aime pas ça.

— Qu'est-ce qui ne te plaît pas ? s'enquit Viper, qui avait manifestement très envie de se battre. En se terrant, ils se sont pris eux-mêmes au piège.

— Ou ont tendu un piège.

Viper se figea et, les yeux plissés, observa Styx.

— Tu sens quelque chose ?

— Rien.

— Et ?

— Et c'est ce qui m'inquiète.

— Ah, évidemment. (Viper haussa les sourcils.) Quoi de plus raisonnable que de supposer que, parce qu'on ne rencontre aucun problème, il doit se tramer quelque chose ?

— Exactement.

— Bordel, j'aurais dû te laisser avec Dante. Les vampires qui viennent de s'unir devraient être enfermés pour leur propre santé mentale. Et la mienne, grommela Viper tout bas.

Styx ne releva pas cette remarque guère élogieuse sur la confiance que Viper accordait à ses talents de chasseur. Il avait toujours été bien moins impatient d'utiliser ses muscles, quand ses méninges le serviraient mieux.

Une caractéristique pas des plus démoniaques.

Il tourna la tête et transperça son ami d'un regard pénétrant.

— Ça ne te semble pas un peu suspect qu'un chef de clan chevronné soit stupide au point de foncer en ville en engendrant assez de chaos pour nous pousser à le traquer, puis, au lieu de quitter la région ou de nous affronter directement, qu'il aille s'acculer ouvertement et apparemment sans renforts dans une ferme qui se trouve être parfaitement isolée ?

Avec réticence, Viper réfléchit aux paroles de Styx.

— Un peu trop facile ?

— Tu serais aussi idiot ?

Son compagnon grogna tout bas.

— Bon sang, tu es obligé de faire preuve d'une telle logique ?

— Oui.

— Merde. (Viper secoua la tête et observa la maison silencieuse.) Tu veux faire quoi ?

— Je pense qu'il serait sage d'appeler de l'aide avant d'entreprendre quoi que ce soit.

Viper acquiesça, sortit son téléphone portable de sa poche et en ouvrit le clapet.

— Bon sang.

Styx se renfrogna.

— Qu'est-ce qui se passe ?

—La batterie est morte.

—Il était chargé quand tu as quitté Chicago ?

—Oui. (Viper rangea le téléphone inutile.) Mais que la technologie moderne soit perturbée par les pouvoirs des vampires n'a rien de si inhabituel.

C'était parfaitement vrai. L'Anasso précédent coupait tout le réseau électrique lorsqu'il se mettait en colère, et Styx pouvait rarement se trouver dans une pièce équipée d'un téléviseur sans que celui-ci change de chaîne en permanence. Qu'un vampire vide des batteries de leur énergie n'avait rien de bizarre.

Pourtant, savoir qu'ils n'avaient aucun moyen de demander du secours fit instinctivement frissonner Styx de malaise.

—Je n'aime pas ça, marmonna-t-il.

—On fait quoi maintenant ? s'enquit Viper.

C'était la question, évidemment.

Selon toute logique, ils devraient retourner à Chicago pour examiner cette situation étrange de manière approfondie. Ce serait de la bêtise pure de se précipiter dans un piège simplement par impatience.

D'un autre côté, pouvaient-ils prendre le risque de donner à Desmond l'occasion de s'échapper et de causer encore plus de ravages ? Et s'il dirigeait sa folie meurtrière contre les vampires ? Styx n'aurait d'autre choix que d'appeler à une guerre de clans.

À laquelle il serait mêlé.

Bon sang.

Avec une volonté inflexible, il prit en considération les possibilités qui s'offraient à lui. Non pas qu'elles soient nombreuses.

Il n'allait pas pénétrer dans la maison sans savoir ce qui se trouvait à l'intérieur.

La seule option, c'était de faire sortir Desmond et ses compagnons.

—Allez, on tente de refermer le piège sans se faire prendre, annonça-t-il finalement.

Viper examina son expression féroce.

—Tu as un plan?

—En fait, je compte utiliser celui de Darcy.

—C'est censé vouloir dire quelque chose?

—Elle a démontré que la meilleure façon de distraire un vampire, c'était de mettre le feu à la baraque.

—Ah. (Viper grimaça.) Un incendie retiendra certainement leur attention, mais ce n'est pas vraiment le meilleur moyen de se faire des amis ou de produire une bonne impression sur les vampires.

—Je n'ai que faire de nouveaux amis. (Le ton de Styx était carrément glacial.) Je suis là pour m'assurer que mes lois sont respectées.

—Des propos dignes d'un vrai Anasso, dit Viper avec un léger sourire.

Styx décocha un regard noir à son compagnon.

—Si tu remontes dans tes souvenirs, Viper, tu te rappelleras que c'est toi qui m'as fait endosser ce rôle.

—Seulement parce que je n'ai pas voulu courir le risque qu'on me colle ce boulot.

—Merci infiniment.

—De rien. (Viper porta de nouveau son attention sur la maison toute proche, le visage grave.) J'imagine que tu n'as pas un briquet ou une boîte d'allumettes sur toi?

—Ce ne sera pas nécessaire. J'ai juste besoin de trouver l'endroit où l'électricité entre dans la bâtisse.

—Ça ne devrait pas être compliqué. (Sans hésiter, Viper se leva prestement et se dirigea vers l'arrière du bâtiment.) Par ici.

Ils se déplacèrent dans un silence absolu à travers l'air froid de la nuit. Seuls les faes, et peut-être les sidhes, pouvaient avancer si furtivement.

Ils ne détournèrent même pas un flocon de neige en parcourant la courte distance qui les séparait de l'arrière-cour.

Pour une fois, la chance était du côté de Styx, qui localisa sans mal le disjoncteur près du petit perron.

Il ne prit pas la peine d'ouvrir la boîte, qu'il entoura plutôt de ses mains avant de laisser son pouvoir s'écouler à travers le métal jusqu'aux fusibles qu'il dissimulait.

—Écarte-toi, prévint-il lorsqu'il sentit la température du métal s'élever à son contact.

Viper fut assez sage pour ne poser aucune question et s'éloigner du disjoncteur qui fumait. Styx n'était pas capable d'allumer véritablement un feu, mais il pouvait chauffer les fils jusqu'à les faire fondre.

Il ne voulait pas que Viper soit blessé si son pouvoir échappait à son contrôle.

Concentré sur la boîte entre ses mains, Styx ne prêta guère attention à ce qui l'entourait. Du moins, pas avant qu'il sente Viper bouger vivement.

—Styx…, l'avertit-il à voix basse.

À regret, Styx laissa retomber ses mains et, lorsqu'il se retourna, entendit le bruit d'un véhicule qui approchait. Il agrippa le bras de Viper et le tira derrière un buisson au moment même où la camionnette apparaissait et déversait plus d'une demi-douzaine de vampires.

—Bon sang, grommela-t-il.

Il prit conscience que le chef de clan devait avoir demandé à ses serviteurs d'attendre suffisamment loin de la maison pour que leur odeur demeure indétectable. Du moins, tant que Styx et Viper n'étaient pas entrés dans le piège. Et c'était un piège, reconnut-il d'un air sévère. Sans l'ombre d'un doute.

—Je vais rester et les tenir à distance. Je veux que tu ailles chercher de l'aide.

Viper feula doucement.

—Tu ne peux pas les tenir à distance tout seul.

—Ils sont trop nombreux pour nous deux, souligna Styx.

Il sentait déjà le chef de clan et ses deux compagnons se déplacer dans la maison. Dans très peu de temps, ils seraient cernés.

—Notre unique espoir, ajouta-t-il, c'est que tu t'échappes et reviennes avec tes hommes. Ton repaire n'est pas loin.

—Alors, vas-y et je reste, s'entêta Viper.

Sachant que son ami protesterait jusqu'à ce qu'ils se fassent prendre tous les deux, un pieu planté dans le cœur, Styx afficha son air le plus autoritaire.

—Ce n'était pas une requête, Viper, mais un ordre.

Durant un moment, Viper lutta contre l'orgueil qui le submergeait.

—Bon sang. Je déteste quand tu te prévaux de ton statut contre moi.

Styx lui serra le bras.

—Vas-y.

—Si tu te laisses tuer, j'aurai vraiment les boules.

—Tu as déjà dit ça, fit remarquer Styx d'un ton pince-sans-rire.

Après avoir attendu que Viper se fonde dans l'obscurité, Styx se mit debout avec lenteur et sortit de derrière le buisson. Il ne voulait pas qu'un vampire contourne hardiment la maison et découvre Viper avant qu'il ait pu s'échapper.

Il n'aurait pas dû s'inquiéter.

Tandis qu'il s'avançait, sa grande silhouette accapara l'attention des démons, qui levèrent leurs arbalètes et les dirigèrent droit sur son cœur.

Charmant.

Il ne s'était jamais attendu à être aimé en tant qu'Anasso. Les vampires n'étaient pas le genre d'espèce à flatter ou bichonner leurs chefs. Leur mentalité se rapprochait plus des loups qui se dévoraient entre eux.

Néanmoins, il était rare que l'un d'eux ose carrément menacer sa vie.

Ils paieraient pour ce petit tour, se dit-il avec une pointe de colère.

Il se dressa de toute sa hauteur et ôta à dessein sa cape pour qu'ils voient l'épée gigantesque fixée à son dos.

C'était une épée crainte dans le monde entier.

— Je suis Styx, votre Anasso, déclara-t-il d'une voix qui porta dans toute la cour. Déposez les armes ou vous serez jugés.

L'espace d'un instant, les vampires hésitèrent, leurs regards anxieux dénotant qu'ils n'étaient pas totalement indifférents au délit qu'ils commettaient et qui pourrait tous les faire pendre, laissés à la merci de l'aube.

Avant qu'ils perdent complètement leur sang-froid, cependant, la porte de derrière s'ouvrit et les trois démons qui étaient restés dans la maison apparurent.

— Ne flanchez pas, bande de sales poltrons. S'il s'échappe, je me chargerai personnellement de vous tuer.

Celui qui était manifestement le chef descendit les marches pour se poster juste devant Styx. Bien que plus petit de plusieurs centimètres et pesant à peine la moitié du poids de ce dernier, son visage hâve affichait un air railleur alors qu'il lui adressait une profonde révérence.

— Ah, le grand Anasso.

Lorsque le vampire se redressa, Styx observa ses yeux vert pâle et son visage allongé encadré de cheveux blonds et mous.

Il ne se laissa pas duper un instant par la charpente presque fragile de l'homme. Son pouvoir était tel qu'il picotait la peau de Styx.

—Desmond, je présume, déclara-t-il avec une arrogance délibérée.

Le sourire railleur de Desmond ne faiblit jamais.

—Vous avez cet honneur.

—Je ne parlerais pas d'honneur.

—Non? Eh bien, c'est peut-être parce que vous n'y connaissez rien.

Sans hésitation, Styx l'empoigna par le cou et le souleva du sol.

Un bruissement agité s'éleva alors que les vampires rassemblés se préparaient à se battre, mais Styx resta calme et ne leur prêta pas attention. Il ne tolérerait aucun manque de respect. Pas de la part de l'un de ses frères.

—Vous marchez en terrain miné, dit-il d'un ton menaçant.

—Et vous êtes plus stupide que ce que je pensais si vous croyez que mon clan ne vous tuera pas sur-le-champ, le prévint Desmond. Lâchez-moi.

—Ne remettez jamais mon honneur en question.

D'un mouvement dédaigneux de la main, Styx laissa retomber le traître, content qu'il trébuche d'un air gêné avant de parvenir à recouvrer son équilibre et à se redresser.

Mesquin, mais bon.

Après avoir pris le temps de lisser sa chemise de soie couleur jade, Desmond réussit finalement à retrouver le sourire.

—Vous m'avez mal compris, mon seigneur. Je ne me plains pas de votre absence de morale. J'ai toujours pensé que les valeurs chevaleresques étaient dépassées depuis longtemps. Quelle place ont l'honneur, la loyauté ou la tradition au milieu de démons assoiffés de sang ? Nous sommes au-dessus de concepts humains aussi faibles.

Styx ne fut pas surpris par l'aveu de cet homme. C'était un sentiment que beaucoup de vampires partageaient.

— De toute évidence, vous vous croyez également au-dessus des lois des vampires, fit-il remarquer avec un mépris glacial.

— En fait, c'est vous qui avez enfreint les lois en premier, en recueillant deux membres de mon clan.

— Ils ont sollicité ma protection. Leur donner asile relève de mes droits.

L'homme haussa les sourcils.

— Vos droits ?

— Je suis l'Anasso.

Les yeux verts de Desmond s'assombrirent comme son pouvoir tournoyait dans l'air.

— C'est ce que vous prétendez.

— Prétendre ? (Styx mit les mains sur ses hanches. C'était ça ou refermer ses doigts autour de la gorge de cet imbécile bouffi d'orgueil.) Je suis incontestablement le chef des vampires.

— Ah, et comment avez-vous obtenu une position si illustre ? (L'homme fit semblant de réfléchir un long moment avant de faire claquer ses doigts.) Ah oui, je m'en souviens maintenant. Vous avez assassiné l'Anasso précédent. Un acte assez hardi, dois-je reconnaître.

Styx se raidit à cette accusation. En vérité, c'était Viper qui lui avait asséné le coup fatal, mais Styx n'avait jamais nié sa propre culpabilité. Il assumait l'entière responsabilité de la mort du vampire qu'il avait admiré et protégé pendant des siècles.

Un vampire dont les goûts dépravés lui avaient fait perdre la tête.

—Êtes-vous ici pour reprendre vos hommes, ou pour débattre de la légitimité de mon autorité?

Desmond sourit.

—La vérité?

—Si vous en êtes capable.

—Je suis venu pour vous retirer vos prétendus droits.

Styx fronça les sourcils. Bon sang. Il était arrivé là persuadé que ce chef se contentait de faire étalage de sa force pour tenter de ramener les membres de son clan. Il comprenait à présent qu'il s'agissait d'une situation bien plus périlleuse.

Périlleuse et potentiellement fatale, reconnut-il en regardant à la dérobée les vampires qui l'encerclaient, leurs armes toujours pointées directement sur son cœur.

—Est-ce une sorte de plaisanterie? grogna-t-il.

Avec un exaspérant petit sourire suffisant, Desmond jeta un coup d'œil à l'homme imposant à son côté.

—Jacob, je plaisante?

Le grand type aux raides cheveux noirs et aux ternes yeux marron secoua la tête avec lenteur. Styx n'eut pas besoin de l'observer attentivement pour comprendre qu'on avait brisé toute volonté en lui.

À une époque, on acceptait que les vampires les plus forts brutalisent et asservissent les faibles. Un chef régnait par la terreur, et ceux en dessous de lui obéissaient ou le payaient très cher.

Au cours des siècles derniers, peu à peu, péniblement parfois, Styx avait tenté de changer de telles pratiques.

Malheureusement, il semblait que Desmond s'accrochait aux anciennes coutumes, et tout son clan en souffrait.

—Non, mon seigneur, psalmodia le serviteur.

—Alors, vous voyez? railla Desmond. Pas de plaisanterie.

Styx le dévisagea avec un mépris glacial. Il ne pouvait penser à rien qui lui ferait plus plaisir qu'arracher la gorge de ce sale fanfaron. Malheureusement, la demi-douzaine d'arbalètes actuellement pointées sur lui limitait sérieusement sa marge de manœuvre.

—Comment comptez-vous procéder ? demanda-t-il. Me tuer, puis reprendre le flambeau ?

—Un truc du genre. C'est ce que vous avez fait, après tout. J'apprends toujours d'un maître.

—Vous pensez sincèrement que les vampires vont vous suivre juste parce que vous prétendez être l'Anasso ?

—Pourquoi pas ? (Desmond fit semblant d'examiner ses ongles manucurés.) Ils vous suivent, non ?

Styx éclata d'un rire bref et sans humour.

—Quand ça leur chante.

—Voyons, mon seigneur. Vous êtes bien trop modeste. Votre réputation s'est propagée aux quatre coins du monde. Tous les vampires savent que contrecarrer votre volonté, c'est creuser sa propre tombe. On se sert même de votre nom pour donner une peur bleue aux novices.

Il leva son regard, un éclat fiévreux dans ses yeux verts. Un éclat que Styx commençait à soupçonner de relever davantage de la folie pure que de la simple ambition.

—Ce qui signifie que celui qui parviendra à vous tuer prouvera à tous qu'il est encore plus dangereux, encore plus brutal, poursuivit Desmond. Un chef parfait.

D'accord, il était complètement dingue.

Styx s'accorda un instant pour se pencher sur les possibilités qui s'offraient à lui. Il n'y en avait pas beaucoup. Il pouvait certainement voiler l'esprit d'une poignée de ces démons, ou les étourdir avec son pouvoir, mais pas tous à la fois. Ses adversaires étaient tout bonnement trop nombreux pour qu'il puisse s'échapper. Même lui n'était pas suffisamment rapide pour lutter de vitesse avec une arbalète.

Son seul espoir semblait être de convaincre ce vampire enragé que son coup d'état ambitieux ne pouvait pas réussir.

Parfait.

— Vous êtes pitoyable, dit-il enfin d'un air railleur de son cru.

— Je suis pitoyable? (La fureur envahit le visage hâve de Desmond malgré ses efforts pour paraître indifférent à cette insulte.) Bizarre, ce n'est pas moi qui suis cerné en ce moment, si?

Styx haussa les épaules.

— Vous pouvez me tuer si vous voulez, mais les vampires ne vous suivront jamais.

— Et pourquoi ça? Un Anasso en vaut un autre pour la plupart de nos frères. Qu'importe son nom tant qu'il fait respecter les lois?

— Si ce que vous dites est vrai, qu'est-ce qui empêchera un autre chef de venir prendre cette position par les mêmes moyens perfides que vous?

— Je suis assez sage pour ne pas m'enfermer dans des grottes humides et jouer le moine distant et mystérieux. (Il darda un regard dédaigneux sur la grande silhouette de Styx.) Les humains ont démontré qu'il était inutile d'être un souverain bon, intelligent ou même compétent. Combien de bouffons et d'imbéciles se sont assis sur un trône? Il suffit de se faire bien voir de son peuple pour qu'il suive.

Styx éclata soudain de rire. Par tous les dieux, ce vampire avait laissé son aptitude à terroriser son petit clan lui monter à la tête.

— Vous croyez vraiment que vous pouvez faire de la politique humaine parmi les démons?

— Eh bien, j'y apporterai quelques aménagements ici et là. (Un sourire cruel se dessina sur ses lèvres fines.) Et, bien sûr, je m'assurerai d'avoir suffisamment d'hommes de main pour convaincre ceux qui contesteraient mon style de gouvernance.

Il s'imaginait qu'une poignée de brutes le maintiendrait dans la fonction d'Anasso ?

— Je me suis trompé. Vous n'êtes pas pitoyable ; vous êtes stupide. (De manière délibérée, Styx se pencha, faisant ressortir sa propre taille, pour lui parler directement à l'oreille.) Vous seriez mort dans le mois. Si ce n'est par la main d'un clan qui m'est fidèle, par celle de mes Corbeaux. Ils n'auront pas de répit tant que chacun d'entre vous sera encore vivant.

Desmond recula précipitamment avant d'avoir pu empêcher ce mouvement révélateur. La contrariété contracta son visage alors qu'il lissait sa chemise, s'efforçant de faire comme si cet incident gênant ne s'était jamais produit.

— Oui, je dois reconnaître que les Corbeaux m'ont inquiété. Ce sont des adversaires redoutables, concéda-t-il d'un ton cassant. Non seulement ils sont bien entraînés et d'une loyauté à toute épreuve, mais ils ne seront jamais assez bêtes pour nous attaquer sous l'emprise d'une folle rage de vengeance. Oh non, ils sont du genre à se cacher dans l'obscurité et à abattre les membres de mon clan un à un.

Styx esquissa un sourire froid.

— Ils s'acharneraient contre vous pour l'éternité.

— Comme je l'ai dit, ils constituent un problème. À moins…

Styx n'aimait pas la lueur de suffisance qui couvait dans ses yeux verts. Elle lui indiquait que la nuit lui réservait encore d'autres surprises.

Quel dommage.

Il avait déjà largement dépassé son taux de tolérance en matière de surprises.

Une de plus et il ne manquerait pas de devenir extrêmement violent.

— À moins que quoi ?

— À moins que vous ayez la gentillesse de me proclamer votre héritier, dit Desmond avec un sourire railleur. Par écrit, bien sûr, comme vous ne serez malheureusement plus là pour prononcer vous-même cette déclaration. Les Corbeaux n'auront alors d'autre choix que de m'accepter. J'en ferai peut-être même mes gardes du corps personnels.

Styx secoua la tête avec lenteur. Tout cela dépassait largement la simple folie. Ce vampire était carrément délirant.

— Vous avez l'intention de me tuer, mais avant de mourir, vous vous attendez à ce que je fasse de vous mon héritier ? demanda-t-il, incapable de réprimer un rire caustique. Et on dit que *je* suis arrogant.

Desmond plissa les yeux.

— Je n'ai pas prétendu que vous m'obéiriez de gaieté de cœur, juste que vous le feriez.

Styx montra les crocs en signe d'avertissement. Il avait sacrifié tout ce qu'il chérissait pour sauver son espèce d'un fou psychotique. Il était hors de question qu'il la remette entre les mains d'un autre.

Même si cela devait lui coûter la vie.

— Jamais.

— Un vampire devrait savoir qu'il ne faut jamais dire jamais. (Desmond fit claquer ses doigts.) Jacob, va chercher du papier et un stylo.

— Tout de suite, mon seigneur.

Le grand serviteur exécuta une révérence maladroite, gravit les marches d'une démarche pesante et disparut dans la maison.

Styx fit un pas en avant, un froid sourire amusé sur le visage tandis que Desmond trébuchait en reculant.

— Vous perdez votre temps, feula-t-il.

Desmond lui jeta un regard furieux avant de retrouver son sourire crispé.

— Je ne crois pas. Après tout, je ne possède peut-être pas votre force, mais il se trouve que je suis très, très intelligent. Je n'affronte jamais ouvertement un adversaire sans avoir l'absolue garantie de gagner. (Son sourire s'élargit.) En l'occurrence, j'ai la garantie d'une jolie petite blonde qui semble vous avoir tapé dans l'œil.

Styx se raidit, comme abasourdi par le choc.

— Darcy ? souffla-t-il.

— Un si charmant prénom.

La panique menaça d'envahir Styx avant qu'il recouvre fermement le contrôle de ses sens.

Non. C'était impossible. Styx ignorait comment Desmond avait appris l'existence de Darcy, mais il n'avait aucun moyen de mettre ses sales pattes sur elle.

C'était juste un stratagème pour le pousser à commettre un acte stupide.

Enfin, quelque chose d'encore plus stupide que se jeter dans un piège flagrant posé par un vampire ayant un complexe de supériorité et sa bande de joyeux imbéciles.

— Oui, et elle se trouve en sécurité, sous la protection du Phénix, dit Styx d'une voix traînante. À moins que vous ayez l'intention de vous mesurer à cette déesse ?

— Certainement pas.

L'homme eut le cran de sourire d'un air suffisant. Quel crétin.

— Heureusement, vous avez agi de telle sorte qu'un sort aussi horrible ne sera point nécessaire.

— Je…

Furieux qu'on puisse suggérer qu'il avait mis Darcy en danger, Styx s'interrompit soudain. Il prit brusquement conscience de la façon dont ce vampire avait eu connaissance de son existence. Et de ce qui lui avait permis de savoir précisément quand il serait avec Viper, pour qu'il puisse être sûr qu'il traquerait les renégats jusqu'à cette maison.

— Les membres de votre clan, dit-il d'une voix rauque où perçait le dégoût de soi-même.

— Exactement, confirma d'une voix traînante le mort en sursis. En gobant leur histoire pitoyable et en les invitant chez Dante, vous leur avez fourni l'occasion rêvée de découvrir toutes vos faiblesses. Ainsi que, bien sûr, le moyen parfait de capturer votre chère Darcy. En ce moment même, ils vont la chercher pour qu'elle se joigne à nous en cet événement de grande importance.

Styx tomba lentement à genoux comme une froide rage mortelle l'envahissait.

Plus tard, il aurait la possibilité de se punir pour s'être si facilement laissé duper par ses ennemis. Il passerait certainement des années à broyer du noir, à se maudire et à élaborer des plans réfléchis pour s'assurer qu'il ne commettrait plus jamais une telle erreur. C'était, après tout, ce qu'il faisait le mieux.

Pour l'instant, cependant, son être entier brûlait d'une rage sans limites.

Ce que Desmond n'avait pas pris en compte dans son complot compliqué, c'était le fait que Styx venait de s'unir.

Il n'était pas l'Anasso froid et calculateur qui examinerait la situation avec une logique détachée. Ce Styx-là comprendrait aisément qu'il ne faisait pas le poids en termes d'armes, de nombre et de manœuvres. Il reconnaîtrait que le moyen le plus raisonnable de préserver la vie de Darcy était d'acquiescer aux demandes du vampire.

Ce Styx-ci en revanche était un animal enragé obsédé par l'idée que sa compagne était en danger et qui tuerait tout ce qui se dresserait sur son chemin.

Sentant son pouvoir commencer à gronder dans son corps, Styx leva les yeux au moment où Jacob sortait de la maison, le stylo et le papier serrés dans ses grosses mains.

Ignorant qu'il n'était qu'à quelques minutes de sa mort, Desmond sourit en regardant Styx, agenouillé devant lui.

— Eh bien, Styx, il semble que votre règne soit sur le point de s'achever. Souhaitez-vous dire un dernier mot ?

Le vent se mit à les cingler et la terre à trembler quand Styx se releva avec lenteur.

— Un seul. (Il leva la main vers le visage de plus en plus interdit de son adversaire.) Mourez.

CHAPITRE 20

U n silence paisible baignait l'élégant manoir. Enfin, la paix régnait partout sauf dans les luxueux appartements de Darcy.

Comprenant qu'elle ne dormirait plus tant que Styx ne serait pas revenu sain et sauf, Darcy s'était bêtement laissé tenter par une partie de dames avec Levet.

Ils étaient tous deux assis jambes croisées sur le lit lorsque Darcy observa le plateau en fronçant soudain les sourcils. Elle n'était pas experte à ce jeu, et s'était davantage concentrée pour entendre Styx rentrer que sur les pions. Cela dit, elle n'était pas mauvaise, ou distraite, au point de ne pas s'apercevoir quand elle se faisait bel et bien rouler.

Elle leva la tête et fit les gros yeux à son minuscule compagnon.

— Tu as triché.

— *Moi* *? (Levet pressa une main noueuse sur son cœur, feignant l'indignation.) Ne dis pas de bêtises. Pourquoi tricherais-je alors que, de toute évidence, c'est moi qui gagne ?

— Qui gagne ? Ha. (Darcy montra le damier du doigt.) Je te bottais le cul.

Levet renifla doucement.

— Tu m'as blessé, *ma chère* *. Mortellement blessé.

— Tu es plutôt un sale tricheur, rectifia Darcy. Chaque fois que je jette un coup d'œil à la fenêtre, tu déplaces les pions sur le plateau.

— Bah. Je n'ai jamais entendu pareille calomnie. Mon honneur est au-dessus de tout reproche.

— Alors, comment as-tu fait une dame sans même avoir traversé le damier ?

D'un battement d'ailes, Levet fit voler les pions dans une pluie de couleurs en plastique sur le matelas.

— Les dames, ça craint. Quel jeu stupide, se plaignit-il en sautant du lit pour arpenter la pièce. Ce qu'il nous faut, c'est un vrai défi.

Après avoir ramassé distraitement les pièces pour les ranger dans leur boîte, Darcy darda sur son compagnon un regard méfiant.

Elle ne connaissait pas grand-chose aux gargouilles, mais elle soupçonnait que Levet et elle avaient des conceptions d'un défi diamétralement opposées.

— Quel genre de défi ?

— Quelque chose qui requiert de vrais talents. Qui nécessite à la fois une vive intelligence et un corps d'athlète.

Un pas, puis un autre, puis encore un autre. La minuscule gargouille parcourut le tapis de long en large avant de s'immobiliser enfin en claquant des doigts. Pas facile à faire, avec des doigts aussi épais et noueux que les siens.

— Ah, ah, ça y est.

Après avoir posé le jeu de dames, Darcy se réfugia au bord du lit.

— J'ai peur de savoir.

— Le bowling.

Darcy cligna des yeux puis, interloquée, éclata de rire.

— Grands dieux. Tu plaisantes !

— Quoi ? (Levet bomba la poitrine.) Le bowling est un sport noble et ancien. Le sport des rois, en fait.

— Je croyais que c'étaient les échecs.

Levet lui adressa un haussement de sourcils hautain.

— Et combien de rois exactement as-tu fréquentés ?

Des rois, ouais, bien sûr.

Toutes sortes de princes traînaient dans les bars gothiques et dans les pensions bon marché.

— Laisse-moi un peu de temps. Ah… (Darcy fit semblant de réfléchir.) Ce qui nous fait aucun.

Levet battit des ailes en affichant un petit sourire narquois.

— Moi, au contraire, j'ai connu des centaines de rois. Certains de manière assez intime.

Darcy leva la main.

— Bon, je ne voudrais pas en savoir plus pour un royaume !

— Très drôle. (Levet roula des yeux.) Par intime, j'entends que j'ai orné leurs châteaux pendant plusieurs siècles. Tu serais étonnée d'apprendre ce qu'un démon plein d'initiative peut découvrir, perché au-dessus de la fenêtre d'une chambre.

Darcy grimaça.

— Ouh là ! J'imagine très bien.

— Bien sûr, pour ce qui est des reines, eh bien, disons juste que mon intimité était…

— Ça suffit, l'interrompit fermement Darcy.

Elle n'était pas prête à écouter le récit détaillé des frasques sexuelles de gargouilles. Pas cette nuit. Ni *aucune* autre.

— Je n'irai pas au bowling.

Levet planta les mains sur ses hanches et esquissa une moue boudeuse. Génial. Un démon grognon.

— Y as-tu déjà joué ? s'enquit-il.

Darcy frissonna avant d'avoir pu réprimer cette réaction révélatrice.

— Quand j'étais adolescente.

Levet, qui perçut aisément que ce jeu évoquait des souvenirs pénibles pour la jeune femme, se rapprocha d'elle, une expression curieuse sur le visage.

—Que s'est-il passé ?

—La première boule que j'ai lancée a défoncé l'arrière du bâtiment. (Elle esquissa un sourire empreint d'un humour lugubre.) Le gérant m'a demandé de partir immédiatement, et, plus tard ce soir-là, ma famille d'accueil en a fait autant.

Levet émit un son doux comme ses jolies ailes retombaient soudain de tristesse.

—Oh, Darcy, je suis désolé.

Elle haussa les épaules.

—Les trucs merdiques, ça arrive.

—Oui. (Il grimaça.) C'est clair.

Darcy gloussa et chassa ce mauvais souvenir. Sans qu'elle puisse se l'expliquer, lorsque Levet se trouvait avec elle, les choses ne paraissaient pas si catastrophiques.

Alors qu'elle s'apprêtait à lui proposer de jouer aux jeux enthousiasmants de la marelle ou du « lance la gargouille du toit pour voir si elle vole vraiment », Darcy sentit un étrange picotement lui courir sur la peau.

Elle se tourna vers la porte, absolument convaincue que quelqu'un remontait le couloir.

Deux personnes.

Toutes deux des vampires.

Elle pouvait… percevoir leur odeur, bon sang. Malgré les murs épais et la lourde porte.

De toute évidence, elle avait passé beaucoup, beaucoup trop de temps en compagnie des démons.

—Quelqu'un arrive, murmura-t-elle.

Levet ferma les yeux un court instant avant de les rouvrir brusquement, les sourcils froncés.

—Les deux vamps que Styx a pris sous sa protection.

Manifestement, il avait toujours un nez plus fin que le sien. Ou il possédait peut-être d'autres moyens magiques, mystiques, de voir à travers le mur.

— Je pensais que Dante leur avait demandé de se cacher dans les tunnels jusqu'à ce que leur chef soit éliminé.

— Éliminé ? (Darcy grimaça. Loup-garou ou pas, elle ne s'habituerait jamais à la façon désinvolte dont ils assassinaient les gens.) Oh ! là, là !

Levet lui adressa un sourire malicieux.

— Supprimé ? Liquidé ? Parti dans la grande banque du sang dans le…

— Levet, cracha-t-elle en se dirigeant vers la porte pour l'ouvrir.

Les deux vampires se tenaient en effet juste devant, leurs visages pâles sans expression et leurs corps d'une immobilité sinistre. Tels deux mannequins maintenus debout, se dit-elle en frissonnant imperceptiblement. Pour une raison ou une autre, leur présence… l'inquiétait. Comme si quelque chose, qu'ils prenaient soin de ne pas révéler, se tramait derrière ces traits figés.

Sa main se resserra sur la poignée tandis qu'elle s'efforçait d'écarter son envie bizarre de refermer la porte avec violence. Non seulement c'était ridicule, mais une simple porte n'arrêterait jamais un vampire déterminé. Elle s'obligea plutôt à sourire.

— Oui ?

Ils exécutèrent ensemble une révérence, même si la grande femme à la chevelure noire se débrouilla pour se redresser bien plus vite que le Viking massif aux cheveux blonds.

— Madame, pardonnez notre intrusion, commença la femme d'un ton calme et monocorde.

Madame ? Eh bien, voilà qui était nouveau.

— Vous ne me dérangez pas. Que puis-je faire pour vous ?

L'homme grand, à la longue tresse blonde et au visage large, fit un petit pas en avant.

— Nous avons reçu des instructions de l'Anasso.

Darcy leva une main, qu'elle pressa sur son cœur qui battait la chamade.

—De Styx?

—Oui.

—Il est là?

—Non, il s'est occupé du traître et est retourné à son repaire, maintenant, déclara l'homme, la voix aussi éteinte que son expression. Il souhaite que nous vous accompagnions pour que vous le rejoigniez là-bas.

Darcy fronça les sourcils. Cela ne ressemblait pas à Styx, de confier à d'autres le soin d'exécuter ses volontés. Surtout quand elles la concernaient. S'il désirait qu'elle soit près de lui, alors il venait la trouver; il n'envoyait pas quelqu'un la prendre comme si elle était un chien.

—Pourquoi n'est-il pas simplement revenu me chercher lui-même? demanda-t-elle.

Le Viking sembla momentanément dérouté. Comme si son pauvre cerveau n'était pas en mesure de traiter cette question.

Avec une grande aisance, la femme s'engouffra dans cette brèche délicate.

—Je crains qu'il ait été… blessé au cours du combat, répondit-elle.

—Blessé?

Les genoux de Darcy se dérobèrent sous elle tandis qu'une sombre vague de panique menaçait de lui embrumer l'esprit. Styx, blessé? Non. Oh! seigneur, non. Elle ne le supportait pas.

Elle devait…

Alors qu'elle tentait de s'éclaircir les idées pour réfléchir à ce qu'il lui faudrait faire exactement, une sensation bizarre perça à travers son affolement. Le sentiment que ce ne pouvait être vrai. Qu'elle saurait avec une certitude absolue si Styx souffrait.

Lorsqu'elle pensait à lui, elle ressentait une… vibration. Semblable au bourdonnement d'une abeille énervée.

Styx était complètement furieux. Elle ne percevait aucune douleur physique.

Une main rêche lui toucha le bras et elle plongea le regard dans les yeux préoccupés de Levet.

—Tu vas bien, Darcy? demanda-t-il.

—Oui… je… (Elle secoua la tête et se força à reporter son attention sur les vampires qui attendaient.) Il est gravement blessé?

La femme leva une main fine.

—Je l'ignore. Je sais juste qu'il souhaite vous avoir auprès de lui.

Les doigts de Levet serrèrent le bras de Darcy.

—Ne t'inquiète pas, *ma chérie**. Je t'accompagne.

—Non.

Darcy cligna des yeux en entendant le refus abrupt du Viking.

—Pourquoi pas?

—Le maître n'a pas parlé d'emmener la gargouille. Vous devez venir seule.

Bon, l'aiguille de son compteur à emmerdes commençait à pencher.

Rien de tout cela n'avait de sens.

Si Styx était blessé, pourquoi n'était-il pas revenu ici? Non seulement Dante était là, mais une déesse en chair et en os se trouvait dans la maison. Dans quel endroit mieux protégé pouvait-il bien aller?

Et même s'il s'était rendu dans un autre repaire, pourquoi aurait-il envoyé ces deux vampires la chercher?

Il avait cinq Corbeaux, qu'elle connaissait et à qui elle faisait confiance, qui auraient pu l'escorter.

Elle recula furtivement, la main crispée sur la porte.

—Où sont Shay et Abby?

Un instant s'écoula avant que la femme cligne des yeux avec lenteur.

— En bas, elles s'occupent de Viper.

— Il a été blessé lui aussi?

Le Viking grogna tout bas.

— Nous devons nous mettre en route. L'aube sera là bien trop vite.

Darcy fit un autre pas en arrière, le regard rivé sur la femme.

— Comment est-il entré en contact avec vous?

Battement de paupières, battement de paupières, battement de paupières.

— Je vous demande pardon?

— Styx. Comment vous a-t-il contactés?

— Il a envoyé un messager.

— Je veux lui parler.

— Ça suffit, grogna le Viking en montrant les crocs. Prends-la.

Ces paroles n'avaient pas fini de sortir de sa bouche que Darcy claquait et verrouillait la porte.

Avec un glapissement de surprise, Levet la regarda comme si elle avait perdu la tête.

— Darcy?

— Un truc qui cloche, souffla-t-elle.

Elle appuya les mains contre le battant alors que les vampires, de l'autre côté, s'efforçaient de le défoncer.

— Sans déc', marmonna Levet en venant renforcer la porte tremblante de son propre poids. Tu dois t'enfuir. Cette porte ne tiendra pas longtemps.

— Pas question.

Il jura à mi-voix.

— Les martyrs sont des créatures ennuyeuses, Darcy. Fiche le camp!

Darcy serra les dents et, avec obstination, lutta avec Levet pour maintenir la porte close. Elle ne croyait pas une minute pouvoir affronter deux vampires et y survivre. Putain, elle ne se pensait pas capable de foutre un bon coup de poing. Mais elle n'était pas près de fuir sans Levet.

—Je ne laisse pas tomber mes amis, grommela-t-elle au moment même où une forte secousse ébranlait le bois sous ses mains.

La porte n'allait pas tarder à se fracasser et ce serait leur fête.

Les muscles des bras saillant sous l'effort, le démon regarda d'un œil noir l'expression résolue de la jeune femme.

—*Sacrebleu**, les vampires ne peuvent me faire aucun mal si je me transforme. Même leurs crocs ne sont pas assez acérés pour mordre dans la pierre.

Il n'avait pas tort. Pas tort du tout, mais Darcy était têtue par-dessus tout.

—Je ne partirai pas sans toi.

—Tu me gênes plus qu'autre chose. (Levet poussa un grognement lorsqu'un gond sauta de la porte et vola à quelques petits centimètres de son visage.) J'ai plusieurs sorts impressionnants que j'ai très envie de jeter, mais c'est pratiquement impossible tant que tu restes là à m'observer.

—Pourquoi?

Il lui adressa un regard empreint d'une sinistre mise en garde.

—Question de résultat. Va-t'en maintenant.

Une lueur subtile commença à envelopper le corps gris minuscule et Darcy s'obligea à reculer. Elle conservait encore un vif souvenir de l'explosion spectaculaire qui avait déchiré l'air lorsqu'elle s'était glissée dans la propriété. Si Levet avait ce genre de magie en tête, elle devait alors reconnaître qu'elle ne souhaitait pas se trouver à proximité quand la situation dégénérerait.

Et, en toute honnêteté, si elle partait, Levet serait alors libre de se changer en statue. Comme il l'avait fait remarquer, même les vampires ne pourraient l'atteindre une fois qu'il serait transformé en pierre.

Sans prêter attention à la pointe de culpabilité qui la transperça, Darcy tourna les talons et se précipita vers la fenêtre. Avec la porte bloquée par des démons enragés, c'était la seule issue. En plus, existait-il moyen plus efficace de descendre prévenir Abby que sa maison abritait des traîtres ?

Les bras croisés sur la tête, Darcy fonça dans la fenêtre à une vitesse qui la propulsa à travers la vitre puis dans la nuit glaciale. Elle grogna lorsque des tessons lui lacérèrent la peau, même si son attention se portait surtout vers le sol dur qui s'élevait rapidement à sa rencontre. Bleus et coupures, peu importait leur gravité, seraient guéris en quelques heures. Une nuque brisée… c'était une autre affaire.

Battant l'air de ses membres comme si elle pouvait voler – une aptitude qui n'était généralement pas attribuée aux loups-garous –, Darcy réussit à se retourner suffisamment dans sa chute pour retomber sur le dos, plutôt que sur la tête. Une piètre consolation, cela dit, puisque, sous l'impact, ses poumons se vidèrent et un éclair de douleur lui traversa le corps.

Purée.

Elle se força à se relever en gémissant. À son grand étonnement, elle s'aperçut qu'elle y parvint. Elle avait une dizaine de plaies qui saignaient, était contusionnée au-delà du supportable et son crâne l'élançait ; pourtant elle ne semblait pas s'être cassé un seul os ni bousillé d'organe interne.

La nuit s'améliorait.

Les yeux rivés sur la maison, elle s'apprêtait à deviner où se trouvait la porte la plus proche quand elle entendit un bruit presque imperceptible derrière elle.

Elle fit volte-face, s'attendant à voir n'importe quoi surgir du noir.

Vampire, loup-garou, sacrée divinité…

Lions, tigres et ours.

Le corps tendu, prête à affronter la prochaine catastrophe, Darcy sentit sa mâchoire s'affaisser lorsqu'une femme svelte sortit de derrière un vieux chêne.

Malgré le manteau d'obscurité qui les enveloppait, Darcy n'eut aucun mal à distinguer les cheveux blond argenté qui ondulaient sur ses épaules et les yeux verts où brillait une lueur caractéristique.

Le choc à l'état pur la paralysa tandis que la femme se déplaçait avec une aisance gracieuse pour venir se placer juste devant elle.

Darcy avait rêvé de cet instant chaque nuit au cours des trente dernières années.

Son espoir le plus secret avait pris vie.

À présent, elle s'efforçait d'en accepter la réalité.

—Maman? chuchota-t-elle enfin, incrédule.

—Oui, ma chérie, je suis bien ta maman. (Un sourire effleura les traits qui étaient si étrangement semblables aux siens.) Comme c'est gentil à toi de tomber à mes pieds. Ça m'a épargné beaucoup de peine.

—Que…

Absolument perplexe, Darcy ne vit jamais sa mère bouger. Pas même lorsqu'elle leva le bras.

Ce ne fut que lorsque le poing entra effectivement en contact avec son menton que Darcy comprit que les rêves et la réalité différaient parfois.

Elle s'écroula sur le sol froid et gelé alors que les ténèbres qui attendaient inondaient son esprit.

Ouais, la réalité était une salope.

CHAPITRE 21

L e doigt pointé droit sur le cœur de son adversaire, Styx sentait l'air crépiter sous le feu glacé de sa rage.

Au loin, il percevait la vive agitation des vampires qui l'encerclaient, humait leur malaise et entendait le bruit des doigts qui se resserraient sur les arbalètes.

Rien de tout cela ne comptait.

Le monde s'était rétréci au vampire hâve qui se tenait juste devant lui.

Un vampire qui avait perdu son petit sourire suffisant et observait Styx avec une méfiance nouvelle.

Un vampire intelligent.

Bien que sur le point de mourir.

À nouveau.

—Votre petit jeu ne m'effraie pas, Styx, parvint à dire Desmond d'une voix rauque alors même qu'il piétinait avec nervosité, sous ce regard malveillant. Vous êtes cerné et votre compagne se trouve entre mes mains. Vous ferez ce que je vous demanderai ou vous en paierez les conséquences.

Styx voyait remuer les lèvres du vampire. À coup sûr, celui-ci proférait une menace ou une autre, mais il n'était plus en mesure d'écouter depuis longtemps. Le seul bruit qui importait, c'était son pouvoir qui tonnait en affluant dans son corps.

La fraîcheur qui tournoyait dans l'air s'intensifiant, il s'avança, sans prêter attention à la flèche qui siffla à son oreille.

—Styx ? (Desmond recula en trébuchant, les mains tendues.) Ne soyez pas stupide. Mon clan va vous tuer…

La mise en garde qu'il proférait mourut sur ses lèvres lorsque Styx referma les doigts autour de sa gorge maigre et serra.

Des cris alarmés emplirent l'air et, soulevant Desmond qui se tortillait, Styx se servit sans mal du corps de ce dernier pour intercepter la pluie de flèches. Desmond gémit lorsque les projectiles s'enfoncèrent profondément dans son dos, l'argent lui brûlant la chair.

Derrière lui, Styx perçut la course précipitée d'un assaillant et, d'un geste plein de mépris, il jeta Desmond vers les vampires, qui observèrent leur chef avec horreur. De manière instinctive, ils se ruèrent pour l'aider, ce qui permit à Styx de se retourner pour faire face à un Jacob fou qui lui fonçait dessus.

Presque aussi grand que lui et aliéné par sa propre colère, son pouvoir ne faisait néanmoins pas le poids contre celui de Styx.

Avec un rugissement, Jacob se lança sur la gorge de Styx, et grogna de frustration lorsque celui-ci esquiva son assaut. Styx décrivit un arc de la jambe, et fit aisément trébucher l'imbécile. En un clin d'œil, il sortit sa longue épée de son fourreau et, pendant que le vampire s'efforçait de se relever, il fendit l'air de sa lame.

Jacob n'était même pas parvenu à se mettre à genoux lorsque Styx lui trancha la nuque, et le décapita d'un unique mouvement fluide.

Sans attendre que son corps se désagrège, Styx le repoussa d'un coup de pied et fit volte-face juste à temps pour affronter le pieu qu'on lui plantait droit dans le cœur.

Il leva brusquement le bras, qui prit le coup de justesse. Le pieu plongea profondément dans les muscles de son avant-bras, mais il ne broncha même pas. Il avait évité une attaque mortelle, et à présent c'était son tour.

Son agresseur écarquilla les yeux lorsque Styx referma la main sur les doigts qui tenaient l'arme. Les os craquèrent sous la pression quand Styx arracha le pieu d'un geste vif et le tourna avec lenteur vers le cœur du vampire.

Le plus jeune vampire, à qui la panique redonnait un peu de force, lutta brièvement mais la fin était prévisible.

Tout en maintenant les doigts du vampire écrasés contre le pieu, Styx poussa un grondement sourd et planta l'arme dans l'étroite poitrine.

Un grognement de douleur retentit, puis sa victime tomba en arrière et heurta le sol dans un nuage de poussière.

Un endroit profondément enfoui en Styx pleurait la perte de ses frères. Ennemis ou pas, ils n'en étaient pas moins du même sang. Sa peine, pourtant, ne l'arrêta pas tandis que, l'épée serrée dans sa main, il se tourna vers les vampires restants.

Ils avaient l'intention de faire du mal à Darcy. Ils mourraient pour cela.

Deux membres du clan de Desmond étaient encore penchés sur leur chef terrassé, alors que trois autres rassemblaient leur courage pour l'attaquer.

Styx écarta les jambes et fléchit les genoux, se préparant à donner l'assaut. Ils étaient entraînés à se séparer pour l'encercler. Il devait les en empêcher.

Il lui fallait frapper, et vite.

Après avoir incliné la tête en arrière, il émit un rugissement sourd et invoqua le pouvoir qui coulait dans son sang.

Viper jura quand la camionnette s'immobilisa enfin et que les membres de son clan affluèrent dans la nuit pour cerner la maison.

Il n'avait pas voulu laisser Styx. Un vampire n'abandonnait pas un frère sur le champ de bataille. Surtout quand il s'agissait de l'Anasso.

Mais lorsque Styx lui donnait un ordre, il n'avait d'autre choix que d'obtempérer. Et, franchement, aller chercher du renfort s'était révélé bien plus raisonnable. S'il était resté, il n'aurait fait que leur assurer une mort certaine à tous deux.

La logique de leurs actions n'atténuait pourtant pas le sentiment d'effroi qui étreignait son cœur de ses mains glacées, ni n'apaisait la rage qui battait dans son sang.

Il voulait tuer un truc.

Plein de trucs.

Son épée dans une main et un poignard en argent meurtrier dans l'autre, Viper vola vers l'arrière de la bâtisse. Il sentait la mort dans l'air froid. Plus d'un vampire avait péri. Et leur destruction était récente.

Bordel.

Si jamais Styx était…

Cette pensée sinistre, horrible avait à peine eu le temps de se former qu'un rugissement à faire dresser les cheveux sur la tête déchira la nuit.

Un sourire sans joie effleura ses lèvres.

Styx.

Il était toujours en vie. Et de très, très mauvaise humeur.

Dans un dernier sprint, Viper contourna l'angle du bâtiment puis s'immobilisa, stupéfait, pour regarder Styx qui se jetait vers les trois vampires qui chargeaient.

Ou du moins, il essaya de le voir.

Styx n'était guère plus qu'une masse indistincte tandis qu'il s'élançait vivement en avant. L'acier étincela et l'un des vampires s'effondra, décapité, avant que les pauvres imbéciles aient même conscience du danger qu'ils couraient.

Les deux qui restaient s'arrêtèrent hébétés, puis tentèrent de faire marche arrière pour échapper à l'épée qui tournoyait.

Vain effort.

Une brume glacée se forma autour de leurs corps alors que Styx les immobilisait avec son pouvoir féroce. Ils étaient incapables de faire quoi que ce soit d'autre que regarder leur propre mort venir vers eux d'un air digne.

Viper se fit violence pour rompre la fascination macabre qu'exerçait sur lui ce massacre et reporta son attention sur ce qui l'entourait.

Trois vampires se trouvaient encore près du bord de la cour, l'un étendu par terre, manifestement blessé, et les deux autres s'évertuant avec frénésie à s'occuper de lui.

D'un geste de la main, Viper indiqua à ses hommes de rejoindre ces traîtres, restés en retrait. Il avait ordonné de les prendre vivants autant que possible. Non pas qu'il ressente une quelconque compassion à leur égard. Par l'enfer, il attacherait volontiers chacun d'eux au sol, les laissant à la merci du soleil. Mais il comprenait que faire un exemple de Desmond et de son clan était plein de sagesse. Il voulait les exécuter sous les yeux de tous, pour qu'aucun chef ne soit jamais plus assez idiot pour oser lever la main sur l'Anasso.

Il patienta jusqu'à ce que ses hommes aient terrassé les vampires et les aient solidement enchaînés avec les fers d'argent qu'il avait apportés, puis reporta son attention sur Styx.

Il ne restait plus qu'un vampire.

Viper hésita.

Il aurait certainement dû intervenir.

Styx était fou de rage, mais il reviendrait tôt ou tard à la raison et pourrait bien regretter ce carnage. Il avait toujours accordé bien trop d'importance à la morale et à l'éthique.

Un coup d'œil au visage hâlé, pourtant, coupa court à toute idée de s'interposer entre lui et son adversaire.

Quiconque assez bête pour se dresser sur le chemin de Styx aurait été condamné à mort.

Même Viper lui-même.

Après s'être suffisamment approché pour être en mesure d'agir si les choses commençaient à mal tourner, Viper s'autorisa à juste savourer la vue de Styx qui tournait autour de sa proie, maniant l'épée en une danse complexe et magnifique.

Tous les vampires avaient la chance d'être forts et puissants, mais rares étaient ceux qui égalaient Styx sur ces deux points. Et plus rares encore ceux qui pouvaient se prévaloir d'un maniement des armes si meurtrier.

C'était un maître à l'œuvre, un plaisir pour les yeux.

Le vampire terrifié parvint à lever son arbalète pour la diriger sur Styx. Cette tentative, guère suffisante, intervenait bien trop tard. D'un grand bond, Styx se plaça juste devant lui, lui arracha l'arc des mains et l'écrasa en grondant tout bas.

Le vampire eut la bêtise de ne pas tomber à genoux en demandant grâce comme il l'aurait dû. Il tâtonna plutôt sous sa cape, à la recherche d'une arme cachée.

Un sourire sinistre effleura les lèvres de Styx lorsqu'il leva son épée. Il y eut un mouvement confus, et le jeune vampire se retrouva subitement sans tête.

Viper grimaça.

Ouille. La rage du combat dans toute sa splendeur.

Il s'avança, avec l'intention de capter l'attention de son ami, quand Styx inclina la tête en arrière pour renifler l'air. D'un déplacement trop rapide pour être visible, il se retourna pour observer les vampires soigneusement enchaînés que les hommes de Viper surveillaient.

Un grognement sourd donna la chair de poule à Viper. Oh, merde.

Styx sentait encore le sang. Et, en ce moment, il ne distinguait plus vraiment les amis des ennemis. Pour lui, tout ce qui bougeait était une proie rêvée.

C'était à Viper qu'il incombait de trouver un moyen d'apaiser cette brute destructrice.

Parfait. Tout simplement parfait.

Glissant son épée dans son fourreau, Viper prit soin de garder son poignard à la main et se dirigea vers son ami. Même s'il ne souhaitait pas faire de mal à Styx, il ne le laisserait pas tuer les membres de son clan.

Viper grommela un juron en s'obligeant à avancer. Une fois que Styx aurait commencé à attaquer, rien ne l'arrêterait.

Afin de s'assurer que Styx avait largement l'occasion de le remarquer, Viper décrivit un grand cercle avant de venir vers lui. Un homme sage ne s'approchait jamais d'un vampire nerveux par-derrière.

—Styx. Mon seigneur. (Il leva les mains en signe de paix.) C'est fini. L'ennemi a été vaincu.

Ses yeux noirs se tournèrent vers Viper en lançant des éclairs, et pourtant rien n'indiquait qu'il le voyait vraiment.

Du moins, comme autre chose qu'un obstacle agaçant s'interposant entre lui et son but.

—Desmond est vivant, répliqua l'imposant vampire d'une voix terrifiante.

—Il est bien enchaîné, répondit Viper avec lenteur. S'il parvient à survivre à ses blessures, il sera exécuté devant le Comité et les chefs de clan. Il doit servir d'exemple.

Styx feula, son regard, où la mort brillait toujours, dans le vague.

—Il mourra de mes mains.

—Bien sûr, dit Viper d'un ton apaisant. Mais pas avant que son crime soit reconnu et condamné par notre peuple.

Tout à coup, Styx tendit le bras pour empoigner Viper par le devant de la chemise et le soulever du sol.

— Darcy, gronda Styx.

Viper résista à l'envie de se débattre. Styx ne lui faisait pas mal… pour l'instant. Il ne souhaitait pas inciter son ami à la violence.

Surtout quand il était directement visé.

— Darcy n'est pas ici, mon ami, déclara-t-il avec fermeté. Elle se trouve en sécurité, avec Dante et Abby.

— Non. (Styx le secoua brutalement.) Elle est en danger.

Satanés vampires nouvellement unis, jura Viper en silence.

— Mon seigneur, tu n'as pas les idées claires…

Il s'interrompit lorsque Styx le secoua de nouveau.

— Les démons que j'ai pris sous ma protection sont des traîtres.

Viper feula, abasourdi.

— Tu en es sûr ?

— Ils ont demandé ma protection uniquement pour fournir mon point faible à leur maître. Ils ont trouvé Darcy.

— C'était une tentative de coup d'État ?

— Oui.

Viper jura, furieux de s'être montré si aveugle. Il aurait dû sentir que le comportement de Desmond et la façon désordonnée dont il avait traversé la ville étaient louches. Il aurait dû prendre la peine de se renseigner sur les intentions de ce chef de clan avant de mettre son Anasso en danger.

— Bordel.

Les yeux noirs de Styx lancèrent des éclairs.

— Ils doivent être punis.

— Chaque chose en son temps. (Viper leva les bras pour saisir le poignet de Styx et, tirant de toutes ses forces, parvint à se libérer de son étreinte.) Nous devons d'abord rentrer avertir Darcy.

Les traits hâlés de Styx se contractèrent sous l'effet d'une souffrance si intense que Viper la ressentit physiquement.

—Ils l'ont déjà enlevée, dit Styx d'une voix rauque. Ils l'amènent ici.

Merde. Viper serra l'épaule de son ami et pria pour leur bien à tous que Darcy soit saine et sauve.

Il n'était pas sûr de pouvoir arrêter le bain de sang si Styx perdait la tête.

—Si c'est vrai, alors nous devons nous préparer à les capturer, déclara-t-il. Mais je crois que nous ferions mieux de prendre contact avec Dante. Ces deux vampires ont peut-être prévu d'enlever Darcy, mais je doute que cette tâche se soit révélée aisée. (Un sourire ironique apparut sur ses lèvres.) Ta compagne possède bien des talents cachés.

Styx tomba lentement à genoux, le visage enfoui dans les mains.

—Je comprends enfin.

Viper s'agenouilla près de lui, un bras passé autour de ses épaules.

—Tu comprends quoi?

Styx releva la tête pour le dévisager avec des yeux hagards.

—Je comprends ce que tu voulais dire en affirmant que tu sacrifierais tout pour que ta compagne soit en sécurité.

—Oui. (Viper opina du chef avec lenteur.) Tu es bel et bien uni, mon vieil ami. Mais aucun sacrifice ne sera nécessaire cette nuit. Dans peu de temps, Darcy sera de nouveau entre tes bras, là où se trouve sa place.

Darcy ne fut pas du tout étonnée de se réveiller avec une migraine de la taille du Texas. Ni avec une mâchoire si enflée qu'elle avait l'impression de s'être fourré un pamplemousse dans la joue. Elle ne fut même pas étonnée de découvrir qu'elle était dans une chambre inconnue, enchaînée à un lit.

En fait, c'était comme si elle s'y était attendue.

Si ça, c'était pas flippant?

Elle réprima un gémissement, réussit à obliger ses paupières lourdes à s'ouvrir et jeta un regard prudent à la pièce.

Cela n'en valait guère la peine.

Il n'y avait rien à voir. À part si on comptait les fausses boiseries clouées aux murs au petit bonheur et la moquette jaune vomi sur laquelle une belle culture de moisissure se développait.

C'était une pièce étroite et sinistre qui ressemblait exactement à n'importe quelle autre chambre d'un hôtel miteux. Elle avait vécu dans un assez grand nombre d'entre elles pour les reconnaître à leur odeur fétide.

Non, elle n'était pas exactement comme celles de n'importe quel autre hôtel miteux, se dit-elle en tournant suffisamment la tête pour apercevoir les lourds barreaux qui obstruaient la fenêtre. De toute évidence, ils venaient d'être installés, ce qui ne contribuait guère à alléger l'atmosphère morose.

Un ajout inutile au point d'en être ridicule, vu qu'elle était enchaînée comme si elle était une folle furieuse.

Darcy bougea sur le matelas dur et observa rageusement les fers qui entouraient ses poignets. Ils étaient reliés à de lourdes chaînes boulonnées au sol. Des chaînes qui pesaient certainement autant qu'elle.

Soit ses ravisseurs la considéraient comme la créature la plus dangereuse à frapper Chicago depuis Al Capone, soit ils l'avaient attachée et réduite à l'impuissance pour une raison.

Merde.

Elle espérait que c'était l'option du terrifiant Al Capone.

Rien de bon ne pouvait venir d'une personne qui en enchaînait une autre.

Sans prêter attention à la douleur qui subsistait dans son crâne, Darcy se contorsionna sur l'étroit matelas, s'aidant des pieds pour se hisser contre la tête de lit, et se mettre en position assise.

Elle n'était pas plus en mesure de s'évader, mais au moins elle ne se sentait pas si impuissante.

Dieu merci, puisque la porte à l'autre bout de la pièce s'ouvrit brusquement et une femme qui lui était à présent familière apparut.

Sa propre mère adorée.

Cette sale garce.

Darcy fut momentanément choquée par la violence de la colère qu'elle éprouvait à l'encontre de la femme censée l'avoir mise au monde.

C'était vrai que leur première rencontre avait été loin de correspondre à ce dont elle avait rêvé. À moins qu'elle ait rêvé de se faire assommer d'un coup de poing, kidnapper et enchaîner à un lit. Néanmoins, alors qu'elle pouvait raisonnablement s'attendre à se sentir trahie, voire déçue, cette fureur vive, tangible ne lui ressemblait pas du tout.

Cette fureur était peut-être liée au fait que Darcy ne pouvait plus s'accrocher à son rêve d'enfant d'une mère douce, gentille et aimante.

Une mère qui aurait été obligée d'abandonner sa fille, mais qui l'aimerait toujours profondément.

Cette prise de conscience laissa un vide douloureux dans le cœur de Darcy, qui mourait d'envie de casser la figure à la personne qui en était responsable.

Après avoir refermé la porte, la femme s'approcha du lit avec désinvolture, sans se presser. Darcy frissonna lorsqu'un étrange picotement lui parcourut la peau. C'était une sensation qu'elle commençait à associer à la présence d'un garou.

Comme si quelque chose dans son corps s'apercevait qu'elle se trouvait en compagnie de sa propre espèce.

Oh… crotte.

La femme, qui s'était arrêtée près de la fenêtre, croisa les bras sur sa poitrine et embrassa Darcy du regard.

Elle ne paraissait pas particulièrement impressionnée par sa fille. Pas étonnant. Darcy avait parfaitement conscience de ressembler à une fan de grunge. Sa mère, au contraire, arborait un tailleur-pantalon ivoire qui semblait sortir tout droit des pages de mode d'un magazine, tandis que ses cheveux étaient tressés et coiffés en un chignon élégant sur la nuque.

Elle aurait été d'une beauté époustouflante si son expression n'avait été assez froide pour glacer l'air.

— Alors tu es réveillée, constata la femme d'un ton désinvolte.

Darcy plissa les yeux.

— On dirait, oui.

— Je commençais à craindre de t'avoir frappée trop fort. Ce serait dommage de t'avoir tuée après t'avoir enfin retrouvée.

La colère qui grondait dans le corps de Darcy s'aviva.

C'était ce que sa chère mère adorée avait à dire ?

Qu'elle était heureuse de ne pas l'avoir tuée ?

— Je t'en prie, ta sollicitude me rend confuse, répliqua Darcy entre ses dents.

Un sourire railleur effleura les lèvres parfaites de sa mère.

— Tu préférerais que j'embrasse ton bobo pour qu'il ne te fasse plus mal ?

— Vu que c'est toi qui m'as fait ce bobo, je crois que je m'en passerai.

— Comme tu veux.

Darcy bougea sur le matelas, le cliquetis sourd des chaînes éveillant une vague d'agacement en elle.

— Étant donné que, de toute évidence et que ça me plaise ou non, je vais rester là un moment, il me semble que tu pourrais au moins te présenter.

— Mais tu sais déjà qui je suis, ma très chère enfant. (Son sourire railleur s'élargit.) Évidemment, je vais devenir très violente si tu oses m'appeler maman. Je suis Sophia.

Sophia. Sans qu'elle puisse se l'expliquer, ce nom lui allait bien, décida Darcy. Bien plus que maman ne lui irait jamais.

— Il ne m'est jamais venu à l'idée de t'appeler maman, lui assura-t-elle d'une manière acerbe. Où suis-je ?

— Dans le repaire de Salvatore. (Sophia jeta un coup d'œil méprisant à la pièce.) Une porcherie, pas vrai ?

— J'ai vu pire.

— Peut-être, en effet. (Sa mère inclina la tête sur le côté pour observer le regard farouche de Darcy.) Tu as l'air frêle, mais il y a du feu dans tes yeux. Comme il se doit, pour ta position. Tu auras besoin de beaucoup de feu, ma fille. La faiblesse n'est pas tolérée au sein des sang-pur.

— Je suppose que les bonnes manières ne sont pas non plus une priorité. (Darcy jeta un regard qui en disait long à ses fers.) Quand je rêvais de rencontrer ma mère, il n'était pas question de se faire attaquer et enchaîner à un lit.

— J'aurais souhaité que notre première entrevue se déroule autrement, mais c'est entièrement ta faute, tu sais.

— *Ma* faute ?

Sophia leva la main pour observer ses ongles parfaitement manucurés.

— Tu aurais dû écouter Salvatore quand il t'a abordée pour la première fois. Ça nous aurait épargné à tous beaucoup d'ennuis.

Darcy éclata d'un rire bref, incrédule. On lui reprochait d'avoir été suivie, terrifiée et de se réveiller à présent enchaînée à un lit ?

C'était un peu fort.

— Désolée, mais je n'ai pas l'habitude de prêter l'oreille à des inconnus qui me filent dans les rues de Chicago.

—Dommage. Tu as réussi à mener Salvatore par le bout du nez comme un idiot, ce qui, je dois l'avouer, s'est révélé drôle parfois, mais je n'ai pas sa patience. Le moment est venu pour toi de retrouver ta famille.

Famille.

Pendant combien d'années avait-elle rêvé d'une famille?

Être entourée des siens dans un endroit qui aurait vraiment été chez elle?

Elle tira brusquement sur ses fers.

—Bizarre, je n'ai pas exactement l'impression d'être la fille prodigue. C'est peut-être le fait d'être enchaînée au lit.

—Tu auras ton veau gras bien assez tôt, ma chérie, mais d'abord tu dois prouver que tu es prête à accepter ta position parmi les garous, déclara Sophia d'une voix traînante.

—Je ne peux pas vraiment accepter une position dont je ne sais rien.

—Oui, il est regrettable que tu n'aies pas été élevée au sein de ton peuple. (Sophia poussa un soupir.) Ton ignorance de nos mœurs rend tout ceci bien plus difficile.

Bon, elle en avait assez.

Elle était fatiguée; elle avait mal à la mâchoire et son désir autrefois brûlant de découvrir la vérité sur ses origines s'était transformé en une boule amère de déception au creux de son ventre.

—Regrettable? (La voix de Darcy devint plus grave, jusqu'à n'être qu'un grondement furieux.) Il est regrettable que j'aie été enlevée bébé, puis que je sois passée de maison en maison avant d'atterrir dans la rue? Il est regrettable que, pendant trente ans, j'aie eu l'impression d'être un monstre, et que j'aie toujours évité les autres en me demandant ce qui pouvait bien ne pas tourner rond chez moi? Il est regrettable que j'aie appris être une… louve-garou par la bouche d'un inconnu? Je dirais que c'est un peu plus que regrettable.

Sophia roula des yeux et s'avança vers le lit.

362

— Oh, mon Dieu, arrête de te plaindre. La vie est chienne avec nous tous. La seule chose qui compte, c'est que tu sois de retour auprès des tiens. (Elle se raidit, contrariée, lorsque Darcy éclata brusquement de rire.) Qu'y a-t-il de si drôle ?

Darcy secoua la tête en s'efforçant de contenir son accès d'humour noir.

— Je pensais juste au vieux dicton.

— Lequel ?

— « Prenez garde à ce que vous souhaitez ».

Il fallut un moment à Sophia pour comprendre que c'était à elle que Darcy faisait allusion.

— Ah. (Un sourire sarcastique effleura ses lèvres.) Salvatore m'a prévenue que tu espérerais Caroline Ingalls.

Et alors, où était le problème ?

Des repas maison, être bordée dans son lit, un doux baiser sur la joue...

Darcy grimaça.

— Au lieu de quoi, j'ai eu droit à la marâtre de Cendrillon.

Sophia haussa les épaules d'indifférence.

— Je suppose que c'est parfaitement vrai. Tu sais, je ne suis pas si horrible que ça, mais je dois avouer qu'être mère ne m'intéresse pas. J'ai toujours trouvé que c'était un travail très fastidieux et guère gratifiant.

— Et l'amour de tes enfants ? C'est quelque chose qui compte, non ?

— C'est loin d'être suffisant. Peut-être qu'après avoir été une reproductrice pendant quelques siècles tu comprendras.

Darcy laissa échapper un son étranglé. Elle ignorait ce qu'était une reproductrice, mais elle avait l'impression qu'elle n'aurait pas envie d'endosser cette fonction.

— Une reproductrice ? demanda-t-elle avec méfiance.

— C'est ce que nous sommes, tu sais, dit Sophia d'une voix traînante. Les femmes sang-pur ont un rôle au sein de la meute, qui consiste à avoir autant de portées qu'il leur est physiquement possible.

Darcy écarquilla les yeux.

— Mince, tu as vraiment des… portées?

— Des louveteaux? (Elle éclata d'un rire mordant.) Non, nos enfants naissent sous forme humaine. On les appelle des portées car nous portons en général plus d'un bébé à la fois, sans compter, évidemment, qu'ils ont du sang de loup.

Eh bien, elle se sentait presque mieux. Et Darcy se souvint alors de la seule bonne nouvelle qui restait au milieu de toutes ces catastrophes.

— Salvatore a dit que j'avais trois sœurs?

— Oui.

— Je serai autorisée à les rencontrer?

— Si nous parvenons à mettre la main sur elles. (Les yeux verts de Sophia lancèrent des éclairs de contrariété.) Elles se révèlent de belles emmerdeuses, exactement comme toi, ma chérie.

Darcy fut déchirée entre le soulagement d'apprendre que ses pauvres sœurs avaient réussi à échapper à son propre sort et le regret de ne peut-être jamais les connaître.

Avoir des sœurs lui semblait merveilleux.

— Y en a-t-il d'autres? demanda-t-elle. Je veux dire, as-tu eu plus d'une… portée?

Après un moment de silence, Sophia haussa les épaules.

— J'ai été enceinte plus d'une centaine de fois.

— Mon Dieu.

— J'ai rarement mené mes grossesses au-delà des premiers mois. Aucune n'est arrivée à terme, à part celle qui vous a donné naissance, à tes sœurs et toi.

Une expression qui aurait pu être du chagrin apparut un instant sur les traits magnifiques de Sophia, avant qu'elle revête de nouveau son masque de sardonique indifférence.

Malgré elle, Darcy retint son souffle, submergée par la compassion. Merde. Elle ne voulait pas envisager à quel point ce devait être douloureux pour une femme de tomber enceinte encore et encore tout en sachant toujours que la mort n'était pas loin.

Ni songer au fait que n'importe quelle femme apprendrait à protéger ses sentiments de tels déboires. Et deviendrait peut-être même cynique au cours des siècles.

Elle ne souhaitait pas compatir aux malheurs de cette personne qui la traitait comme si elle était un objet égaré, agaçant mais nécessaire à ses projets.

— Je suis désolée, marmonna-t-elle avant d'avoir pu s'en empêcher.

— Ça fait partie de la vie des garous.

— Pourquoi ? s'enquit Darcy, se souvenant que Levet avait fait référence un peu plus tôt à leurs difficultés à avoir des enfants. Je veux dire… pourquoi autant de fausses couches ?

Sophia souffla avec impatience.

— Voyons, mon chou, sers-toi donc de ton cerveau. Tu imagines ce qui arrive au corps d'une femme quand elle se transforme ?

Darcy grimaça. Elle n'était pas sûre de ce qui se passait quand on se métamorphosait, mais cela n'avait pas l'air bien.

— Non, en fait, je n'en ai pas la moindre idée.

— Eh bien, laisse-moi t'assurer que, si grisant que ce soit, c'est aussi d'une violence extrême.

— Oh.

— Oui, « oh ». (D'une démarche nerveuse, sa mère arpenta la pièce étroite.) À en croire certaines légendes, au Moyen Âge, une sang-pur contrôlait ses métamorphoses, même à la pleine lune, de sorte qu'elle pouvait porter ses enfants sans craindre une fausse couche. Si c'est vrai, alors cette aptitude a été perdue depuis longtemps.

— Ainsi tu dois te transformer, que tu le veuilles ou non ?

— À la pleine lune, oui. (Sophia s'arrêta pour adresser à Darcy un regard éloquent.) Et, parfois, quand quelqu'un est assez bête pour me pousser à bout.

Darcy ne releva pas cette menace pas vraiment subtile.

— Mais alors, comment puis-je être ta fille ? Je n'ai jamais… changé de forme.

— Et c'est ce qui te rend si spéciale, mon chou. (Ses yeux verts balayèrent avec dédain le corps svelte de Darcy.) Une sang-pur qui ne se transforme pas. La parfaite machine à procréer.

Une machine à procréer ? Beurk. Pas dans cette vie.

Le moment, cependant, ne semblait pas approprié pour en débattre.

— Pourquoi est-ce que je ne me transforme pas ? demanda-t-elle plutôt.

— Bon Dieu, ce n'est pas à *moi* qu'il faut poser cette question. (Sophia frissonna imperceptiblement.) Salvatore te fournira tous les détails scientifiques ennuyeux. On a modifié tes cellules ou ton ADN, je crois.

Darcy ne tenta pas de dissimuler son choc. Nom de Dieu. Elle s'était attendue à un truc étrange, bizarre et même mystique. Une expérience scientifique figurait à la toute dernière place.

— De la génétique ?

— Oui, c'est ça.

— J'ai été génétiquement modifiée ?

— Oui, mon cœur. (Un sourire railleur apparut sur ses lèvres.) Tu es l'équivalent chez les loups-garous du monstre du Dr Frankenstein.

Un grondement sourd résonna dans la pièce quand la porte s'ouvrit violemment et que Salvatore en franchit le seuil.

— Ferme ta gueule, Sophia, ou je vais m'en charger.

CHAPITRE 22

D arcy inspira brusquement lorsque le mystérieux Salvatore à la beauté farouche entra dans la pièce. Comme toujours, il portait un costume de soie valant une petite fortune, en l'occurrence bleu pâle, agrémenté d'une cravate anthracite foncé. Ses cheveux noirs, soigneusement noués sur sa nuque, mettaient ainsi mieux en évidence la perfection élégante de ses traits virils.

Son raffinement, cependant, n'atténua en rien l'agressivité sinistre qui couvait dans ses yeux dorés, ni l'atmosphère de violence qui emplit soudain la chambre.

Il était en colère contre Sophia, et semblait prêt à agir en conséquence.

D'instinct, Darcy se raidit. Si ces deux garous s'apprêtaient à se battre, alors elle ne souhaitait pas se retrouver attachée entre eux.

Apparemment indifférente au danger, Sophia, sans se presser, vint se placer derrière Salvatore pour lui masser les épaules de ses mains fines d'une façon qui ne laissait aucun doute sur la nature de leur relation.

—Ah, Salvatore. Tu vois, j'ai réussi là où tu as échoué, dit-elle d'une voix rauque. Pas étonnant. Une femme est en général plus capable qu'un homme, même s'il aime se croire supérieur.

Il la repoussa d'un mouvement d'épaules, les yeux toujours rivés sur le visage pâle de Darcy.

— La seule chose que tu aies réussi à accomplir, c'est terrifier ta propre fille. J'espère que tu es contente ?

— Au moins, elle est ici, et pas entre les griffes des vampires, répliqua Sophia.

Elle alla s'adosser au mur, dans une attitude bien étudiée. C'était certainement une pose qui faisait baver la plupart des hommes mais, malheureusement pour elle, Salvatore ne prit même jamais la peine de jeter un regard dans sa direction. L'expression de Sophia se durcit.

— Si tu possédais le moindre courage, poursuivit-elle, tu l'aurais enlevée dès ton arrivée à Chicago. Elle serait déjà dans ton lit, et porterait sa première portée.

— Hé ! (Darcy tira sur les chaînes, frustrée.) Attends un peu…

— Laisse-nous, l'interrompit Salvatore d'un ton grave.

Sophia rit.

— Dis-moi, Salvatore, auras-tu les couilles de la prendre alors qu'elle est enchaînée et impuissante ?

Salvatore laissa échapper un grondement sourd avant de tourner la tête avec lenteur.

— Je ne le répéterai pas, Sophia. Laisse-nous.

Après une minute tendue, Sophia lui adressa enfin une révérence railleuse.

— Bien sûr, Votre Majesté. (Elle se dirigea vers la porte, avant de s'arrêter pour jeter un regard en direction du lit.) Essaie de ne pas la blesser. C'est ma fille, après tout.

Sa mise en garde prononcée, Sophia sortit dans le couloir et referma derrière elle.

Restée seule avec Salvatore, Darcy remua, mal à l'aise, sur le matelas. Elle ne pensait pas vraiment que cet homme allait la violer pendant qu'elle était attachée au lit. Pas après s'être donné tant de mal au cours des derniers jours pour tenter de gagner sa confiance.

Elle se sentit pourtant atrocement vulnérable lorsqu'il s'approcha et posa les yeux sur elle.

Sa mère ne lui avait que trop bien fait comprendre qu'elle avait été génétiquement conçue dans un seul but : avoir des enfants pour les garous.

De toute évidence, ils étaient désespérés.

Combien de temps la patience de Salvatore allait-elle durer ?

Elle tressaillit quand il tendit une main fine vers son visage.

— Ne...

Ses yeux noirs s'emplirent de regret.

— Darcy, je ne voulais pas que ça se passe ainsi. Êtes-vous blessée ?

— Ne me touchez pas.

Il laissa retomber sa main et ses traits revêtirent une expression d'orgueil offensé.

— En dépit de mon héritage, je ne suis pas une brute, Darcy. Je ne vous ferai pas de mal.

— Non. Vous semblez posséder une réserve inépuisable de femmes qui s'en chargent à votre place, grommela-t-elle.

Elle avait encore la mâchoire cuisante du coup qu'elle avait reçu de sa mère. Sans parler de son affrontement avec la jolie Jade.

Les narines de Salvatore se dilatèrent de colère, et une chaleur emplit la pièce, picotant la peau de Darcy.

— Je possède une réserve inépuisable de femmes qui ont la mauvaise habitude de se mêler de mes affaires.

Elle ne pouvait pas vraiment le contester.

— Et qu'est-ce que j'ai à voir avec vos affaires ?

— Je vous l'ai dit, *cara*. (Son regard balaya avec lenteur le corps de Darcy.) Je désire que vous soyez ma reine. Je vous assure qu'il s'agit d'une position très honorable au sein de notre peuple.

Elle se recroquevilla sur le matelas dur. Ce n'était pas que cet homme la laisse totalement indifférente. Il était d'une beauté à couper le souffle et doté du genre de charisme que la plupart des femmes trouvaient irrésistible.

Peut-être que, dans des circonstances différentes, elle aurait été ravie qu'il la courtise.

Mais en l'état actuel des choses, on l'avait suivie et enchaînée à un lit avant de lui apprendre qu'elle possédait un utérus génétiquement modifié afin qu'elle puisse mettre au monde portée après portée pour la meute.

Pas le genre de trucs qui éblouissaient les femmes.

En plus, il n'était pas Styx.

Point à la ligne.

— Je ne doute pas qu'il s'agisse d'une position très honorable, dit-elle avec lenteur. Mais si je n'en veux pas ?

Il sourit, dévoilant des dents blanches et parfaites.

— Impossible.

— Vous êtes très sûr de vous.

— Nous sommes destinés à nous unir depuis le jour de votre naissance. Impossible d'y échapper.

Elle jeta un coup d'œil qui en disait long à ses poignets.

— Manifestement non, si vous avez l'intention de me garder enchaînée à ce lit.

— Je vous libérerais si vous me promettiez de ne pas tenter de vous enfuir. (Le sourire de Salvatore s'évanouit quand il la regarda droit dans les yeux.) J'ai votre parole ?

Darcy serra les dents. Ce serait si simple de mentir. Juste ouvrir la bouche et lui jurer tout ce qu'il souhaiterait.

C'était ce qu'elle voulait faire.

Si Salvatore lui faisait confiance, elle pourrait bien avoir l'occasion de s'évader. Ce qui justifiait n'importe quel mensonge.

Mais surtout, si elle se sauvait rapidement, elle pourrait alors retrouver Styx avant qu'il fasse empirer cette situation épouvantable.

Darcy frissonna. Bien qu'ignorant l'heure qu'il était, elle soupçonnait que l'après-midi était déjà bien avancé. Autrement dit, il ferait nuit dans seulement une ou deux heures.

Rien qu'une heure ou deux avant que Styx soit en mesure de suivre sa piste et vole à son secours.

Elle ferait tout pour empêcher l'inéluctable affrontement.

Malheureusement, le mot refusa de franchir ses lèvres.

Elle était incapable de prononcer un mensonge éhonté sous ce regard insistant.

— Non.

— Dans ce cas, je crains que les chaînes doivent rester, déclara-t-il. Du moins, pour le moment. Vous finirez par vous résigner à votre sort.

Darcy éclata d'un rire bref, sans humour.

— De devenir une… reproductrice ? Je ne crois pas, non.

L'expression de Salvatore se durcit sous l'effet de la contrariété.

— L'œuvre de Sophia, j'imagine. Elle devrait apprendre à tenir sa langue.

— Pourquoi ? (Darcy observa ses yeux noirs.) Aviez-vous l'intention de me cacher que je suis le résultat d'une expérience scientifique ? Ou que mon unique fonction dans la vie, c'est de mettre au monde autant d'enfants que possible ?

Contre toute attente, les accusations brutales de la jeune femme le firent tressaillir. Encore plus étonnant, ses yeux s'assombrirent, comme s'il ressentait au moins une petite pointe de culpabilité.

— *Cara*, que les garous s'éteignent depuis des siècles n'est pas un secret, dit-il d'une voix grave aux accents indéniablement douloureux. Les femmes sang-pur perdent de plus en plus d'enfants, et même les bâtards sont devenus rares. Nous courons tout droit à l'extinction.

Darcy se mordit la lèvre comme son imbécile de cœur menaçait de s'attendrir.

—Je… je suis désolée, mais…

Salvatore leva une main fine.

—Attendez. Je veux que vous compreniez, Darcy, précisa-t-il, d'un ton presque implorant. J'ai engagé un bataillon entier de médecins et de scientifiques pour nous aider, tout simplement parce que nous sommes désespérés. Nous devons avoir des enfants, si nous voulons survivre.

Elle s'efforça de s'accrocher à sa colère parfaitement justifiée. Elle était une personne, pas une chose qu'on pouvait façonner et faire entrer dans un rôle prédéfini.

—Et ils ont proposé l'idée brillante de tripoter mon ADN? demanda-t-elle.

—Les scientifiques ont isolé les gènes responsables de nos métamorphoses et les ont supprimés chez vos sœurs et vous. (Il s'interrompit avant de tendre le bras pour lui effleurer la joue.) On espère que vous serez capable de porter mes enfants à terme si vous ne vous transformez pas.

Darcy s'écarta brusquement de sa main qui la caressait encore.

—*Vos* enfants?

Il haussa ses sourcils noirs.

—Je suis le roi. On me laisse toujours choisir les femmes en premier.

Son bref élan de compassion fut brisé de façon efficace.

En général, c'était ce qui se passait quand un homme se mettait à débiter des inepties comme s'il n'avait rien dans le crâne.

On me laisse toujours choisir les femmes en premier.

Crétin.

— Pas celle-ci ! s'exclama-t-elle d'un ton brusque.

Il se rembrunit, presque comme s'il était étonné qu'elle soit contrariée.

— Vous faites partie de ma meute, *cara*. C'est la tradition.

— C'est peut-être la vôtre, mais ce n'est certainement pas la mienne, répliqua-t-elle entre ses dents.

Putain, elle pensait que Styx était arrogant. C'était un amateur comparé à cet homme.

— Vous croyez sincèrement que je vais me précipiter dans le lit d'un parfait inconnu pour une raison ou une autre ?

Salvatore arqua les sourcils.

— Je ne suis pas contre patienter un jour ou deux pour que nous apprenions à mieux nous connaître.

— Un jour ou deux ?

Il haussa les épaules.

— Vous serez féconde d'ici là.

Darcy s'étrangla.

— Purée. On vous a déjà dit que votre technique de drague craignait ?

Les lèvres de Salvatore se contractèrent.

— Vous préférez que je vous courtise à grand renfort de mots doux et de fausses promesses ?

Darcy se raidit au souvenir de la voix magnifique et mystérieuse de Styx qui lui chuchotait à l'oreille en lui faisant l'amour.

C'était ça qu'elle voulait.

Si désespérément, qu'elle en avait le cœur brisé.

— Vous pouvez garder vos mots doux pour une autre femme.

— Au cours des prochains mois, il n'y en aura pas d'autres. (Il plissa les yeux.) Tant que vous ne serez pas enceinte, je vous resterai fidèle.

Elle se contenta de le regarder fixement pendant un long moment.

—Vous n'êtes pas sérieux.

—Oh que si.

Elle rit un instant.

—Pile quand je crois que ça ne peut pas être pire, ça empire.

—Je viens de vous promettre de vous être fidèle. En quoi cela peut-il être pire ?

Elle s'écarta de la tête de lit et, les yeux plissés, le foudroya du regard.

—Dites-moi, Salvatore, une fois que je vous aurai donné une portée, vais-je passer de sang-pur en sang-pur, pour qu'ils tentent leur chance ?

Il l'observa, la mine soucieuse.

—Vous pourrez choisir ceux qui partageront votre lit.

Dégoûtée par toute cette situation, Darcy releva le menton. Trop c'était trop. Elle se jetterait par la fenêtre plutôt que d'accepter un arrangement si inhumain.

Les enfants devraient naître de deux personnes engagées l'une envers l'autre et étant en mesure de leur procurer un foyer chaleureux et sécurisant.

Elle comprenait ce besoin plus que quiconque.

De plus, elle appartenait déjà à un autre.

Pas davantage l'espèce que le devoir ou des chaînes en fer n'y changeraient jamais rien.

—Je n'aurai jamais qu'un seul homme dans mon lit, et ce n'est pas un garou.

Un silence pesant s'installa, puis Salvatore fit un pas vers elle.

—Oubliez votre vampire, grogna-t-il. Même si je déteste être d'accord avec Sophia, elle a raison. J'ai perdu trop de temps. Vous m'appartenez. Ni vous ni moi n'avons le choix.

Darcy secoua lentement la tête.

—Non.

—Si, *cara*. (Il lui empoigna le menton, qu'il serra à lui faire mal.) Cette nuit, au clair de lune, tu deviendras mienne.

Contrairement à Darcy, Styx n'était pas exactement enchaîné à un lit. Il était, en revanche, bien enfermé dans une cellule sombre profondément enfouie sous l'élégante demeure de Dante.

Pas le premier endroit où on s'attendrait à trouver le puissant Anasso, chef de tous les vampires. Pas plus que celui où ce puissant Anasso voulait être.

Heureusement pour tous les intéressés, au fur et à mesure que les heures diurnes s'égrenaient lentement, Styx parvenait à maîtriser sa colère noire. En fait, il était obligé de reconnaître qu'il n'avait pas vraiment laissé le choix à ses amis.

Dire qu'il avait été exaspéré en découvrant que les garous avaient enlevé Darcy pendant qu'il était parti aurait été comme prétendre qu'un ouragan de catégorie 5 n'était rien de plus qu'un vent frais.

Franchement, il avait explosé de rage.

Sans ses amis, non seulement il aurait tué les vampires qui avaient tenté de kidnapper Darcy et l'avaient poussée à fuir la maison où elle n'était plus en sécurité, mais il se serait précipité tête baissée dans l'aube naissante pour la sauver.

Une condamnation à mort certaine et, à coup sûr, précisément ce que les garous avaient espéré.

À présent, comme le crépuscule approchait, il s'obligea à refouler les émotions qui l'embrouillaient pour examiner la situation avec le peu de discernement auquel il pouvait faire appel.

Ce qui n'était fichtrement pas beaucoup, reconnut-il d'un air contrit.

Il n'écumait peut-être pas de rage, mais son besoin de retrouver Darcy était une douleur déchirante qui lui étreignait tout le corps.

Cela dit, cette prise de conscience suffit à lui faire comprendre qu'il devrait convaincre ses amis qu'il avait recouvré la raison, s'il voulait sortir de cette cellule pour se lancer sur la piste de sa compagne.

Il alla à la porte et parla avec le ton froidement autoritaire qui lui ressemblait tellement plus.

—Viper, je sais que tu m'entends. Tu as exactement une minute pour me rejoindre.

Un bruit de pas lui parvint, mais la porte demeura bien fermée.

—Ne t'énerve pas, l'ancien. Je suis là.

—Ouvre cette porte.

—Quand la nuit sera complètement tombée.

—Viper. (Sa voix aurait pu geler le Sahara.) Tu vas ouvrir cette porte, sinon je fais s'écrouler toute la maison sur nos têtes.

—De tels propos ne sont guère susceptibles de me persuader de te libérer, fit remarquer Viper. Après tout, si je t'ai enchaîné, c'était pour t'empêcher de te donner la mort. Tu ne sortiras pas tant que je ne serai pas certain que tu es revenu à la raison.

Styx ravala la fureur qui menaçait d'éclater. Satanés amis qui se mêlaient de ce qui ne les regardait pas.

—Tu t'es fait comprendre. Je n'ai pas l'intention de faire quoi que ce soit de stupide.

—Tu me promets de ne pas quitter cette pièce tant que la nuit ne sera pas tombée ?

—Tu as ma parole, se força-t-il à articuler.

Il recula lorsque la porte s'ouvrit sans difficulté. Il patienta jusqu'à ce que Viper soit entré dans la cellule exiguë pour tendre le bras et l'empoigner violemment par sa chemise en soie noire.

— Qu'as-tu découvert ?

Viper grimaça mais ne tenta pas de se dégager, examinant le visage ravagé de Styx.

— Shay a réussi à suivre la piste de Darcy jusqu'au repaire de Salvatore.

Styx serra les dents. C'était ce à quoi il s'était attendu, et pourtant la douleur n'en fut pas moins forte.

— Elle est sûre que Darcy s'y trouve encore ?

— Oui.

— Est… (Styx dut s'interrompre pour s'éclaircir la voix.) Est-elle blessée ?

Viper lui serra le haut du bras.

— Elle va bien. Styx, les garous ne lui feront pas de mal. Pas tant qu'ils auront besoin d'elle.

Styx poussa un grondement guttural.

— Apparemment, elle saignait quand elle s'est fait enlever dans le parc.

— Ce n'était guère plus qu'une égratignure.

— Et si c'était Shay qui était en danger ?

Les traits pâles et élégants de Viper se durcirent.

— Alors, ce serait moi qui serais enfermé dans cette pièce.

— Exactement.

— Et ce serait toi qui me dirais que foncer dans le repaire de Salvatore sans le moindre plan serait de la folie pure. (Viper haussa les sourcils.) Je crois que nous avons assez fait de bourdes pour la semaine, non ?

Styx relâcha soudain son ami et se tourna pour faire les cent pas.

Il ne pouvait nier avoir commis plus que sa part de bourdes. Une faiblesse jamais vue chez un vampire célèbre pour son discernement sans faille.

Et il n'avait pas l'intention de poursuivre dans cette voie.

Secourir Darcy se ferait sans bourdes.

Quand il se retourna vivement, Styx s'aperçut que son compagnon le regardait avec une mine soucieuse.

—Où est la gargouille?

Viper cligna des yeux à cette question abrupte.

—Toujours sous forme de statue. (Il avança d'un pas.) Styx, j'espère que tu ne tiens pas Levet pour responsable. Il a fait ce qu'il a pu pour protéger Darcy et, franchement, je ne crois pas que tu pourrais le faire se sentir plus mal qu'il ne l'est déjà.

—Calme-toi, Viper. (Styx fit un geste de la main avec impatience.) Je sais que ce petit démon a tenu les traîtres à distance pour permettre à Darcy de s'enfuir. Je n'oublierai pas son courage.

L'expression soucieuse de Viper persistait.

—Alors, pourquoi veux-tu le voir?

—Il s'est rendu dans le repaire de Salvatore. J'espère qu'il pourra nous dessiner un plan et nous donner ne serait-ce qu'une vague idée de l'endroit où les loups-garous pourraient détenir Darcy.

—Ah. (Viper hocha la tête avec lenteur, et plissa les yeux en examinant les possibilités qui s'offraient à eux.) S'il s'y introduisait sans être vu, il pourrait aussi nous dire combien de bâtards nous aurons à affronter pour arriver jusqu'à elle. J'aimerais autant ne plus être pris au dépourvu.

Styx sourit. Une détermination froide s'était logée dans son cœur tandis qu'il mettait au point sa stratégie.

Très bientôt, Darcy serait de nouveau dans ses bras, là où était sa place.

Rien d'autre ne serait toléré.

—En fait, je ne compte affronter personne si je peux l'éviter.

Viper s'étrangla de rire.

—Tu crois vraiment que tu auras le choix?

Avec impatience, Styx passa les doigts dans ses longs cheveux. Il avait besoin de se doucher et de se changer. Il devrait aussi s'alimenter avant de quitter la propriété de Dante. Il ne volerait pas au secours de Darcy sans être en pleine possession de ses moyens.

— Il le faut, dit-il d'un ton distrait.

Ses pensées étaient tournées sur les armes qu'il pourrait le plus aisément porter.

— Tu ne crains certainement pas les garous?

— Jamais. (Styx arbora un sourire ironique.) Mais ma compagne, si.

— Très sage, mais je ne comprends toujours pas.

— Même si je meurs d'envie de les punir pour avoir osé poser la main sur Darcy, je ne connais que trop bien son cœur tendre. (Il haussa les épaules, exaspéré.) Elle ne me le pardonnerait jamais si j'anéantissais la famille qu'elle vient tout juste de retrouver.

— Tu ne crois tout de même pas qu'elle les a suivis de son plein gré?

— Non. Elle a promis de m'attendre ici, et elle n'aurait jamais manqué à sa promesse, affirma Styx avec une conviction absolue. Mais ça ne change rien. Elle a beau être furieuse d'avoir été enlevée, elle préférerait rester prisonnière plutôt que de voir du sang être versé pour la sauver. Surtout si ce sang se trouvait être celui de membres de sa meute.

— Elle n'a pas de meute. Elle est l'une de nous, désormais, répliqua Viper.

Styx ne put s'empêcher de sourire. Même si son ami avait conçu de lourds soupçons à l'égard de Darcy, à présent qu'elle était la compagne de Styx, il se battrait jusqu'à la mort pour la protéger.

— Je n'aurais pu mieux dire. C'est Darcy qu'il faut convaincre.

La contrariété envahit le visage pâle de Viper. Une approche directe lui aurait davantage plu. Certainement parce qu'il était un dangereux guerrier redouté de tous.

— Tu as l'intention de négocier sa libération ? demanda-t-il.

— Uniquement en dernier recours, avoua Styx.

Même s'il aimerait éliminer les garous de la surface de la terre, il ferait tout le nécessaire pour délivrer Darcy. Y compris ravaler l'orgueil notoire de l'espèce vampirique.

— J'espère pouvoir m'introduire dans leur repaire et la ramener avec moi avant que les garous comprennent mes intentions, ajouta-t-il.

Après un silence incrédule, Viper éclata soudain de rire.

— Ah, bien sûr. Quoi de plus facile que de se faufiler dans un repaire de loups-garous et de repartir avec ce qu'ils ont de plus précieux ? Peut-être qu'un peu plus tard dans la nuit, on pourrait changer le cours de l'univers ?

Styx planta les mains sur ses hanches.

— Doutes-tu de mon habileté, mon vieil ami ?

— Non, je doute de ta santé mentale.

— Tu t'avances en terrain miné, Viper.

Ce fut au tour de Viper de se mettre à faire les cent pas.

— Bordel, tu ne t'approcheras pas à moins de deux kilomètres de leur repaire sans que les garous s'en aperçoivent, grogna-t-il. J'ai beau les détester, ils sont loin d'être stupides et possèdent des aptitudes qui ne sont pas très inférieures aux nôtres.

— Ce que j'ai l'intention d'utiliser à mon avantage.

Viper s'arrêta brusquement.

— Et comment comptes-tu procéder ?

— Ils s'attendent à ce que je prenne leur repaire d'assaut.

— Tu crois qu'ils vont relâcher leur vigilance en ne te voyant pas venir ?

— Bien au contraire.

Un sourire effleura les lèvres de Styx. Une expression qui aurait poussé la plupart de ceux qui le connaissaient à s'enfuir terrorisés.

— J'espère qu'ils seront en état d'alerte maximale lorsque tu encercleras leur antre avec les membres de ton clan, poursuivit Styx.

Il fallut du temps pour que Viper finisse par sourire à son tour.

— Une diversion.

— Précisément.

— Et pendant que nous tirerons l'épée en les menaçant d'un terrible châtiment, tu comptes te faufiler par la porte de derrière et sauver ta compagne.

— Oui.

Sans enthousiasme, Viper hocha lentement la tête.

— Ça pourrait marcher, mais je ne veux pas que tu y ailles seul.

Styx fronça les sourcils.

— J'apprécie ta sollicitude, Viper, mais nous savons tous deux que je pourrai me déplacer bien plus vite, en courant moins de risques d'attirer l'attention, si j'y vais seul.

— Et s'il t'arrive quelque chose ? Je n'aurai aucun moyen de savoir que Darcy doit encore être secourue, répliqua-t-il d'un ton doucereux. À moins que tu préfères qu'elle demeure entre les mains des garous ?

— Tu fais chier, grommela Styx, conscient qu'il s'était habilement fait manipuler.

Les poings serrés, il fit un brusque signe de tête.

— Je prendrai la gargouille, mais préviens-la qu'elle devra suivre chacun de mes ordres sans poser de questions ou je la jetterai aux loups moi-même.

Chapitre 23

S alvatore, qui était d'une humeur massacrante en sortant de la chambre de Darcy, alla trouver ses bâtards pour s'assurer qu'ils étaient prêts pour l'inéluctable arrivée des vampires.

Il reconnaissait volontiers posséder une certaine arrogance.

Ainsi qu'incontestablement une bonne dose de vanité.

Depuis le jour de sa naissance, il avait été gâté par tous les garous qu'il avait rencontrés. Il était destiné à être roi. Un sang-pur à l'ascendance irréprochable qui, dès son plus jeune âge, avait manifesté une force et une puissance bien supérieures à celles des autres. Sans compter, évidemment, qu'il avait été doté du genre de beauté virile qui poussait les femmes à se battre pour lui. Parfois jusqu'à la mort.

Rien d'étonnant à ce qu'il s'imagine que n'importe quelle femme serait heureuse de l'accueillir dans son lit.

Une fois dans son bureau, il se versa une grande rasade de cognac.

Son orgueil blessé l'incitait à retourner à l'étage au-dessus, démontrer à cette garce ingrate exactement quels plaisirs elle rejetait si négligemment.

Il ne s'était pas consacré pendant des dizaines d'années à perfectionner ses talents de séducteur pour rien.

Aucune femme ne quittait son lit insatisfaite.

Mais une plus grande partie de lui-même refusait de céder à de si bas instincts.

Comme il l'avait affirmé à Darcy, il n'était pas une brute.

Prendre une femme contre sa volonté était absolument répugnant. Même si cela lui permettrait d'obtenir les précieux enfants dont ils avaient si désespérément besoin.

Alors, que faire à présent ?

Salvatore se raidit comme la senteur d'un parfum onéreux emplissait l'air. L'espace d'un instant seulement, il envisagea de s'esquiver par la fenêtre. Il pourrait aisément escalader le mur du bâtiment pour atteindre le toit.

Il serra les dents en prenant conscience du cours lâche que prenaient ses pensées. Il ne craignait aucun homme, et certainement aucune femme.

Pas même Sophia.

S'étant obligé à s'appuyer avec désinvolture contre le bureau, il dégustait tranquillement son cognac lorsque la porte s'ouvrit et que la magnifique sang-pur entra dans la pièce sans se presser.

Elle esquissa un léger sourire en s'arrêtant devant lui et laissa son regard effronté errer sur lui.

—Pauvre Salvatore, tu n'as pas l'air très heureux pour un homme qui s'apprête à coucher avec sa reine, dit-elle d'une voix traînante.

Délibérément, il soupira d'ennui.

—Va-t'en, Sophia.

Ses yeux verts lancèrent des éclairs. C'était une femme qui s'attendait à ce que tous les mâles aux alentours bavent de désir en la voyant.

—Comment le pourrais-je ? (Elle remarqua son verre à moitié vide.) En tant que mère, je dois m'inquiéter de découvrir le compagnon de ma fille qui noie son chagrin dans le cognac.

—On ne se noie guère dans un seul verre.

—Ah, alors tu bois parce que c'est l'unique moyen de t'obliger à accomplir ton devoir ? (Elle fit claquer sa langue d'un air railleur.) Comme c'est triste.

—Ferme-la, Sophia.

—Elle ne te plaît pas ?

—Elle est bien plus à mon goût que sa mère.

—C'est vache. (Elle éclata d'un rire bref et crispé.) Dis-moi, qu'est-ce qui te tracasse ?

Salvatore termina son cognac et posa le verre sur son bureau avec un bruit sec retentissant.

—Ta fille a décidé qu'elle ne se souciait pas particulièrement que je sois son roi.

—Et après ? (Sophia haussa les épaules avec indifférence.) Elle est là maintenant, à ta merci.

—Et non consentante.

Il se redressa brusquement et résista à l'envie de la gifler. Sophia aimait les hommes brutaux. Il n'allait pas lui offrir ce plaisir.

—Je ne viole pas les femmes.

Sophia, qui n'eut pas de mal à percevoir la violence qui couvait en Salvatore, lui adressa un sourire sarcastique.

—Tu ne doutes tout de même pas de ton pouvoir de persuasion ? Vraiment, Salvatore. Et moi qui pensais que tu avais des couilles.

Il poussa un grondement sourd. Comment l'adorable et innocente enfant qui se trouvait à l'étage au-dessus avait jamais pu sortir de l'utérus de cette femme demeurerait à jamais un mystère.

—Mes couilles n'ont rien à voir là-dedans. Elle croit être amoureuse du vampire.

—Et alors ? Elle finira par l'oublier. (Sophia tendit le bras pour faire glisser un ongle manucuré sur sa joue.) L'amour n'est qu'une illusion fallacieuse dont se servent les hommes pour enfermer les femmes dans un asservissement perpétuel.

Salvatore grimaça.

—Charmant.

—Tu ne crois quand même pas à l'amour ?

L'expression de Salvatore demeura impassible. L'amour parmi les garous n'était plus désormais qu'un mythe. La quête d'enfants était devenue un objectif dévorant, et rien d'aussi futile que les émotions, y compris la passion, ne devait s'y opposer.

Ce serait considéré comme rien de moins qu'une faiblesse fatale s'il avouait qu'au plus profond de la nuit il rêvait de découvrir cette femme qui serait sa compagne véritable.

Lorsqu'il s'aperçut que Sophia l'observait avec une curiosité grandissante, Salvatore se força à hausser nonchalamment les épaules.

—Que j'y croie ou non est sans importance. Du moment que Darcy…

—Oh, pour l'amour de Dieu, monte plutôt dans sa chambre et finis-en, grogna Sophia, contrariée. Une fois que tu l'auras mise enceinte, tu pourras la passer à quelqu'un n'ayant pas ta sensibilité raffinée. Que penses-tu de Huntley ? Il a un penchant pour les femmes réticentes.

Salvatore se raidit. Il n'arrivait pas à croire que même Sophia serait assez dure pour offrir sa fille à une brute si féroce.

—Tu es vraiment une garce.

—Oui, je sais.

La main levée, Salvatore s'apprêtait à faire sortir physiquement cette femme exaspérante de son bureau lorsqu'il s'immobilisa brusquement.

Les sens aiguisés et en alerte, il inclina la tête pour renifler l'air.

—Quelque chose approche.

—Bon sang, ce sont les vampires, cracha Sophia.

—Bien.

Un sourire froid étira les lèvres de Salvatore. Toutes pensées de Darcy et de son devoir désagréable oubliées, il fut traversé par une pointe d'impatience. C'était ce qu'il voulait. L'occasion de se débarrasser une bonne fois pour toutes de ce qui lui empoisonnait l'existence. À tort ou à raison, il tenait les vampires pour seuls responsables du déclin des garous. Et plus particulièrement Styx. Ils paieraient pour les injustices qu'ils avaient fait subir à son espèce.

— Dès lors que Styx aura pénétré dans mon repaire, je serai libre de le tuer. Pas même le Conseil ne pourra condamner un loup-garou pour avoir protégé son territoire.

Sophia arpentait la pièce, manifestement agitée.

— Tu crois qu'il sera bête à ce point ?

— Tu ne remarques donc rien ?

Elle lui jeta un regard furieux.

— Si tu as quelque chose à dire, alors accouche.

— Il s'est uni à elle.

— Uni ?

Elle s'arrêta en trébuchant.

— J'ai senti son odeur sur tout le corps de Darcy. Rien ne l'empêchera de tenter de la rejoindre.

— Tu as perdu la tête ? (Sophia était pâle quand elle porta la main sur son cœur.) Un vampire uni ? Il va tous nous tuer.

— Je ne suis pas un guerrier sans talent, Sophia, s'exclama Salvatore d'un ton brusque, piqué au vif. Les bâtards sont déjà à leur poste et j'ai préparé un certain nombre de mauvaises surprises pour ces fichus vampires. On ne sera pas la proie facile à laquelle ils s'attendent.

Sophia éclata d'un rire sans humour et se dirigea vers la porte.

— Tu es un imbécile, Salvatore et, pour ma part, je n'ai pas l'intention de m'attarder pour me faire sauvagement massacrer par les suceurs de sang.

— Très bien, enfuis-toi, Sophia. J'en ai ma claque de faire des courbettes à ces salopards arrogants. Je compte rester pour me battre.

Elle s'arrêta et jeta un coup d'œil par-dessus son épaule.

— Je reviendrai enterrer les restes de ton cadavre.

Salvatore regarda la porte se refermer sur sa silhouette qui s'éloignait, puis tourna la tête et cracha par terre.

— Espèce de lâche !

En dépit de son habileté indéniable et de l'aisance gracieuse de ses mouvements, Styx s'aperçut qu'il avait du mal à ne pas se laisser distancer par la gargouille.

Pas étonnant étant donné que la taille minuscule de Levet le rendait parfaitement adapté au conduit d'écoulement exigu, alors que le corps bien plus grand de Styx était presque deux fois plus plié.

Pire encore, la puanteur qui saturait l'air confiné suffirait à refouler le démon le plus déterminé.

Lorsqu'il donna un coup de pied à un rat assez gros pour avaler une petite voiture, Styx se cogna la tête contre un boulon en acier qui dépassait de la paroi supérieure.

— Par tous les dieux, gargouille, ralentis, feula-t-il en levant les doigts pour contenir le soudain flot de sang.

Levet jeta un coup d'œil par-dessus son épaule en agitant ses ailes.

— Je croyais que tu avais hâte de rejoindre Darcy ?

Styx émit un grondement guttural. Le besoin d'être avec sa compagne le rendait presque fou. Seule la prise de conscience qu'un discernement froid et sommaire lui permettrait de retrouver Darcy tenait sa douleur hurlante à distance.

— Au cas où tu ne l'aurais pas remarqué, je suis considérablement plus grand que toi.

Levet plissa les yeux.

— Ah, c'est ça, balance-moi ta taille dans la gueule.

Au prix d'un considérable effort, Styx ne perdit pas patience. S'il n'avait pas su que ce crétin agaçant adorait Darcy presque autant que lui, il l'aurait déjà étranglé.

— Ce que je veux dire, c'est qu'il m'est bien plus difficile de me faufiler dans les égouts. C'est encore loin ?

Comme s'il percevait la maîtrise de soi fragile de Styx, le minuscule démon se rembrunit de façon inhabituelle.

— Il y a une ouverture à seulement quelques mètres devant nous.

Eh bien, dieux merci.

— Et elle donne sur le parking souterrain ?

— Oui. Un escalier mène aux étages.

— Il sera certainement surveillé, marmonna Styx, frustré par son incapacité à projeter ses sens à travers l'épaisse couche de fer qui l'entourait.

Il ne doutait pas un instant que Viper et les membres de son clan cernaient déjà l'hôtel délabré. Ni que les loups étaient complètement accaparés par la horde de vampires. Mais il n'allait pas sous-estimer Salvatore. Ce dernier ne laisserait pas Darcy sans protection.

— Nous devons attaquer avant que l'alarme puisse être donnée.

— Ne t'inquiète pas, vampire. J'ai le sort parfait…

— Non. Pas de sorts, ordonna Styx d'un ton féroce. Je m'occuperai des bâtards que nous rencontrerons.

Levet poussa un grognement offusqué.

— Espèce de couillon ingrat.

— J'ai vu ta magie, Levet. Je ne veux pas exposer Darcy à ta maladresse.

Le démon minuscule lui lança un sourire entendu par-dessus l'épaule.

— Tu l'as dans la peau, l'ancien.

S'il espérait tourmenter Styx, il perdait son temps. Styx s'était résigné au fait que son monde tournait désormais autour d'une petite femme. Et, contre toute attente, cette prise de conscience n'avait presque pas été douloureuse. Presque pas.

—C'est ma compagne.

Par bonheur, Levet s'enferma dans son silence tandis qu'ils marchaient d'un pas lourd dans la boue visqueuse des conduits d'écoulement. Non pas que Styx s'attendait à ce que cela s'éternise. Il y avait plus de chances que le ciel lui tombe sur la tête que cette gargouille empêche ses lèvres de bouger.

Ce miracle dura moins d'une minute. Après s'être raclé la gorge, Levet garda le visage tourné devant lui.

—Tu sais qu'il est possible qu'elle préfère rester avec sa famille? demanda-t-il.

Styx tressaillit. Satanée gargouille. Cette sinistre pensée était une distraction dont il n'avait pas besoin en ce moment.

Sans jamais cesser d'avancer dans l'égout humide et crasseux, Styx serra les dents pour bloquer la douleur que cette idée lui causait.

—J'ai envisagé cette éventualité.

—Et? l'encouragea Levet.

Ce démon était soit stupide, soit incroyablement naïf. Personne doué d'un minimum de bon sens ne remuait le couteau dans la plaie d'un vampire.

—Et je ne la ramènerai pas contre sa volonté, dit-il entre ses dents.

—Vraiment? (Levet émit un gloussement interloqué.) Ce n'est pas très… vampirique.

Bien sûr que ça ne l'était pas.

Et ça allait à l'encontre de chacun de ses instincts.

Mais il avait appris à ses dépens qu'il ne pouvait pas obliger Darcy à demeurer auprès de lui.

Ses traits prirent une expression sévère.

— Je n'ai pas dit que je ne consacrerais pas le reste de l'éternité à tenter de la faire changer d'avis.

Après un court instant, la gargouille poussa un léger soupir.

— Elle te choisira, Styx. Malgré tout son bon sens, elle semble avoir eu le mauvais goût déplorable de tomber amoureuse de toi.

Styx sentit son cœur bondir aux paroles de la petite créature. Exactement comme s'il était un humain faible et émotif au lieu du maître de tous les vampires.

Pitoyable.

Vraiment pitoyable.

Mais, qu'était censé faire un démon pris dans les affres de l'amour?

— Elle te l'a avoué? demanda-t-il.

— Elle n'en a pas eu besoin. Je suis français. (Levet fit un geste désinvolte de la main.) Je reconnais l'amour quand je le vois.

Styx ne s'en aperçut même pas quand sa tête rentra en plein dans un autre boulon qui dépassait.

Il savait que Darcy ressentait quelque chose pour lui. Et que ses émotions étaient totalement embrouillées.

Il osait même espérer que, le moment venu, elle serait prête à s'offrir pour compléter leur union.

Ce qu'il ignorait, c'était si ce serait suffisant pour effacer son profond désir d'une famille.

Les dents serrées, Darcy continuait à tirer sur ses fers. Ses poignets étaient enflés et du sang y perlait tant elle se démenait; pourtant elle refusait de s'avouer vaincue.

Merde, le soleil était déjà couché et cela ne faisait aucun doute que Styx, tel un héros, volait en ce moment même à son secours.

Elle devait partir de là avant que le chaos se déchaîne.

Alors qu'elle jurait et tirait violemment sur les chaînes forgées par le diable, Darcy faillit ne pas remarquer les légers picotements qui couraient sur sa peau et le chuchotement bas qui résonnait dans sa tête.

— *Darcy.*

Elle se figea, une peur soudaine lui serrant le cœur.

— Styx. Où es-tu ?

— *Tout près. Es-tu seule ?*

— Oui, mais Styx c'est trop dangereux, dit-elle à voix haute, ne sachant pas s'il se trouvait vraiment dans son esprit. Salvatore doit t'attendre.

— *Les garous sont occupés.*

Darcy n'avait pas l'intention de lui demander quelle sorte d'occupation il leur avait concoctée. Elle commençait à apprendre que l'ignorance était une vraie félicité.

— Peu importe ce qui les occupe, il va s'apercevoir que tu es là.

Darcy perçut réellement la vague d'émotions qui envahit Styx.

— *Je ne crains pas une meute de chiens*, répliqua-t-il.

Ayant elle-même les nerfs à fleur de peau, Darcy s'échauffa promptement. Merde. Pourquoi les hommes se sentaient-ils toujours obligés de se jeter dans la bataille ?

— Ce n'est pas le moment pour tes conneries de macho, grinça-t-elle entre ses dents. Tu vas envenimer les choses.

Un silence pesant s'installa dans son esprit et, l'espace d'un instant, elle crut qu'il s'était retiré. Puis un frisson froid descendit lentement le long de sa colonne vertébrale.

— *Tu ne souhaites pas être sauvée ?* demanda-t-il. *Tu préfères rester ?*

Malgré la distance qui les séparait, Darcy perçut aisément la peur de Styx. Il pensait qu'elle lui disait de partir parce qu'elle voulait demeurer avec les loups-garous.

Son cœur se serra comme la douleur de Styx résonnait en elle.

Non. Oh, non.

Elle avait cru avoir besoin d'une famille pour emplir son cœur, mais il ne s'agissait que d'une illusion. Tout l'amour et toute la sécurité qui lui seraient jamais nécessaires se trouvaient dans les bras de son vampire.

— Bien sûr que non, affirma-t-elle doucement. Mais je ne veux pas que tu te mettes en danger.

Le soulagement qui le submergea enveloppa Darcy.

— *Le seul risque que je cours, c'est d'être séparé de toi*, déclara-t-il, sa voix aussi tranchante que l'acier. *Je ne peux survivre sans toi.*

— Espèce d'entêté, marmonna-t-elle.

Elle reconnaissait ce ton. Il venait la chercher. Et rien, pas même les flammes de l'enfer, ne l'arrêterait.

— Sois prudent.

Styx rit tout bas et le son se répercuta dans son esprit comme un murmure.

— *Oui, mon ange.*

Après s'être appuyée avec lassitude contre les coussins, Darcy s'efforça d'apaiser le rythme effréné de son cœur.

Merde.

Et si Salvatore, tapi dans l'obscurité, attendait pour lui tendre une embuscade ? Le garou était désespéré. Et un démon désespéré était certainement dangereux.

Styx pourrait être blessé. Même tué…

Le cours atroce de ses pensées fut heureusement interrompu lorsque la porte s'ouvrit violemment sur une silhouette masculine familière.

Un soulagement vif et déchirant la submergea tandis qu'elle laissait son regard errer avec avidité sur le magnifique visage hâlé et le corps viril recouvert de cuir noir.

Avec ses cheveux d'ébène coiffés en une tresse serrée et une longue épée accrochée sur son dos, il avait tout d'un guerrier, et pourtant, tout ce que Darcy voyait, c'était l'amant tendre qui avait changé sa vie.

—Styx, souffla-t-elle comme une étrange boule se formait dans sa gorge.

Un grondement sourd et menaçant retentit lorsque Styx s'approcha pour caresser les poignets blessés de Darcy.

—Je le tuerai, dit-il, son ton monocorde plus effrayant qu'aucun cri n'aurait pu l'être. Et je rendrai sa mort aussi lente et douloureuse que possible.

—Non. (Elle tourna le bras pour saisir ses doigts froids entre les siens.) Détache-moi juste pour qu'on puisse partir d'ici.

Dans ses yeux noirs couvait une violence réprimée, mais il prit les fers avec douceur avant de les casser aisément en deux. Après s'être précipitée au bas du petit lit, Darcy poussa un profond soupir.

—Merci mon Dieu.

Ses pieds venaient à peine de toucher le sol que Styx la serrait dans ses bras. Il lui effleura le front des lèvres, puis s'écarta pour examiner sa mâchoire meurtrie à travers ses paupières plissées, le regard furieux.

—Tu es blessée.

Darcy grimaça et se blottit plus étroitement contre son corps ferme. Son comportement donnait raison aux pires clichés, et après ? Une femme faible et collante qui comptait sur son homme grand et fort pour la sauver. Elle était trop heureuse pour s'en soucier.

—Un souvenir de ma mère bien-aimée, marmonna-t-elle contre son torse.

Styx resserra son étreinte et posa la joue sur ses cheveux.

—Je suis désolé, Darcy.

—C'est pas grave. Elle est… (Darcy secoua la tête.) Eh bien, elle n'est pas du tout comme je l'imaginais. Pour être vraiment sincère, j'aurais souhaité ne jamais l'avoir rencontrée. Je préférerais être seule au monde plutôt que de l'avoir pour mère.

—Tu n'es pas seule, Darcy. (Son ton farouche lui donna la chair de poule.) Tu as un compagnon. Ainsi qu'une famille qui attend impatiemment ton retour.

Darcy ne put s'empêcher de sourire en pensant à Shay et à Abby, et même à leurs compagnons arrogants.

Ils avaient fait preuve de bien plus de sollicitude à son égard que n'importe lequel des garous. Y compris sa mère.

C'était certainement ce qui caractérisait une famille.

—Oui, dit-elle doucement.

Elle se laissa aller contre le corps agréablement puissant de Styx jusqu'à ce que le bruit d'une gorge qu'on raclait bruyamment retentisse dans la pièce.

—Même si je déteste interrompre cette séquence émotion, je crois vraiment qu'on devrait jouer des jambes, annonça une toute petite voix.

Sursautant de joie, Darcy tourna la tête pour découvrir l'adorable gargouille qui se tenait dans l'embrasure de la porte.

—Jouer des jambes? demanda Styx, perplexe.

—Au trot! (Levet agita les mains.) Tu sais, circuler!

Dissimulant son sourire, Darcy s'arracha aux bras de Styx pour s'agenouiller devant le minuscule démon et l'embrasser sur la joue.

—Levet.

Ses yeux gris s'illuminèrent de plaisir.

—*Bonjour, ma petite*[*]. Je suis venu te sauver.

—C'est ce que je vois.

Il battit fièrement des ailes.

— Tu n'es pas la première, bien sûr. Secourir les demoiselles en détresse semble être une habitude chez moi. C'est une sorte de vocation.

Styx s'étrangla bruyamment, mais Darcy regarda son ami d'un air grave et respectueux.

Elle n'oublierait jamais que ce démon s'était mis en danger pour qu'elle puisse échapper aux vampires qui tentaient de la kidnapper.

— Un vrai preux chevalier sur son fier destrier, dit-elle avec une sincérité indéniable.

La poitrine de Levet se gonfla manifestement d'orgueil.

— *Précisément*.

Styx, qui les avait rejoints près de la porte, grommela tout bas avant d'aider Darcy à se relever.

— Je croyais que tu voulais… jouer des jambes ? demanda-t-il à Levet.

— Espèce de rabat-joie.

Levet lui tira la langue, puis tourna sur ses talons pour s'engager dans le couloir sombre.

Darcy suivit sa minuscule silhouette, tandis que Styx fermait la marche. D'un coup d'œil par-dessus son épaule, elle découvrit l'expression froide et résolue qu'il affichait en avançant dans l'obscurité. Il était en mode super Rambo sur le qui-vive. Que Dieu vienne en aide à tout ce qui pourrait s'égarer sur son chemin.

Elle adressa une prière silencieuse pour qu'ils parviennent à se glisser hors du repaire sans se faire remarquer.

Non seulement elle craignait pour Styx et Levet, mais l'idée d'un combat ouvert, sanglant et meurtrier lui tordait l'estomac d'effroi.

Elle avait beau être furieuse contre Salvatore et sa mère, elle ne souhaitait pas qu'il leur arrive quelque chose.

Et certainement pas à cause d'elle.

Prenant soin de ne pas trébucher sur le plancher inégal, Darcy talonnait Levet qui les conduisait vers l'arrière du bâtiment. L'impression pénible de délabrement ne fit que s'accentuer lorsqu'ils descendirent une étroite volée de marches, et elle se surprit à lever les yeux plus d'une fois vers le plafond bas maculé d'eau où s'étaient installées des araignées si grosses qu'elle s'attendait presque à voir surgir Frodon et Sam pour les repousser.

Purée. Elle voulait juste partir de là.

Ils avaient emprunté trois escaliers et traversaient sans bruit le hall abandonné lorsque Styx les dépassa à une vitesse étonnante.

— Arrêtez-vous.

Les bras tendus, il se tourna pour scruter la porte qui se trouvait à bonne distance d'eux. Comme à ce signal, un bruissement se fit entendre et la mince et sinistre silhouette de Salvatore apparut. Le cœur de Darcy se serra quand elle vit un sourire railleur étirer les lèvres du garou. Salvatore les avait attendus à dessein, et il avait l'intention de leur causer des ennuis.

— Ah, Styx.

Le sang-pur lui adressa une profonde révérence. En dépit de ce cadre sordide, il parvenait à ressembler davantage à un homme d'affaires raffiné qu'à un dangereux démon. Ce qui prouvait bien que l'habit ne faisait pas toujours le moine.

— Bienvenue dans mon repaire, maître. Je commençais à craindre que vous n'arriviez jamais.

Styx écarta les jambes et planta les mains sur ses hanches. Son expression ne changea jamais, et pourtant l'air s'était incontestablement rafraîchi.

— Poussez-vous, Salvatore, ordonna-t-il d'un ton qui fit frissonner Darcy. J'ai beau mourir d'envie de vous arracher le cœur de la poitrine, je ne souhaite pas contrarier Darcy.

— Nous sommes d'accord sur ce point. (À dessein, Salvatore jeta un regard intime à la jeune femme avant de reporter son attention sur Styx.) Malheureusement, vous avez été ma bête noire pendant trop longtemps. Cette nuit, je compte me débarrasser de vous une bonne fois pour toutes.

— Des paroles courageuses, loup. J'espère que vous n'êtes pas venu seul pour accomplir une telle tâche, feula Styx en se plaçant devant Darcy. Même vous, vous ne pouvez être assez stupide pour vous croire capable de me tuer sans aucune aide.

— Nous verrons, dit Salvatore d'une voix doucereuse.

— Comme vous voudrez.

— Non…

Darcy tendit le bras pour attraper Styx par l'arrière de sa chemise. Vain effort. Elle ne saisit que de l'air alors qu'il bondissait vers le garou qui l'attendait.

Elle eut le souffle coupé lorsque les deux démons se percutèrent avec une terrible violence. Un instant, elle se perdit dans une fascination horrifiée pendant que tous deux s'empoignaient, leurs muscles ondulant d'une puissance surnaturelle.

Ils restèrent enlacés, alors que chacun tentait de prendre le dessus. Styx détenait l'avantage de la taille et de la force, mais Salvatore parvint à se servir de sa rapidité pour assener nombre de coups de poing brutaux qui auraient tué un mortel.

Salvatore avait beau frapper avec la rapidité de l'éclair, ce combat promettait d'être bref, la victoire en revenant manifestement à Styx. Alors, un étrange chatoiement entoura le garou, et Darcy sentit un picotement courir en réponse dans son sang.

D'instinct, elle recula quand Salvatore poussa un hurlement terrifiant et commença à se métamorphoser.

Nom de… Dieu.

Cela ne se passa pas d'un seul coup, comme avec Jade. Au contraire, le corps de Salvatore sembla se recroqueviller, puis grossit, déchirant son costume onéreux. Alors seulement, sa tête se mit à s'allonger et à s'élargir, tandis qu'une épaisse fourrure ondoyait sur sa peau, comme par magie.

Et peut-être *s'agissait-il* de magie, se dit-elle en frissonnant. Même si cette magie-là était douloureuse, à en croire ses os qui se cassaient avec un bruit sec.

Même si cette transformation dégageait une certaine beauté macabre, Darcy ne put nier ressentir un immense soulagement à l'idée d'avoir été génétiquement modifiée. L'énorme animal qui se tenait à présent au centre du hall possédait sans doute une force farouche ainsi qu'une puissance largement supérieures aux siennes, mais sa puberté avait été suffisamment difficile sans qu'elle ait eu à se changer en une bête féroce une fois par mois.

Putain. Sans parler du syndrome prémenstruel.

Darcy déglutit pour chasser la boule qui s'était formée dans sa gorge et s'arracha à son étrange fascination. Déjà, Salvatore se dressait sur ses membres postérieurs tandis qu'il lançait les griffes meurtrières de ses pattes avant sur Styx.

Elle devait arrêter ça.

Elle devait les empêcher de s'entre-tuer.

Alors qu'elle s'avançait, sans la moindre idée pour accomplir cette tâche herculéenne, Darcy tomba presque à genoux quand Levet lui enlaça subitement les jambes avec fermeté.

—Non, Darcy, ordonna-t-il.

Elle baissa les yeux en fronçant les sourcils d'impatience.

—Lâche-moi, Levet. L'un d'eux va se faire amocher.

—*Oui**, et si tu essaies d'intervenir, ce sera ton vampire bien-aimé, dit-il d'une voix rauque. Tu vas le distraire.

399

Elle serra brusquement les dents lorsque la vérité des paroles de la gargouille lui parvint au travers du nuage de peur qui lui embrouillait l'esprit.

Merde, Levet avait raison.

Dès l'instant où elle s'exposerait au plus petit danger, Styx se désintéresserait du combat pour tenter de la protéger. C'était plus fort que lui.

C'était comme une compulsion complètement folle.

Forcée de regarder la lutte qui se poursuivait, elle pressa les mains sur son cœur qui battait la chamade.

Styx était parvenu à sortir sa grande épée pendant que Salvatore décrivait avec raideur un cercle autour de lui. Même contre le sang-pur, il avait l'air féroce et absolument invincible, mais Darcy remarqua qu'il attendait avec méfiance le prochain assaut.

En dépit de son extraordinaire habileté, il ne sous-estimait de toute évidence pas le danger que constituait ce garou.

De longues griffes raclèrent le plancher lorsque Salvatore feignit de charger, puis bondit de côté quand l'épée fendit l'air. Dans son élan, le garou referma ses dents sur le cou de Styx.

Ce dernier esquiva aisément cette attaque qui lui aurait certainement arraché la gorge, et changea la trajectoire de son épée pour frapper Salvatore en plein cœur.

D'un mouvement souple, le sang-pur s'en écarta et, trop rapidement pour être visible à l'œil nu, il sauta sur Styx, labourant son dos de ses griffes.

Darcy poussa un petit cri inquiet mais, avec Levet qui s'accrochait à ses jambes, elle fut incapable de se précipiter auprès de son vampire.

Styx trébucha ; pourtant, d'un geste effroyablement élégant, il se retourna vivement, son épée entamant le flanc de Salvatore avant que celui-ci ait pu reculer.

Ils continuèrent chacun à décrire un cercle, mais, malgré l'obscurité, Darcy sentait l'odeur caractéristique du sang. Tant de vampire que de garou.

— Levet, dit-elle d'une voix rauque, fais quelque chose.

Les doigts courts de la gargouille s'enfoncèrent dans les cuisses de la jeune femme.

— Impossible, *ma chérie*[*]. Ce sera bientôt terminé.

— Quand Styx sera mort ? cracha-t-elle.

— Il n'échouera pas, Darcy, promit la gargouille. Fais-lui confiance.

Confiance ?

Elle porta les mains à ses lèvres lorsque Salvatore chargea de nouveau, la force de son élan projetant les deux combattants au sol. Le plancher protesta en gémissant pendant qu'ils roulaient encore et encore, leurs crocs plongeant profondément dans leurs chairs tandis qu'ils cherchaient tous deux à assener le coup fatal. Ou, en l'occurrence, la morsure fatale.

L'estomac de Darcy se noua lorsque l'odeur de sang devint si pénétrante qu'elle la fit suffoquer. Tous deux avaient reçu des blessures. Certaines sérieuses au point de menacer leur existence même.

Un hurlement fendit l'air quand Salvatore, au prix d'un puissant effort, parvint à rouler au-dessus de Styx et à le clouer au sol. Dans l'obscurité, elle distingua ses muscles saillants sous l'épaisse fourrure qui recouvrait son corps, ainsi que l'éclat blanc de ses longs crocs.

Pire encore, elle aurait pu jurer qu'une haine très humaine couvait dans ses yeux noirs.

Il voulait la mort de Styx. Et pas seulement parce qu'il avait besoin d'elle.

Sans s'apercevoir que des larmes mouillaient ses joues, Darcy se mordit la lèvre et reporta son attention sur Styx. Des filets de sang coulaient sur sa peau hâlée et son visage tendu révélait que ses blessures ne le laissaient pas indifférent. Mais son expression traduisait davantage une volonté inflexible que de la peur.

En silence, elle lui communiqua mentalement sa force. Une entreprise vaine, à coup sûr, mais elle ne pouvait pas faire grand-chose d'autre pour le moment.

Conscient d'avoir l'avantage, Salvatore ouvrit grand les mâchoires, prêt à s'en prendre à la gorge vulnérable de Styx. Darcy eut le souffle coupé, horrifiée par la longueur des crocs du garou. Ils pouvaient certainement faire plus de mal à Styx que ce dont il pouvait guérir.

Darcy était sur le point de hurler lorsque Salvatore abaissa la tête. À cet instant précis, Styx dégagea violemment son bras et plongea son épée dans le dos du garou.

La terreur céda le pas à l'horreur lorsque Darcy vit la lame en argent pénétrer dans le corps de Salvatore et ressortir par sa poitrine.

Oh, purée.

Un hurlement retentit dans le hall alors que Salvatore dégringolait de Styx et se couchait sur le flanc. Le sang jaillit de sa blessure et une aura chatoyante l'entoura.

Darcy sut ce qui allait se produire avant qu'il ait même commencé à reprendre forme humaine. Elle ressentit un picotement dans ses veines, comme un appel.

Ce fut une métamorphose lente et douloureuse, et le cœur tendre de Darcy se brisa quand Styx se releva et arracha avec désinvolture son épée du corps du sang-pur.

Peu importait ce que Salvatore lui avait fait, ou même qu'il ait tenté de tuer Styx, elle fut incapable de ressentir autre chose que de la pitié tandis qu'il tremblait, en proie à d'atroces souffrances.

Elle baissa les mains pour s'accrocher aux épaules de Levet alors que Styx se dressait au-dessus de son adversaire vaincu, tenant son épée devant lui dans une position protocolaire et une expression froide et distante sur le visage. Il était impossible de savoir à quoi il pensait, le regard rivé sur l'homme à présent nu étendu à ses pieds.

Comme s'il percevait la présence menaçante de Styx, Salvatore s'étrangla en toussant et s'obligea à ouvrir les yeux.

—Finissez-en, vampire, grommela-t-il.

Après avoir esquissé une révérence, Styx entreprit de lever son épée.

—Styx… non! cria Darcy, soulagée lorsque Levet desserra avec réticence l'étreinte qui l'emprisonnait.

Elle se précipita en avant. D'un pas mal assuré, elle rejoignit Styx et lui prit le bras.

—Je t'en prie, ne le tue pas.

L'espace d'un battement de cœur, Darcy crut que Styx n'allait pas tenir compte de sa demande. Alors qu'elle se tenait si près de lui, elle ne pouvait manquer de sentir la fureur exacerbée qui irradiait de son corps raide.

Au bout d'un instant lourd de tension, il tourna la tête avec lenteur et transperça la jeune femme d'un regard brûlant.

—Il restera une menace pour toi aussi longtemps qu'il vivra, grogna-t-il.

Une femme sensée se serait immédiatement enfuie à la vue des crocs complètement allongés de Styx et de son visage éclaboussé de sang. Ses traits étaient empreints d'une barbarie qui aurait terrorisé le cœur le plus vaillant.

Pourtant, elle ne broncha même pas et resserra les doigts sur son bras dur comme du granit.

Elle ne craindrait jamais cet homme.

Pas même lorsque le vampire en lui prendrait le dessus.

—Il ne pourra pas me faire de mal tant que tu seras là pour me protéger, fit-elle doucement remarquer. S'il te plaît.

Il jeta un regard furieux au visage implorant de Darcy avant de feuler tout bas de contrariété.

— Bordel. (Il baissa son épée et dirigea son regard noir sur le garou blessé.) Souviens-toi de ça, loup. Si tu croises seulement le chemin de Darcy, je n'hésiterai pas. Tu seras mort avant d'avoir dit « ouf ».

Avec un gémissement sourd, Salvatore parvint à se hisser à une position à moitié assise. Comme il était entièrement nu, il n'était pas difficile de voir que son entaille commençait à se refermer, même s'il était encore loin d'être guéri.

Il avait la tête penchée, ses cheveux noirs retombant sur son visage fin.

— Garde tes menaces. J'ai échoué. Bientôt, les garous se seront éteints et les vampires pourront se réjouir de notre trépas.

Styx plissa les yeux, les dents serrées à cette accusation amère.

— Je ne souhaite nullement la fin des garous.

Salvatore partit d'un rire bref qui se termina en quinte de toux douloureuse. Darcy grimaça de compassion.

— Pardonne-moi, mais j'ai du mal à le croire. Vous nous avez emprisonnés et maintenant nous sommes incapables d'avoir des enfants.

— Vous *nous* reprochez votre absence de progéniture ? demanda Styx.

— Les médecins ont confirmé ma théorie.

Salvatore releva lentement la tête ; son visage était pâle mais ses yeux dorés lançaient des éclairs.

— Les garous étaient faits pour vagabonder librement. En nous gardant enfermés, vous nous avez peu à peu volé nos pouvoirs ancestraux. Le plus important étant la capacité de nos femmes à contrôler leurs métamorphoses durant leur grossesse.

Styx réfléchit en silence à ces paroles sinistres. Puis son expression se durcit lorsqu'il prit conscience de ce qu'elles impliquaient.

—C'est pour cette raison que Darcy t'intéressait ?

Salvatore haussa les épaules ; manifestement, il ne se souciait plus de divulguer ses plans.

—Oui. Elle a été… modifiée de façon à supprimer ses caractéristiques de loup-garou.

Levet laissa échapper un bruit dégoûté.

—C'est pour ça que je n'arrivais pas à savoir ce qu'elle était.

Styx ne détourna jamais le regard du garou accroupi par terre. Darcy, qui percevait son envie de terminer ce qu'il avait commencé, resserra instinctivement son étreinte sur son bras.

—Elle ne t'appartiendra jamais, dit-il d'une voix rauque.

—Styx, implora-t-elle.

Il rejeta la tête de côté, le regard dur et brillant dans la faible lumière.

—Non, Darcy. S'il te plaît, ne me demande pas ça.

Darcy cligna des yeux avant de comprendre qu'il croyait qu'elle le suppliait de lui laisser la chance de mettre au monde une portée pour les garous.

Elle frémit, viscéralement.

Elle n'avait jamais ressenti une folle envie de bébés. Et elle n'allait certainement pas coucher avec une kyrielle d'étrangers dans le seul but d'avoir des enfants.

Elle trouvait juste que ce n'était pas… bien.

—Jamais, lui assura-t-elle avec un petit sourire. Je voulais simplement suggérer que les vampires et les garous pourraient tenter d'arriver à un compromis. Il doit exister un moyen pour que les garous retrouvent leur force.

Les deux hommes l'observèrent avec une légère pointe de surprise. Comme si l'idée de réellement discuter de leur différend était une espèce de concept étranger.

Ce qui était peut-être le cas.

— Nous pourrions soumettre cette question au Conseil, admit finalement Styx à contrecœur. Il s'est déjà rassemblé, ici à Chicago.

Darcy reporta son attention sur le garou blessé.

— Salvatore, accepterais-tu de négocier ?

Il poussa un grondement sourd et menaçant en jetant un regard furieux au vampire qui se dressait au-dessus de lui.

— À quoi bon ? Nous ne sommes que des chiens qui n'ont pas voix au chapitre dans le monde des démons.

— C'est faux, nia Styx avec froideur. Le Conseil est au-dessus des espèces. Il écoutera ce que tu auras à dire.

— Tu veux que je les supplie à genoux ?

— Que Dieu me préserve des hommes et de leur orgueil, marmonna Darcy. Qu'est-ce que ça fait, si tu dois effectivement les supplier ? C'est certainement un bien faible prix à payer pour le salut de ton… de notre… peuple ?

Les yeux noirs de Salvatore brillèrent de contrariété.

— Nous n'avons aucune assurance que ça changera notre sort.

Darcy serra les dents. Salvatore s'exprimait bien plus comme un enfant boudeur que comme le chef féroce des loups-garous.

De toute évidence, il avait besoin qu'on le secoue pour lui rappeler sa position.

— Bon, dans ce cas j'irai trouver le Conseil, déclara Darcy. Quelqu'un doit bien faire preuve de raison.

Comme prévu, Salvatore se hérissa aussitôt, blessé dans son orgueil.

— Personne ne parle pour les garous, à part moi. Je suis le roi.

Darcy soutint son regard furieux.

— Alors, conduis-toi comme tel.

Il se raidit ; pourtant, à sa grande surprise, il inclina légèrement la tête.

—Tu as raison. Je ferai mon devoir.

—Il te reste peut-être encore de l'espoir, murmura Darcy.

Salvatore plissa les yeux, une expression suspicieuse passant sur son visage. Au moins, il était assez intelligent pour s'apercevoir qu'il avait été manipulé.

Son regard glissa lentement vers Styx.

—Tu l'as emporté, vampire, mais je ne t'envie pas vraiment ton prix.

Un petit sourire énervant se dessina sur les lèvres de Styx.

—Elle se bonifie avec le temps.

Salvatore renifla avec incrédulité.

—Si tu le dis.

Darcy secoua la tête. Quelques minutes plus tôt, ces deux démons étaient déterminés à s'entre-tuer. À présent, ils partageaient un de ces moments entre hommes qui se faisaient toujours aux dépens des femmes.

—Ça suffit. Je suis fatiguée, affamée et j'ai grand besoin d'une douche chaude. Je veux rentrer à la maison.

Bizarrement, Styx se figea, avant de tourner lentement la tête pour la dévisager avec une expression impassible.

—À la maison ? demanda-t-il doucement.

Prenant brusquement conscience qu'elle avait vraiment utilisé LE mot, Darcy inspira un bon coup.

Grands dieux, quand cela s'était-il produit ?

Quand avait-elle accepté qu'être près de Styx était tout ce qu'il lui fallait pour se sentir chez elle ?

Elle expira peu à peu, et décida que cela n'avait pas vraiment d'importance. Le pourquoi et le comment faisaient partie du passé.

L'avenir était tout ce qui comptait.

Son avenir avec Styx.

—Oui. (Elle laissa un sourire étirer ses lèvres.) À la maison.

Styx tendit le bras pour l'attirer contre son corps, et effleura ses cheveux des lèvres.

—Mon ange.

Alors qu'elle s'apprêtait à se blottir encore plus étroitement contre lui, Darcy fut interrompue par le bruit du soupir rauque de Levet.

—*Sacrebleu**. Nous y revoilà.

Darcy gloussa en s'écartant de Styx, même s'il refusa de lui lâcher la main. Ce qui ne la dérangea pas du tout.

—D'accord, Levet, message reçu. On y va.

La gargouille battit joyeusement des ailes.

—Et je conduis.

—Non, grognèrent Styx et Darcy en chœur.

Styx passa devant lorsqu'ils quittèrent Salvatore, qui se remettait rapidement de ses blessures, et descendirent la dernière volée de marches. Il voulait être loin de ce repaire ignoble. Et pas seulement à cause des menaces encore tapies dans ces couloirs sombres.

Incapable de résister, son regard se posa sur la femme qui avançait à son côté.

Comme toujours, la chaleur habituelle et une tendresse farouche envahirent son corps, bizarrement mêlées à un sentiment de possession purement masculin. C'était aussi inéluctable que le lever du soleil. Mais, à ces sensations, s'ajoutait celle, indubitable, d'avoir triomphé.

Darcy l'avait choisi lui plutôt que sa propre meute.

Certes, sa meute ne s'était guère révélée la famille aimante dont elle avait toujours rêvé, reconnut-il d'un air contrit. Elle était plus proche de la famille Addams que des Ingalls.

Mais, d'un autre côté, Darcy n'était pas du genre à s'accrocher à quelqu'un, si ? Que sa famille soit décevante ne l'aurait jamais poussée à se tourner vers lui.

Les dieux savaient que ce n'était pas l'indépendance ni sa confiance en sa capacité à prendre soin d'elle-même qui lui manquaient. Elle ne resterait jamais avec lui si ce n'était pas ce qu'elle désirait du fond du cœur.

Alors qu'il s'efforçait de dissimuler le grand sourire niais qui menaçait de se dessiner sur son visage, Styx fut ramené à la réalité par Levet qui tirait brutalement sur sa chemise.

— Où allons-nous ?

— On retourne au garage.

Levet se renfrogna à sa réponse parfaitement raisonnable.

— Tu ne peux pas envisager d'emmener Darcy dans ces égouts ?

— Oh, ils étaient assez bien pour moi, mais pas pour Darcy ? demanda Styx.

— Bien sûr que non.

Styx ne put s'empêcher de rire. Au moins, la gargouille ne manquait-elle pas de cohérence.

— Ne crains rien. Je suis absolument persuadé que Viper a réussi à nous procurer un moyen de transport.

L'expression maussade de Levet disparut comme par miracle.

— Parfait. J'ai toujours voulu conduire sa Jaguar.

Ce démon au volant d'une puissante Jaguar ? Bordel, Chicago ne s'en remettrait jamais.

— Quand les poules auront des dents, gargouille, grommela-t-il, pris de l'envie de rire aussi lorsqu'il entendit le gloussement de Darcy se transformer subitement en toux.

Levet plissa les yeux.

— Depuis quand tu commandes, vampire ? demanda-t-il. Je te signale que Viper me laisse assez souvent…

— Chut ! chuchota Styx en saisissant Darcy pour qu'elle s'arrête.

Elle lui jeta un regard inquiet.

— Qu'est-ce qui se passe ?

—Un garou. (Il renifla l'air.) Ah. Ta mère, si je ne m'abuse. (Un sourire froid se dessina sur ses lèvres.) J'avais envie de la rencontrer.

Lisant aisément dans ses pensées, elle secoua la tête.

—Non, Styx.

Un sentiment de frustration le transperça tandis qu'il levait une main pour effleurer sa mâchoire meurtrie avec délicatesse.

—Tu peux au moins me laisser lui flanquer une raclée.

—S'il te plaît, Styx, je veux juste partir d'ici.

Elle s'agrippa à son bras comme elle vacillait sur ses jambes, tant elle se sentait lasse.

Sans attendre, Styx lui enlaça la taille. Bon sang. Il avait envie de punir cette garou. De lui rendre avec les intérêts les bleus qu'elle avait infligés à sa compagne. Avec beaucoup d'intérêts.

Mais Darcy avait raison. Elle en avait déjà trop enduré. La seule chose qui comptait, c'était la ramener à son repaire pour qu'il puisse s'occuper d'elle correctement.

Non pas qu'il ait l'intention d'oublier la dette qu'il devait à sa mère. Un jour…

—Si elle essaie de te faire du mal, je la tuerai, grommela-t-il en serrant Darcy encore plus étroitement contre lui.

Il s'enfonça alors plus avant dans le garage sombre.

—Pas avant que j'en aie fini avec elle, prévint Levet.

Délibérément, il vint se placer de l'autre côté de Darcy.

Elle lâcha un rire bas et tendu.

—Les hommes.

Lorsqu'il contourna les piliers massifs, Styx aperçut sans peine la Jaguar noire étincelante cachée dans un coin éloigné du garage. Il remarqua également la femme svelte, aux cheveux blonds, appuyée avec désinvolture contre le véhicule.

La mère de Darcy, bien sûr.

Elles se ressemblaient trop pour que leur parenté puisse être niée. Ou, du moins, c'était le cas de loin. À y regarder de plus près, ses traits délicats avaient été durcis par un cynisme amer que sa fille n'éprouverait jamais.

La femme se redressa quand ils se dirigèrent vers elle, et Styx lutta contre sa rage lorsqu'il sentit Darcy trembler.

Il espérait que cette garou irait en enfer.

Bizarrement, Darcy ne fut pas du tout étonnée de voir sa mère.

La seule chose qui l'aurait surprise aurait été qu'elle la laisse lui glisser entre les doigts sans se comporter comme une emmerdeuse finie, pour une fois.

Ravalant le besoin de hurler sa frustration, Darcy vint se placer juste devant la femme souriante. Ce n'était pas qu'elle désirait se rapprocher de sa chère mère. Elle aurait été incapable d'encaisser une minute de plus d'intimité avec Sophia. En revanche, elle n'avait que trop conscience de la forte envie de Styx de la punir pour l'avoir enlevée. Elle ne souhaitait pas voir davantage de sang cette nuit-là.

— Qu'est-ce que tu veux, mère ?

Sophia prit le temps d'inspecter Styx, lentement et avec une familiarité exaspérante. Elle aimait manifestement ce qu'elle avait sous les yeux, à en croire la chaleur qui y couvait.

Évidemment, qu'est-ce qui pourrait déplaire chez lui ?

Il était grand, mystérieux, absolument délicieux.

Cela dit, il lui appartenait de manière exclusive, et Darcy n'appréciait pas que sa propre mère le reluque comme s'il était une savoureuse friandise qu'elle comptait dévorer.

Sans prêter attention à la mauvaise humeur lisible sur le visage de Darcy, Sophia maintint son regard rivé sur l'homme silencieux.

— Je voulais juste jeter un coup d'œil au vampire qui t'a attirée loin de nous. Mmm. Je dois dire que tu as bon goût. Il est exquis. Pas étonnant que tu trouves Salvatore si fade.

Darcy renifla avec dérision.

—Je ne resterais pas, même s'il n'y avait pas Styx. Je n'ai aucune envie de devenir… comment vous appelez ça ? Une reproductrice ?

Au prix d'un effort manifeste, sa mère détourna son attention de Styx et adressa un sourire sarcastique à sa fille.

—Ce n'est pas tout noir, ma chérie. Il y a assurément des bons côtés à découvrir. (Elle rit d'un rire bas et rauque.) Parfois plusieurs bons côtés.

Cette allusion, qui ne brillait pas par sa subtilité, n'échappa pas à Darcy. À cette seule pensée, elle grimaça.

—Pour toi peut-être.

Sophia haussa les épaules.

—Ainsi, tu tournes le dos au devoir qui t'incombe envers ta famille ?

Darcy écarquilla les yeux à cette accusation injuste.

—Ma famille ? À la rigueur par le sang. Non, attends, vous l'avez modifié. Je n'appartiens à personne.

—Tu crois que ta vie sera tellement mieux avec un vampire ? Réfléchis un peu, Darcy. Tu n'auras pas d'enfants, pas de famille à toi. Jamais.

Darcy n'eut pas besoin de se retourner pour savoir que Styx s'était raidi, mal à l'aise. En dépit de toute son arrogance, il redoutait terriblement qu'on puisse la persuader de le quitter.

—En fait, tu te trompes du tout au tout, répliqua-t-elle avec une intime conviction. J'ai déjà trouvé ma famille.

—Je vois.

Sophia plissa les yeux.

—Je suis sûre que vous vous débrouillerez très bien sans moi.

—Et tes sœurs ? Tu vas les abandonner si facilement ?

Sophia porta son coup de grâce avec un doux sourire.

Le cœur de Darcy se serra brutalement. Sacrée bonne femme. Elle savait assurément donner l'estocade.

Elle releva le menton.

—Comment puis-je abandonner des sœurs que je n'ai même pas rencontrées ?

—Oh, on va les trouver. Tu peux en être certaine.

—J'espère que vous n'y arriverez pas.

L'expression de Sophia se durcit.

—C'est un vain espoir. Par ailleurs, ce n'est pas parce que Salvatore ne t'a pas plu que l'une d'elles n'aura pas envie de partager son lit. Il est assez séduisant, et charmant quand il en prend la peine.

Darcy ne pouvait nier la vérité de ces paroles. Même si Salvatore ne faisait pas le poids face à Styx, c'était un bel homme. Elle ne doutait pas un instant qu'un grand nombre de femmes seraient ravies d'avoir la chance de lui donner une ou deux portées.

—Peut-être, concéda-t-elle. Mais ça ne vaut pas le coup de céder à ton chantage, même si j'ai très envie de rencontrer mes sœurs.

Sophia haussa les sourcils, comme prise au dépourvu par la réponse de Darcy.

—Tu marques un point, ma chérie. (Elle afficha un air narquois.) J'imagine qu'il ne nous reste plus qu'à nous dire au revoir.

—J'espère que tu ne t'attends pas à ce que je t'embrasse.

À sa grande surprise, Sophia ne lui fit pas de commentaires cinglants. Au contraire, son visage se fit grave pendant qu'elle observait les traits pâles de Darcy.

—Non, mais ce serait bien de ne pas se séparer en des termes si amers. (Une expression qui aurait pu être de l'autodérision passa sur son beau visage.) Tu me considères sans doute comme la pire des mères, mais j'ai fait ce que j'avais à faire pour protéger ma meute. Peux-tu vraiment me le reprocher ?

Choquée, Darcy demeura parfaitement immobile tandis qu'elle tentait de clarifier ce qu'elle sous-entendait.

— Tu veux que je te pardonne ?

— Je suppose que oui. Tu es ma fille, après tout.

— Darcy, grogna Styx dans son dos, flairant manifestement quelque ruse.

— Tout va bien, Styx, le rassura-t-elle.

Elle était idiote, évidemment. Elle n'avait aucune raison de faire confiance à cette femme. Mais Darcy se connaissait suffisamment pour comprendre qu'elle regretterait d'entretenir sa colère et sa déception. Des émotions si négatives pèseraient forcément sur son cœur.

— En fait, je préférerais que nous fassions la paix. Ça ne me semble pas bien de… ne pas aimer sa propre mère. Et franchement, je serais heureuse de rencontrer mes sœurs si vous les trouvez.

Un sourire qui parut presque sincère étira les lèvres de Sophia.

— Dans ce cas, je te propose un marché. Je te les présenterai si tu me promets de ne pas essayer de leur monter la tête contre leur meute.

— Je ne ferais jamais ça, protesta Darcy. De toute façon, si elles me ressemblent un minimum, elles seront à même de se forger leur propre opinion. Elles peuvent décider ce qu'elles veulent faire de leur avenir.

— Alors, marché conclu.

— Je… (Darcy secoua lentement la tête.) Merci.

— Tu vois, je ne suis pas complètement méchante.

— Je suis contente de le savoir.

Mère et fille s'observèrent pendant un long moment, une harmonie fragile remplaçant l'amertume dans le cœur de Darcy.

Finalement, Sophia haussa les épaules avec impatience et se dirigea vers l'entrée du garage.

—Sauve-toi, mon chou. Les adieux larmoyants ne sont vraiment pas ma tasse de thé.

Un petit sourire aux lèvres, Darcy regarda sa mère s'éloigner. Elle n'était pas niaise au point de s'imaginer qu'elles auraient jamais le genre de relation dont elle avait toujours rêvé, mais peut-être pourraient-elles juste enfin trouver une certaine sérénité.

Styx, qui s'était contenu suffisamment longtemps, se rapprocha d'elle et, avant qu'elle sache ce qui se passait, il la souleva et l'enlaça vigoureusement.

—Viens, Darcy, dit-il doucement. Tu devrais déjà être couchée dans ton lit.

Elle posa les doigts sur ses lèvres.

—Dans *notre* lit.

CHAPITRE 24

À l'étonnement de tous, Styx autorisa finalement Levet à réaliser son rêve de conduire la Jaguar noire étincelante. Sans prêter attention au regard intrigué de Darcy, il marmonna quelque chose sur le fait d'être prêt à sacrifier les citoyens de Chicago juste pour faire taire ce casse-pieds ; cela dit, il ne doutait pas que sa compagne à l'agaçante perspicacité commençait à soupçonner qu'il ne détestait pas la gargouille extravagante autant qu'il aimait à le laisser entendre.

Sans compter qu'il avait ainsi un prétexte idéal pour continuer à enlacer Darcy.

Avec un cri de joie, la minuscule gargouille sauta derrière le volant et emballa le moteur tandis que Styx demandait à être conduit à son repaire personnel. Il prit place dans le siège du passager, Darcy confortablement installée sur ses genoux. Elle y tenait parfaitement, bien sûr, la tête blottie dans le creux de son épaule et ses petites fesses calées tout contre son érection grisante.

Il supporterait bien plus qu'un trajet terrifiant à travers les rues sombres de Chicago pour un contentement si absolu, décida-t-il.

La joue posée sur les cheveux de la jeune femme, il respira profondément son parfum suave et réfléchit à regret à ce qui avait causé la perte des puissants. Sa dignité hautaine et sa logique froide d'antan avaient été remplacées par des gargouilles naines et des anges entêtés. Pire encore, il était désormais plus ou moins parent avec une meute de loups-garous galeux.

Et il n'avait même pas la présence d'esprit de s'en inquiéter.

Darcy serrée encore plus étroitement dans ses bras, Styx ferma les yeux quand Levet parvint à démolir un panneau de signalisation et une malheureuse boîte aux lettres assez stupides pour se trouver sur le trottoir.

La gargouille conduisait – si l'on pouvait désigner ainsi ses coups de volant imprudents – depuis presque une demi-heure quand Darcy releva soudain la tête pour examiner la banlieue endormie qu'ils traversaient à une vitesse alarmante.

—Où allons-nous ? demanda-t-elle.

—À mon repaire. Mon vrai repaire, au sud de la ville.

Elle scruta Styx du regard.

—Pourquoi on ne retourne pas chez Dante ?

—Car dès qu'on sera arrivés, Shay et Abby n'arrêteront pas de s'affairer autour de toi. J'aurai de la chance si on me laisse te voir ne serait-ce qu'un instant avant qu'elles soient certaines que tu vas bien. Je suis un monstre d'égoïsme et je veux te garder pour moi seul au cours des prochains siècles.

—Ah. (Elle s'empressa d'appuyer de nouveau la tête contre son torse, un sourire satisfait lui étirant les lèvres.) C'est loin ?

Styx lui massa doucement la nuque tout en posant de légers baisers sur la peau satinée de sa tempe.

—À plusieurs heures, avec la conduite innovante de Levet. Je crois que tu as largement le temps de t'assoupir. (Il baissa la voix.) Fais-moi confiance, tes nerfs me seront éternellement reconnaissants si tu parviens à dormir pendant le trajet.

—Hé…, commença à protester la gargouille.

Elle s'interrompit quand elle fut obligée de donner un coup de volant pour éviter une infortunée poubelle.

Darcy gloussa en se cachant le visage et se cramponna.

— Tu as peut-être raison.

Concentré sur la douce chaleur qu'il abritait entre ses bras, Styx réussit à tenir sa langue et, contre toute attente, à garder son calme pendant que la gargouille abattait un dernier panneau de signalisation. Dans un hurlement de moteur, la Jaguar s'engagea alors sur la route qui les conduirait au repaire personnel de Styx. Les obstacles à percuter se firent plus rares, Dieu merci. Rien en dehors de quelques petits pins et, de temps en temps, un talus.

Près de trois heures plus tard, Levet s'arrêta dans un crissement de pneus devant la ferme à la façade blanche délavée. Même si elle était en bien meilleur état que l'hôtel que Salvatore avait choisi comme repaire à Chicago, Styx ne pouvait nier qu'elle faisait pâle figure à côté de ceux de Dante et Viper. À moins de préférer le silence de la campagne et la beauté plus naturelle des collines onduleuses, des cornouillers et du majestueux Mississippi.

Il regretta vaguement de ne pas posséder le genre de demeure somptueuse et immense qui impressionnerait sa nouvelle compagne, avant d'écarter cette pensée. Après avoir vécu des années durant dans les rues et dans des appartements exigus, il soupçonnait qu'elle serait ravie d'avoir la possibilité de choisir la maison de ses rêves.

De plus, alors que les grottes sous la ferme étaient peut-être sombres et lugubres, pour l'instant elles correspondaient exactement à ses désirs : une sécurité absolue et la certitude de ne pas être dérangé.

Ses Corbeaux arriveraient avant l'aube, et personne, absolument personne, ne serait autorisé à franchir sa porte.

Prenant soin de ne pas réveiller la femme dans ses bras, Styx se glissa hors de la voiture.

— Retourne auprès de Viper et assure-lui que nous allons bien. Je lui parlerai dans quelques jours, ordonna-t-il avant qu'un léger sourire se dessine sur ses lèvres. Oh, et, Levet…

— *Oui*[*] ?

Styx se tourna délibérément vers la Jaguar qui arborait désormais plusieurs bosses et rayures, sans compter son pare-chocs sérieusement cabossé.

— Tu pourrais envisager de quitter l'Illinois avant que Viper ait l'occasion de bien regarder sa voiture. Il a déjà tué pour moins.

La peau grise de la gargouille devint carrément livide. En dépit de tout son raffinement suave, Viper pouvait se mettre dans des colères spectaculaires. Il vouait aussi un amour obsessionnel à sa collection de voitures de luxe.

Une combinaison qui ne présageait rien de bon pour le minuscule démon.

Manifestement conscient du danger qu'il encourait, Levet déglutit bruyamment.

— J'avouerai avoir éprouvé une envie absolument irrésistible de séjourner sur la côte Ouest, dit-il d'une voix mal assurée. Le mois de décembre à Chicago est toujours si lugubre.

— Bonne idée.

Riant tout bas en imaginant la réaction de Viper à la vue de sa magnifique Jaguar, Styx entra dans la maison et se dirigea directement vers la cave. De là, il n'y avait rien de plus simple que d'ouvrir le panneau secret qui conduisait aux grottes spacieuses creusées dans les falaises.

Il avança d'une démarche assurée malgré les ténèbres d'un noir d'encre et le labyrinthe déroutant de cavernes. Il pourrait y retrouver son chemin les yeux bandés.

L'air se rafraîchit nettement tandis qu'il s'enfonçait plus profondément sous terre, et une humidité indéniable fit frissonner Darcy, même dans son sommeil.

Il fronça les sourcils tout en changeant de direction. Ses propres appartements, nus et austères, convenaient mieux à un troll qu'à une jeune femme. L'Anasso précédent, en revanche, avait préféré s'entourer de luxe. Au moins, Darcy serait bien installée.

Réprimant son envie de grimacer, il pénétra dans la vaste caverne, qu'il traversa pour étendre Darcy sur le lit à baldaquin drapé d'or et de cramoisi. Délicatement, il déposa son adorable fardeau au milieu de l'immense matelas et le couvrit d'une couverture. Puis, surmontant son aversion naturelle, il entreprit de frotter une allumette pour enflammer les bûches dans l'énorme cheminée.

Une fois certain que la flambée durerait plusieurs heures, il enleva sa lourde cape et revint près du lit. Il était las, et pourtant, lorsqu'il s'allongea à côté de sa compagne, il s'aperçut que le plaisir d'observer son visage pâle et parfait lui ôtait toute envie de dormir.

Il roula sur le côté et s'empêcha de caresser la peau douce de sa joue.

Un sacrifice inutile puisqu'elle ouvrit les yeux et le regarda avec un sourire ensommeillé.

— Styx ?

— Oui, mon ange.

— On est dans ton repaire ?

Il sourit, et céda à l'élan qui le poussait à poser délicatement la main sur sa joue.

— On y est, du moins pour le moment.

Elle se hissa sur la montagne d'oreillers ; en se déplaçant, son corps svelte se rapprocha de celui de Styx. À ce contact, le sang du vampire se mit à bouillir.

— Tu comptes déménager ? demanda-t-elle.

Styx s'efforça de contenir le désir à l'état pur qui montait en lui. Avoir Darcy dans son lit constituait une tentation qu'il ne serait jamais capable d'ignorer.

—Quand tu seras prête, nous choisirons un nouveau repaire ensemble, lui promit-il.

Elle écarquilla les yeux avant de glousser doucement.

—On va acheter une maison?

—Qu'y a-t-il de drôle?

—Je ne sais pas.

Elle bougea pour lui faire face. Un déplacement que Styx approuva sans réserve.

—Cela semble juste un peu… ordinaire pour un vampire si redoutable.

—Oh, j'ai l'intention de continuer à être redoutable, grogna-t-il, passant les bras autour d'elle pour pouvoir l'attirer à lui. Du moins, en certains aspects.

Elle sourit, un miroitement malicieux dans les yeux, et commença à défaire la tresse de Styx.

—Et quels seront ces aspects?

D'un geste fluide, il glissa le sweat-shirt de Darcy par-dessus sa tête et la débarrassa du jean qui se trouvait malencontreusement sur son chemin. Ses minuscules dessous de satin allèrent bientôt s'empiler par terre, à côté du reste de ses vêtements.

—Je crois que je préfère l'action aux mots, lui chuchota-t-il contre la tempe, effleurant déjà sa peau nue avec impatience.

Elle eut le souffle coupé quand Styx referma les doigts sur sa poitrine.

—J'ai toujours aimé les hommes d'action, dit-elle d'une voix rauque.

Styx était bien décidé à passer à l'action. Beaucoup d'action, qui les laisserait tous deux comblés et épuisés.

Pourtant, lorsqu'elle posa les mains sur ses épaules, il se surprit à la contempler un long moment, goûtant simplement la vue de son visage empourpré et de ses yeux assombris par le désir. Rien n'était plus beau, plus précieux au monde que cette femme. Elle était devenue sa raison même de vivre.

Le cœur de Styx se serra sous l'effet de cette étrange et irrésistible tendresse que seule Darcy parvenait à éveiller en lui.

Une tendresse que ses compagnons les plus proches jureraient ne pas exister.

—Darcy… mon ange.

Baissant la tête, il réclama ses lèvres enthousiastes dans un doux baiser. Il ne possédait pas le romantisme extravagant de Dante ni la nature poétique de Viper. Il n'avait pas les mots pour dire à Darcy ce qu'elle représentait exactement pour lui, alors il devrait le lui montrer.

Son baiser se fit plus pressant, il savourait le goût qu'elle avait pendant que ses mains exploraient ses rondeurs gracieuses. Elle était si petite, si terriblement frêle, et pourtant son corps ne manquait pas d'énergie comme elle se cambrait fermement contre lui et lui enfonçait ses ongles dans les épaules.

En prenant garde à ses canines, il glissa sa langue entre les lèvres de Darcy. Elle gémit doucement et se mit soudain à lui enlever sa chemise pour pouvoir faire courir ses mains sur son torse et descendre jusqu'à la ceinture de son pantalon en cuir. Styx s'empressa de s'écarter pour l'aider. Ensemble, ils parvinrent à le déshabiller entièrement et, avec un profond soupir d'approbation, il s'installa entre les jambes de la jeune femme.

Par tous les dieux, rien n'était meilleur que le contact de sa peau chaude pressée contre la sienne. C'était comme être enveloppé dans de la soie brûlante. Le rêve de tout vampire.

Il inclina la tête, enfouit son visage dans son cou et la mordilla alors que le parfum de son sang lui saturait les sens.

Au prix d'un grand effort, il résista à l'envie de plonger les canines dans la courbe de son cou. Son érection était si

423

dure qu'elle en était douloureuse. Dès l'instant où il goûterait à son sang, il serait perdu.

Tandis qu'il suivait de la bouche la ligne de sa clavicule, il embrassa le creux en dessous avant d'explorer les formes délicieuses de sa poitrine.

Darcy soupira doucement, les doigts entortillés dans les cheveux de son vampire.

—Styx.

—Oui, mon ange, souffla-t-il, refermant les lèvres sur le bout durci de son sein.

—Styx, je veux… (Elle s'interrompit quand il lui suçota le téton avec une insistance grandissante.) Attends, je n'arrive pas à réfléchir.

—Tu n'es pas censée réfléchir, lui assura-t-il, avant de reporter son attention sur son autre sein.

—Mais je veux compléter la cérémonie.

Styx se figea, puis releva la tête avec lenteur pour rencontrer son regard écarquillé.

—Qu'est-ce que tu as dit ?

Elle tendit les bras pour lui prendre le visage entre ses mains.

—Je veux que tu sois mon compagnon, Styx.

Une joie farouche, presque douloureuse, lui serra le cœur, mais, avec opiniâtreté, il n'en laissa rien transparaître.

—Tu sais ce que tu dis ?

Une étincelle amusée brilla dans les yeux de la jeune femme.

—Je ressemble peut-être à la blonde écervelée typique mais, en général, je comprends les mots qui sortent de ma bouche.

Styx fronça les sourcils à son ton taquin.

—Darcy, t'unir à moi n'a rien d'un mariage humain. Tu ne pourras pas revenir sur ta décision. Nous serons ensemble pour l'éternité.

Elle ne détourna pas les yeux.

— Eh bien, j'ignore si j'ai l'éternité devant moi, mon amour, mais je sais en revanche que je veux passer le temps qu'il me reste avec toi.

Styx prit le menton de Darcy entre ses doigts pendant qu'il cherchait dans ses yeux si elle pensait ce qu'elle disait.

— C'est ce que tu veux vraiment ?

— C'est ce que je veux.

Il esquissa lentement un sourire. Sa compagne. Pour l'éternité.

— Ainsi soit-il.

Le sourire de Darcy répondit au sien.

— Explique-moi ce que je dois faire.

Le regard toujours plongé dans celui de la jeune femme, Styx fit glisser sans se presser un doigt le long de la courbe de son cou. Il sentait le sang chaud qui coulait juste derrière sa peau pâle.

— Il faut que je boive, chuchota-t-il.

Il craignit presque qu'elle se dérobe. Même si elle lui avait librement donné de son sang, il ne s'agissait pas simplement de se nourrir. C'était une union qui la lierait à lui sans espoir d'y échapper.

Sans compter qu'il n'était pas question ici du genre de cérémonie romantique dont la plupart des jeunes filles rêvaient.

Mais avec un empressement qui prit Styx au dépourvu, elle plaça sa tête contre sa gorge et le poussa avec douceur à accepter ce qu'elle lui offrait.

Styx gémit faiblement en plongeant ses canines dans la peau qu'elle lui présentait.

Un plaisir instantané le submergea. Il s'attendait à ces sensations. Le partage intime de sang était toujours érotique. Pourtant, il n'avait pas anticipé la vague de volupté torride qui s'engouffra en lui comme une mer rugissante.

— Darcy.

Il grogna tout bas et fit courir sa main le long du corps de la jeune femme jusqu'à la chaleur de son entrejambe. À son soulagement, elle était déjà prête pour lui. Il fallait qu'il soit en elle pendant qu'il prenait son sang. Pour compléter leur union de la manière la plus intime possible.

Comme si elle percevait ce dont il avait besoin, Darcy enroula les jambes autour de ses hanches et se cambra en une invitation silencieuse. Styx feula doucement et la pénétra profondément d'un seul coup de reins.

Il fut parcouru d'un frisson lorsqu'il la sentit se resserrer autour de lui. C'était le paradis, comprit-il alors que l'extase lui obscurcissait l'esprit et que ses hanches se mouvaient avec une insistance farouche. C'était la perfection d'un homme et d'une femme véritablement unis.

Tout en tentant de réprimer l'orgasme qui le menaçait, Styx passa une main entre eux pour caresser le centre du plaisir de Darcy. Il la sentit frissonner d'extase, quand elle enfonça ses ongles profondément dans sa peau.

Un sombre sentiment de satisfaction l'ébranla alors que le sang de la jeune femme s'écoulait en lui. Il percevait son cœur, sa volupté, son amour illimité, son engagement absolu envers lui.

Comme s'ils avaient parfaitement fusionné en un seul être.

Et rien n'avait jamais été plus merveilleux.

Styx entendit le petit halètement de Darcy, puis l'orgasme la submergea et il put ressentir les minuscules spasmes qui l'agitèrent. Il cessa de se contrôler et donna un dernier coup de reins avant de se déverser en elle.

— Ma compagne, souffla-t-il, baissant la tête pour enfouir son visage dans la courbe de son cou. Mon ange éternel. Mon salut.

Chapitre 25

C e fut une série de jurons étouffés qui réveilla Darcy de son profond sommeil. Elle s'étira paresseusement, puis obligea ses paupières lourdes à s'ouvrir, découvrant qu'elle était seule dans le lit. Pas étonnant, reconnut-elle avec regret. Les deux dernières semaines lui avaient appris que Styx se montrait impitoyable envers lui-même, ne dormant que quelques heures avant de retourner aux innombrables devoirs qui lui incombaient en tant qu'Anasso ; et, évidemment, il consacrait une bonne partie de la nuit à dorloter sa compagne.

Soudain, elle n'était plus cette paria solitaire qui luttait pour survivre, sans famille ni amis.

Elle se tourna sur le côté et observa les marques cramoisies sur son bras avec un sourire rêveur. En moins d'un mois, elle avait trouvé une famille de loups-garous, ainsi que des amis, parmi lesquels des gargouilles, des démons et des déesses. Et pour compagnon, un vampire à couper le souffle, à tomber par terre et à se damner.

Tout bien considéré, ces quelques semaines avaient été plutôt bonnes.

Avec un petit rire, elle repoussa les couvertures et prit la lourde robe de chambre qui gisait au pied du lit. Elle était trop grande de plusieurs tailles, mais au moins l'épais brocart lui fournissait-il une chaleur bienvenue. Styx n'avait pas menti quand il l'avait prévenue que les cavernes seraient froides et humides.

De nouveau, le bruit de voix étouffées flotta dans l'air et, animée par la curiosité, Darcy se dirigea vers l'entrée.

Elle ne s'était jamais attendue à être seule avec Styx, dans ces grottes isolées. Il était l'Anasso et, en tant que tel, devait être protégé par ses Corbeaux en permanence. Mais les cinq vampires qui constituaient son service de protection se révélaient en général si silencieux qu'il était même impossible de savoir quand ils étaient là.

Il devait certainement être arrivé quelque chose pour qu'ils fassent du bruit ?

Regrettant un peu tard de ne pas avoir pris le temps d'enfiler une paire de chaussettes, Darcy entra dans la vaste pièce attenante à la chambre. Son regard se posa d'abord sur le beau feu qui brûlait gaiement dans la cheminée avant de fouiller lentement les lieux, pour découvrir Styx et deux de ses Corbeaux au milieu de la salle.

Elle écarquilla les yeux en voyant le grand pin qui penchait dangereusement, planté dans un bac de sable, refusant de tenir droit malgré tous les efforts des vampires.

Percevant immédiatement son entrée, ces derniers se tournèrent comme un seul homme, puis les deux Corbeaux lui adressèrent une profonde révérence avant de s'esquiver sans un bruit.

Darcy remarqua à peine leur départ en s'avançant vers l'arbre, les sourcils légèrement froncés.

—Styx… qu'est-ce qui se passe ? demanda-t-elle.

Uniquement vêtu d'un pantalon en cuir, les cheveux lui tombant librement dans le dos, le vampire était simplement aussi exquis qu'un homme pouvait l'être.

Et lorsqu'il sourit… waouh. Darcy lutta pour ne pas baver d'admiration.

—Je te préparais une surprise, ma puce, dit-il avec un large sourire contrit. Sans grand succès, je dois l'avouer.

Elle secoua la tête avec lenteur, et son cœur fit un bond bizarre lorsqu'elle comprit subitement ce qu'elle voyait.

— C'est un sapin de Noël ?

— Oui.

Elle remarqua les paquets enveloppés de papier aux couleurs vives posés par terre.

— Et… des cadeaux ?

— Il me semble que c'est la coutume, non ?

Elle eut le souffle coupé quand il se baissa pour en prendre un et vint se mettre juste devant elle. Elle n'avait pas fêté Noël depuis des années. Et même dans son enfance, ce jour n'avait jamais vraiment incarné la chaleur et la paix dont elle avait eu si désespérément besoin. Pas alors qu'on ne voulait si manifestement pas d'elle.

À cet instant, en revanche, ses rêves étaient comblés.

— Oh, Styx, souffla-t-elle en prenant le cadeau qu'il lui tendait.

L'expression de Styx était incroyablement tendre lorsqu'il lui effleura la joue.

— C'est ton premier Noël avec ta nouvelle famille. Je souhaitais qu'il soit mémorable.

Elle se rapprocha de lui et colla son visage contre son torse nu, se délectant de la sensation de sa peau froide sous la sienne.

— C'est parfait.

— Ouvre ton cadeau, mon amour, la pressa-t-il.

À la pointe d'impatience qui transparaissait dans sa voix, elle s'écarta en dissimulant un sourire. Que quiconque puisse trouver ce vampire distant et insensible la dépassait. Elle n'avait jamais connu quelqu'un qui se préoccupe davantage des autres.

D'un geste rapide, elle déchira le papier qui enveloppait le petit coffret de velours et, avec un enthousiasme qui sembla ravir Styx, elle en souleva le couvercle, découvrant à l'intérieur une bague sertie d'un gros rubis d'une perfection extravagante.

Abasourdie, elle releva la tête pour rencontrer son regard scrutateur.

—Mon… Dieu.

Après avoir retiré l'écrin de ses mains tremblantes, Styx détacha la bague de son support et la passa délicatement au doigt de Darcy.

—Je crois que s'échanger un anneau entre compagnons est une tradition humaine ? demanda-t-il d'une voix rauque.

Elle rit avec nervosité.

—Oui, mais c'est bien plus qu'une alliance.

Il referma sa main sur les doigts de la jeune femme.

—Elle ne te plaît pas ?

—Elle est magnifique, mais c'est trop. Tu n'aurais pas dû…

—C'est ce que je voulais, l'interrompit-il d'un ton ferme.

Soulevant le menton de Darcy d'un doigt, il plongea son regard dans ses yeux écarquillés.

—Je veux que tu sois heureuse, Darcy.

Elle poussa un cri étranglé et se jeta contre lui, lui enlaçant la taille et nichant sa tête dans le creux de son épaule.

Le rubis était splendide. Et que Styx se soit manifestement donné tant de mal pour lui faire une surprise à Noël lui donnait envie de pleurer de joie.

Mais ce qui comblait son cœur, c'était de savoir que cet homme était son compagnon. Son partenaire pour la vie.

—T'avoir près de moi suffit à me rendre heureuse, dit-elle doucement.

Il l'enlaça et frôla son front de ses lèvres.

—Même si je suis le monstre qui t'a kidnappée ?

Elle gloussa au souvenir de la nuit où il l'avait arrachée du bar. Qui se serait douté que toute son existence en serait changée pour toujours ?

—Surtout parce que tu es le monstre qui m'a kidnappée. Si tu n'avais pas été là, je me replierais peut-être encore sur moi-même, complètement seule au monde. Ou pire, je pourrais être prisonnière de Salvatore.

Il resserra son étreinte, contrarié.

—Salvatore.

Elle s'écarta pour rencontrer son regard entre ses paupières plissées.

—Tu pensais ce que tu as dit ? Tu vas négocier avec les garous ?

La colère couvait dans ses yeux noirs, mais il hocha fermement la tête.

—Je tiens toujours parole, mon ange. J'irai devant le Conseil, comme promis. Du moins, dès qu'on m'accordera enfin audience.

Elle posa une main sur son torse.

—Merci.

—Je peux me permettre d'être généreux. (Il baissa les yeux sur l'encolure de sa robe de chambre qui bâillait.) J'ai ce que je veux.

—Tu es un chef très sage, murmura-t-elle, une chaleur commençant aussitôt à envahir son corps.

—Oh, très sage. (Il recula d'un pas et tendit la main vers la ceinture de Darcy.) Je pense qu'il est temps à présent que j'ouvre mon propre cadeau de Noël.

—Mais je ne t'ai rien offert, le taquina-t-elle comme il écartait sans mal la robe de chambre superflue.

Il baissa la tête et chuchota contre les lèvres de Darcy.

—Mon ange adoré, tu m'as tout donné.

EN AVANT-PREMIÈRE

Découvrez un extrait de la suite des aventures
des Gardiens de l'éternité :

CEZAR
(version non corrigée)

Traduit de l'anglais (États-Unis) par Hélène Assens

CHAPITRE PREMIER

La salle de réception de l'hôtel situé sur Michigan Avenue flamboyait de couleurs. À la lumière des lustres, les personnages influents de Chicago se pavanaient comme des paons et jetaient de temps à autre un regard vers l'imposante fontaine trônant au centre de la pièce où une poignée de stars hollywoodiennes de seconde zone posaient avec les invités devant les photographes pour un cachet indécent censé être reversé à quelque organisation caritative.

La ressemblance avec une autre soirée n'échappa pas à Anna, qui s'était de nouveau réfugiée dans un coin sombre et observait don Cezar se déplacer avec morgue.

Bien sûr, cette autre réception avait eu lieu près de deux cents ans auparavant. Et alors que, physiquement, elle n'avait pas vieilli d'un jour – ce qui, elle ne pouvait le nier, lui faisait économiser un bras en chirurgie esthétique et en abonnement à la salle de sport –, elle n'était plus cette jeune fille timide et effacée qui devait quémander pour obtenir quelques miettes de la table de sa tante. Cette fille était morte la nuit où don Cezar lui avait pris la main et l'avait tirée dans une chambre à coucher plongée dans l'obscurité.

Et bon débarras.

Sa vie était peut-être devenue étrange en bien des façons, mais Anna s'était aussi aperçue qu'elle pouvait se débrouiller toute seule. Elle s'en sortait même drôlement bien. Elle ne serait plus jamais cette fille timorée qui portait des robes de mousseline miteuses ; sans parler de ces corsets infernaux.

Elle n'avait pas pour autant oublié cette nuit fatidique.

Ou don Cezar.

Il lui devait des explications. Des explications d'une ampleur épique.

Voilà l'unique raison pour laquelle elle avait quitté son domicile actuel à Los Angeles et s'était rendue à Chicago.

Tout en trempant distraitement ses lèvres dans la coupe de champagne qu'un des serveurs torse nu lui avait fourré dans la main, Anna observait l'homme qui avait hanté ses rêves.

Lorsqu'elle avait lu dans le journal que le comte ferait le voyage depuis l'Espagne pour assister à cette soirée caritative, elle n'avait pas négligé la possibilité que ce soit un parent de celui qu'elle avait connu à Londres. L'aristocratie avait la manie d'affubler ses rejetons de ses propres noms. Comme si devoir partager le même ADN ne suffisait pas.

Un seul regard lui confirma qu'il ne s'agissait pas d'un parent.

Mère Nature était trop capricieuse pour produire une réplique aussi exacte de ces traits fins et dorés, de ces sombres yeux de braise, de ce corps à mourir…

Et ces cheveux.

D'un noir d'ébène, ils lui retombaient en une rivière soyeuse sur les épaules. Ce soir-là, une barrette en or retenait le haut de sa chevelure, le reste de ses boucles venant effleurer l'étoffe coûteuse de son smoking.

Si une seule des femmes présente ne s'imaginait pas passant les doigts dans cette crinière brillante, Anna était prête à en manger son sac en perles argenté. Don Cezar n'avait qu'à mettre le pied dans une pièce pour que le taux d'œstrogènes explose.

Une caractéristique qui lui valait plus que quelques regards assassins de la part des beaux gosses hollywoodiens près de la fontaine.

Anna marmonna un juron tout bas. Elle se laissait distraire.

D'accord, cet homme ressemblait à un conquistador victorieux. Et ses yeux sombres brûlaient d'une chaleur suffocante qui ferait fondre de l'acier à cent pas à la ronde. Mais elle avait déjà été aveuglée par cette beauté lascive et ténébreuse et en avait payé le prix.

Cela ne se reproduirait pas.

Activement occupée à se convaincre que les picotements au creux de son ventre n'étaient dus à rien d'autre qu'aux bulles d'un champagne millésimé, Anna se raidit lorsque le parfum caractéristique de pommes emplit l'air.

Avant même de s'être retournée, elle sut de qui il s'agissait. La seule question était… pourquoi ?

— Tiens, tiens. Si ce n'est pas Anna la bonne samaritaine, s'exclama Sybil Taylor d'une voix traînante, son doux sourire teinté de malice. Et à l'une de ces soirées caritatives qui, selon vos dires, ne sont qu'une occasion pour le gratin de se pavaner devant les paparazzi. Je me doutais que votre attitude de petite sainte n'était que du vent.

Anna ne s'étrangla pas, mais elle n'en était pas loin.

En dépit du fait que toutes deux vivaient à L.A. et étaient avocates, elles n'auraient pu être plus dissemblables.

Sybil était une grande brune bien roulée à la peau pâle et aux immenses yeux marron. Anna, quant à elle, atteignait à peine la barre du mètre cinquante et avait les cheveux bruns et les yeux noisette. Sybil était une avocate d'entreprise dotée de la moralité d'un… eh bien, en fait, elle ne possédait pas la moralité de quoi que ce soit. Elle n'en avait pas. Anna travaillait dans un service de consultations juridiques gratuites qui luttait quotidiennement contre la cupidité des sociétés.

— De toute évidence, j'aurais dû examiner la liste des invités un peu plus attentivement, répliqua Anna, prise au dépourvu, sans toutefois être vraiment surprise, par la vue de cette femme.

Sybil Taylor avait le don de se frotter aux gens riches et célèbres, où qu'ils se trouvent.

— Oh, je dirais que vous avez examiné la liste des invités aussi scrupuleusement que n'importe quelle autre femme présente.

Sybil coula délibérément un regard à l'extrémité opposée de la pièce, où don Cezar jouait avec la lourde chevalière qui ornait son auriculaire.

— Qui est-ce ?

L'espace d'un instant Anna lutta contre l'envie irrésistible de gifler ce visage pâle et parfait. Presque comme si l'intérêt que cette femme portait au comte la blessait.

Stupide, Anna.

Stupide et dangereux.

— Don Cezar, marmonna-t-elle.

Sybil humecta des lèvres trop pulpeuses pour être naturelles. Bien sûr, pas grand-chose chez Sybil Taylor n'était naturel.

— Un Européen fortuné ou un vrai aristo ? s'enquit la femme.

Anna haussa les épaules.

— À ma connaissance, son titre est on ne peut plus authentique.

— Il est… à croquer.

Sybil fit descendre ses mains le long de la petite robe noire qui s'efforçait vaillamment de couvrir ses rondeurs généreuses.

— Marié ?

—Je n'en ai pas la moindre idée.

—Hmmmm. Smoking Gucci, montre Rolex, chaussures italiennes. (Elle tapota d'un ongle manucuré ses dents trop parfaites.) Gay ?

Anna dut rappeler à son cœur de battre.

—Indiscutablement non.

—Ah… Je soupçonne un passé entre vous deux. Racontez-moi.

Malgré elle, Anna jeta un regard à la grande enquiquineuse vêtue de noir qui se tenait à ses côtés.

—Vous ne pourriez pas commencer à imaginer le passé que nous avons en commun, Sybil.

—Peut-être pas, mais je m'imagine cet étalon délicieusement ténébreux menotté à mon lit pendant que j'en fais ce que je veux.

—Des menottes ? (Anna réprima un rire nerveux, et serra instinctivement son sac plus fort.) Je me suis toujours demandé comment vous réussissiez à garder un homme dans votre lit.

Sybil plissa les yeux.

—L'homme qui ne désire pas désespérément goûter à ce corps n'est pas né.

—Qui désire désespérément goûter à un corps siliconé injecté de Botox et déjà usé jusqu'à la corde ? Une poupée gonflable contient moins de plastique que vous.

—Pourquoi vous… (La femme cracha. Carrément.) Écartez-vous de mon chemin, Anna Randal, ou vous ne serez plus qu'une tache huileuse sous les talons de mes Pradas.

Anna savait que si elle avait eu un meilleur fond, elle aurait averti Sybil que don Cezar était autre chose qu'un aristocrate fortuné et séduisant. Qu'il était puissant et dangereux… et autre chose… quelque chose de même pas humain…

Heureusement, même au bout de deux siècles, elle était encore capable de se montrer aussi mesquine que n'importe quelle femme. Un sourire se dessina sur ses lèvres pendant qu'elle regardait Sybil traverser la pièce en se déhanchant.

Cezar avait senti qu'elle était là bien avant d'entrer dans la salle de réception. Il avait su quand elle avait atterri à O'Hare. L'intensité avec laquelle il ressentait sa présence faisait frémir tout son corps.

Un phénomène sacrément agaçant s'il n'avait pas été si terriblement agréable.

Les sensations que mademoiselle Anna Randal éveillait en lui étaient si vives qu'un grondement guttural lui échappa quand il inclina la tête pour foudroyer du regard la grande brune qui venait à sa rencontre. Sans surprise, elle tourna les talons et partit dans la direction opposée.

Ce soir-là, la femme qui se tenait dans un coin accaparait toute son attention. La façon dont la lumière jouait sur le satin de sa chevelure couleur de miel, ses yeux noisette mouchetés d'or, la robe argentée qui dévoilait bien trop son corps svelte.

En plus, il n'aimait pas les faes.

En percevant un léger mouvement dans son dos, Cezar se retourna pour voir un grand vampire aux cheveux de jais surgir des ténèbres. Un joli tour, vu qu'il s'agissait d'un guerrier aztèque d'un mètre quatre-vingt-quinze drapé d'une cape et chaussé de bottes en cuir. Être l'Anasso – le chef de tous les vampires – comportait vraiment des avantages.

—Styx.

Cezar inclina la tête, guère étonné de constater que ce démon l'avait suivi jusqu'à l'hôtel.

Depuis que Cezar était arrivé à Chicago avec la Commission, Styx le couvait comme une mère poule. De toute évidence, ce dirigeant très âgé n'appréciait pas qu'un des siens se retrouve à la merci des oracles. C'était d'autant moins à son goût que Cezar avait refusé de lui avouer les crimes qui lui avaient valu près de deux siècles de pénitence entre leurs mains.

— Redis-moi pourquoi je ne suis pas chez moi dans les bras de ma belle compagne ? maugréa Styx sans tenir aucun compte du fait que Cezar ne l'avait pas invité à l'accompagner.

— C'est toi qui as demandé aux oracles de venir à Chicago, rappela Cezar à son aîné.

— Oui, afin de juger Salvatore pour avoir envahi le territoire de Viper… sans parler de l'enlèvement de ma femme. Un jugement qui a été reporté indéfiniment. J'ignorais qu'ils avaient l'intention d'envahir mon repaire et d'entrer en hibernation dès leur arrivée.

Les traits farouches de Styx se durcirent. Il n'avait toujours pas digéré de se faire jeter hors de ses grottes sombres et humides par les oracles afin que ces derniers puissent les utiliser pour leurs propres desseins impénétrables. Darcy, sa compagne, semblait en revanche s'accommoder du grand manoir majestueux aux abords de Chicago dans lequel ils avaient tous les deux emménagé.

— Et j'ignorais certainement qu'ils traiteraient l'un de mes frères comme leur sous-fifre, ajouta-t-il.

— Tu as bien conscience que même si tu es le seigneur et maître de tous les vampires, les oracles n'ont de comptes à rendre à personne ?

Styx marmonna quelque chose tout bas. Au sujet des oracles et des flammes de l'enfer.

— Tu ne m'as jamais expliqué précisément comment tu as fini entre leurs griffes.

— Ce n'est pas une histoire que je raconte à n'importe qui.

— Pas même à celui qui t'a autrefois sauvé d'un nid de harpies ?

Cezar partit d'un rire bref.

— Je n'ai jamais demandé à être secouru, mon seigneur. En fait, je n'étais pas opposé à rester entre leurs mains malfaisantes. Du moins le temps de la saison des amours.

Styx roula des yeux.

— Nous nous écartons du sujet.

— Et quel est-il ?

— Dis-moi ce que nous faisons ici. (Styx parcourut du regard la foule somptueuse avec une pointe de dégoût.) D'après ce que je vois, les invités ne sont que de simples humains, auxquels se mêlent quelques faes et démons inférieurs.

— Oui. (Les yeux plissés, Cezar les observa.) Un nombre surprenant de faes, tu ne trouves pas ?

— L'odeur de l'argent a toujours tendance à les attirer.

— Peut-être.

Tout à coup, Cezar sentit une main se poser sur son épaule, et il reporta son attention sur le vampire de plus en plus énervé à ses côtés. Manifestement, les faux-fuyants de Cezar poussaient la patience de Styx à bout.

— Cezar, j'ai déjà bravé le courroux des oracles. Je vais te faire pendre à une poutre si tu ne me dis pas ce que tu fais ici à frayer avec ce misérable ramassis de débauchés cupides.

Cezar grimaça. Pour l'instant, Styx était seulement agacé. Dès qu'il se mettrait vraiment en colère, les ennuis commenceraient à pleuvoir de tous côtés.

La dernière chose dont il avait besoin, c'était qu'un vampire déchaîné effraie sa proie.

— On m'a chargé de garder un œil sur un membre potentiel de la Commission, avoua-t-il à contrecœur.

— « Potentiel… » (Styx se raidit.) Par tous les dieux, on a découvert un nouvel oracle ?

Sa stupéfaction était compréhensible. Au cours des dix précédents millénaires, on en avait décelé moins d'une dizaine. Des créatures rares, et par conséquent particulièrement précieuses.

— Les prophéties ont révélé son existence il y a près de deux cents ans, mais la Commission n'a pas divulgué cette information.

— Pourquoi ?

— Elle est très jeune et n'est pas encore en pleine possession de ses pouvoirs. La Commission a décidé d'attendre qu'elle mûrisse et ait accepté ses aptitudes.

— Ah, je comprends parfaitement. Une jeune femme qui prend possession de ses pouvoirs s'avère parfois une vraie plaie. (Styx se frotta le flanc comme s'il se souvenait d'une blessure récente.) Un homme sage apprend à se tenir en permanence sur ses gardes.

Cezar haussa les sourcils.

— Je croyais que Darcy avait été conçue de façon à ne pas pouvoir se transformer ?

— Les aptitudes d'un loup-garou sont loin de se réduire à cette particularité.

— Il n'y a que l'Anasso pour choisir une louve comme compagne.

Les traits farouches de Styx s'adoucirent.

— À vrai dire, il n'a pas tant été question d'un choix que du destin. Comme tu le découvriras toi aussi un jour.

— Pas tant que je serai sous l'autorité de la Commission, répliqua Cezar d'un ton froid laissant entendre qu'il n'en révélerait pas plus.

Styx l'observa un long moment avant de hocher légèrement la tête.

— Alors, si ce membre potentiel n'est pas encore prêt à devenir un oracle, pourquoi es-tu ici ?

Instinctivement, Cezar coula un regard vers Anna. C'était inutile, bien sûr. Il percevait chacun de ses mouvements, chacune de ses inspirations et chacun de ses battements de cœur.

— Nous pensons qu'on a tenté de lui jeter un certain nombre de sorts au cours des dernières années.

— De quel genre ?

— Il s'agissait de la magie des faes, mais les oracles n'ont pu en apprendre davantage.

— Étrange. Les faes ne se préoccupent guère de la politique des démons. Qu'est-ce qui les intéresse ?

— Qui sait ? Pour l'heure, la Commission cherche juste à s'assurer qu'il n'arrive rien à cette femme. (Cezar esquissa un haussement d'épaules.) Quand tu as demandé aux oracles de venir à Chicago, ils m'ont confié la tâche de l'attirer ici pour que je puisse la protéger.

Styx le foudroya du regard. Un serveur humain s'évanouit et un autre se précipita vers la sortie la plus proche.

— D'accord, cette fille est spéciale. Pourquoi c'est toi qu'on a obligé à la protéger ?

Cezar frémit de tout son corps. Ce qu'il prit soin de dissimuler aux sens aiguisés de son compagnon.

— Douterais-tu de mes aptitudes, mon seigneur ?

— Bien sûr que non, Cezar. Personne t'ayant vu au combat ne les remettrait en question.

Avec la familiarité engendrée par plusieurs siècles d'amitié, Styx jeta un coup d'œil aux lignes parfaites de la veste de smoking de Cezar. Ils savaient tous deux que cette élégance cachait une demi-douzaine de poignards.

— Je t'ai vu te frayer un chemin dans une horde d'Ipars à la pointe de l'épée. Mais certains membres de la Commission possèdent des pouvoirs que personne n'oserait affronter.

— Il n'y a pas de raison, il n'y a qu'à agir et mourir…

— Tu ne mourras pas, déclara Styx, interrompant Cezar dans sa déclamation de poème.

Celui-ci haussa les épaules.

— Même l'Anasso ne peut l'affirmer.

— C'est pourtant ce que je viens de faire.

— Tu as toujours été trop noble pour ton propre bien, Styx.

— Exact.

La plus légère des caresses effleura les sens de Cezar : Anna se dirigeait vers une petite porte de la salle de réception.

— Rentre chez toi, *amigo*. Va retrouver ta belle louve-garou.

— Une proposition alléchante, mais je ne te laisserai pas seul ici.

— J'apprécie ta sollicitude, Styx. (Il adressa à son maître un regard de mise en garde.) Mais c'est désormais la Commission qui me dicte mes devoirs, et elle m'a donné des ordres que je ne peux ignorer.

Une colère froide brûla dans les yeux sombres de Styx, puis il hocha la tête à contrecœur.

— Tu me fais signe en cas de besoin ?

— Bien sûr.

Anna n'eut pas à regarder don Cezar pour savoir qu'il avait conscience du moindre de ses mouvements. Il avait beau parler avec l'homme séduisant qui ressemblait de façon frappante à un chef aztèque, elle ressentait dans tout son corps frémissant l'attention soutenue qu'il lui portait.

Il était temps de mettre son plan à exécution.

Achevé d'imprimer en mai 2011
par Hérissey à Évreux (Eure)
N° d'impression : 116623
Dépôt légal : juin 2011
Imprimé en France
81120514-1